JEAN-FRANÇOIS DE LA HARPE,
ADEPTE ET RENÉGAT DES LUMIÈRES

Jean-François de La Harpe, adepte et renégat des lumières

par
Alexandre Jovicevich

SETON HALL UNIVERSITY PRESS
South Orange, New Jersey 07079
U. S. A.

PQ
1993
L4
Z81
cp. 2

A. Miki.

Introduction

Introduction

»On fut souvent injuste et toujours trop sévère envers lui [La Harpe]; il fut à son tour quelquefois injuste et presque toujours trop sévère envers les autres«, Boissy d'Anglas, *Les études litté-raires et poétiques d'un vieillard*, III, 201.

Le récit de toute vie humaine peut se ramener à quelques questions élémentaires: Comment un homme a-t-il surmonté la difficulté de vivre? Comment a-t-il résolu les problèmes de son éducation, de sa carrière, de l'amour, du mariage, de la vie en famille, de l'amitié, de l'argent, de la vieillesse, de la mort? Les réponses constituent une espèce de somme de ce qu'il a fait et de ce qu'il a pensé. S'il a essayé, et a même réussi dans une certaine mesure, à élever le sens de la vie de l'homme, à ajouter à ses lumières, il mérite un historien. La Harpe l'a mérité dans l'exercice de chacune de ses diverses fonctions: en tant que dramaturge, critique littéraire, poète, professeur et académicien.

Ses contemporains eux-mêmes ont pressenti son importance. »Certes, à tout prendre, disait Gaillard quelque part, et surtout pour les contempo-rains, c'était *quelqu'un* que M. de La Harpe.«[1] Delisle de Sales disait de lui en 1811, qu'»il faut qu'une génération s'éteigne, comme sur la tombe des Pharaons, pour avoir le droit de juger sa mémoire«[2]; que le seul scandale de la publication de la *Correspondance littéraire* »empêchera peut-être pendant un demi-siècle qu'on soit juste envers la mémoire de notre Quintilien.«[3] Son nouvel historien (nous ne nous considérons pas comme le premier car, dès 1829, Merlhiac avait publié une biographie de La Harpe), vient donc avec beaucoup de retard.

Ecrire l'histoire d'un homme aussi distingué devrait être une tâche rela-tivement facile. Mais la vie de cet homme illustre n'a pas été la vie normale d'un personnage éminent. Parler de La Harpe, même de nos jours, c'est plaider un cas où le réquisitoire rencontre plus de sympathie que la défense, car presque tout chez La Harpe a été soumis au doute. Sa naissance, sa condition, sa loyauté vis-à-vis de ses amis et protecteurs, son honnêteté d'écrivain,

---

[1] Sainte-Beuve, *Causeries du Lundi*, V, 131.
[2] *Essai sur le journalisme*, p. 103.
[3] *Ibid.*, p. 106.

la sincérité de ses opinions politiques et celle de ses croyances religieuses ont inspiré des allégations contradictoires. Au biographe d'éclaircir tout cela par des documents authentiques.

Ceux qui ont traité avant nous de sa vie, quoique assez bien renseignés, manquaient souvent d'impartialité, ou n'apportaient pas à leur travail assez de rigueur et ignoraient un certain nombre des documents importants, aujourd'hui disponibles, que nous utilisons pour cette biographie. Tandis que nos devanciers ont accordé trop de confiance aux anecdotes et à l'ouï-dire, nous nous fions uniquement aux documents, inédits ou imprimés. Nous n'avons épargné aucun effort, pendant huit années, pour examiner toute source susceptible de projeter de la lumière sur la vie de notre homme. Néanmoins, nous avons le grand regret de signaler l'existence, en Union Soviétique, de certains documents, à notre connaissance inédits, auxquels on n'a pas voulu nous donner accès, sous prétexte qu'un groupe d'érudits soviétiques les prépare pour la publication.

L'intérêt va croissant pour ce personnage remarquable. Particulièrement intéressante sera, croyons-nous, la thèse de M. Rémy Landy qui nous dira pourquoi La Harpe a renié les lumières. Bien entendu, il reste d'autres travaux à faire sur La Harpe, telle une étude de son théâtre, une autre de sa politique. Il serait intéressant de mettre au clair ses relations avec quelques-uns de ses contemporains illustres, notamment Voltaire et Diderot.

Notre méthode est simple. Nous avons cherché à expliquer d'abord le personnage dans ses œuvres et ensuite dans les opinions de ceux qui l'ont connu de près, car »vrai ou faux, ce qu'on dit des hommes tient souvent autant de place dans leur vie et surtout dans leur destinée que ce qu'ils font,« disait Victor Hugo parlant de l'évêque Myriel.[4] Toutefois, nous avons toujours préféré céder la parole à La Harpe lui-même sur des problèmes qui le concernent, nous gardant cependant de citations trop longues.

Deux études relativement récentes, inédites toutes deux, nous ont été particulièrement utiles, surtout par leur documentation. L'une d'elles est en partie une biographie présentée comme thèse de doctorat à Harvard University en 1939 par Stuart Lynde Johnston sous le titre: *Jean-François de la Harpe: The Man — The Critic*. C'est une étude bien documentée et méticuleuse qui a dû être reprise pour l'impression. Telle quelle, son défaut principal est d'être surchargée de citations fréquemment trop longues (deux ou trois pages à la fois), ce qui en rend la compréhension difficile et la lecture peu attachante. L'autre est écrite également par une Américaine, Grace Mildred Sproull, comme thèse de doctorat à l'Université de Chicago et présentée en 1937 sous le titre de *Jean-François de La Harpe, Controversialist and Critic*. Ecrite dans la meilleure tradition d'érudition, elle mériterait d'être publiée.

A côté de la correspondance inédite, que nous avons fait publier nous-même et de celle éditée par Christopher Todd, les documents inédits les plus utiles pour l'époque partant de 1789 sont les dossiers La Harpe des Archives nationales. Nous avons grandement profité de la générosité de notre collègue, M. Francis Gravit, professeur à l'Université d'Indiana, que nous remercions ici pour avoir mis à notre disposition l'index sur La Harpe de l'*Année littéraire*, ce qui a facilité nos recherches dans ce journal. D'après cet échantillon,

---

[4] *Les Misérables*, I, 7.

le travail de M. Gravit mérite d'être publié et comme tel il rendrait un service inestimable aux chercheurs. Nous sommes également redevable au R. P. Robert Brunet, bibliothécaire de la Maison Saint-Louis à Chantilly, où se trouve aussi, quoique moins complet, l'index du journal de Fréron. M. John Pappas s'est montré toujours prêt à nous aider, soit par ses conseils, soit en nous indiquant des documents et des sources intéressant notre recherche; qu'il trouve ici l'expression de notre gratitude.

Des subventions importantes ont facilité nos recherches aux Etats-Unis et en Europe pendant trois étés. C'est donc avec un très grand plaisir que nous en remercions l'American Philosophical Society, la Shell Chemical Company et la National Endowment for the Humanities. L'adminitration de Seton Hall University, qui nous a accordé un congé pour rédiger cette biographie, a toujours encouragé par tous les moyens possibles nos recherches en cours; il nous est très agréable de lui exprimer notre gratitude. Nos remerciements vont aussi au personnel des grandes bibliothèques et archives tant américaines que françaises: la Bibliothèque publique de la ville de New York, la Bibliothèque de Columbia University, la Bibliothèque de Yale University, la Bibliothèque nationale, l'Arsenal, les Archives nationales, les Archives de la Seine, les Archives de la Préfecture de police et d'autres trop nombreuses pour les mentionner ici, dont les employés nous ont gracieusement accueilli et n'ont épargné aucun effort pour aider notre recherche des documents. Nous espérons que nos lecteurs trouveront dans ce travail une biographie complète et suffisamment documentée pour mieux connaître La Harpe, et qu'à travers lui cette étude ajoutera à la compréhension du siècle auquel il appartient.

Enfance, éducation et débuts littéraires

Enfance, éducation et débuts littéraires

»Le premier pas suffit, tout en dépend peut-être.« La Harpe,
Œuvres diverses, I, 170.

Les controverses au sujet de Jean-François de La Harpe ont commencé
avec sa naissance. La plupart de ceux qui se sont occupés de sa biographie
sont d'accord sur la date de novembre 1739, à l'exception de Petitot qui,
sans donner ni jour ni mois, dit qu'il est né en 1740.[1] D'autre part, pour Paul
Bonnefon, la question se posait de savoir si le jour était le 29 novembre,[2] ou
bien le 20 novembre, comme l'affirment Sainte-Beuve,[3] Auger,[4] Merlhiac[5] et
Agasse.[6] Une note nécrologique écrite par Ledru, adjoint du IXe arrondisse-
ment, disait que La Harpe est »né à Paris... le 20 décembre 1739...«[7]
Heureusement, cette question n'est plus actuelle, car nous disposons maintenant de l'extrait des »Registres des Baptêmes de la p[sse] de St. Nicolas du
Chardonnet à Paris« qui confirme que »le vingt et un Novembre mil sept
cent trente neuf je soussigné Pretre ai baptisé Jean François né d'hyer du
mariage de Jean François de la harpe... et de Marie Louise Devienne.«[8]

Un autre point douteux était l'origine noble ou roturière de sa famille.
Sainte-Beuve rapporte que le père de La Harpe s'était déclaré »*gentilhomme*
et *officier suisse*«,[9] et Peignot est d'accord »que son père, d'une ancienne famille
noble de Suisse, fut capitaine d'artillerie au service de France, et chevalier
de Saint-Louis.«[10] Mais, à mesure que sa réputation d'écrivain croissait, on
explora son passé et sa généalogie. Ainsi, en 1763, les *Mémoires secrets*

---

[1] *Mémoires sur la vie de M. de La Harpe*, dans *Œuvres choisies et posthumes
de M. De La Harpe*, I, p. II.

[2] »Une aventure de la jeunesse de La Harpe — l'affaire des couplets,« *Revue
d'Histoire Littéraire de la France*, 1911, p. 359.

[3] *Causeries du lundi*, V, 104.

[4] *Vie de La Harpe, dans Lycée, ou Cours de littérature*, I, p. I.

[5] Gilibert de Merlhiac, *Vie de La Harpe*, p. 7.

[6] Henri Agasse, *Notice historique sur la vie et les œuvres de M. De Laharpe*,
dans *Lycée, ou Cours de littérature*, XVI, 740.

[7] *Journal des Débats* du 12 février 1803.

[8] Archives nationales, O[1] 679.

[9] *Causeries du lundi*, V, 104.

[10] Gabriel Peignot, *Recherches historiques, littéraires et bibliographiques sur la
vie et les ouvrages de M. de La Harpe*, p. 11.

disaient que »la Harpe est fils d'un porteur d'eau & d'une ravaudeuse, un enfant trouvé enfin.«[11] Métra brode à nouveau sur cette biographie en appelant La Harpe un enfant naturel, qui »ne doit le jour qu'à l'accouplement clandestin d'une cuisinère & d'un soldat invalide ... [il est né] au milieu de la rue dont il porte le nom,«[12] tandis que le journal de Fréron le décrit comme un »enfant du hasard.«[13] Cette épithète provoqua Boissy d'Anglas, et La Harpe lui-même, à répondre dans le *Mercure*. Le premier le fit par devoir afin de défendre son ami, »l'Ecrivain distingué que l'on insulte avec tant d'audace ...[14] M. de la Harpe, fils d'un Militaire Suisse,« poursuit Boissy, »descend par lui d'une ancienne famille noble du Canton de Berne.«[15] Cette lettre de Boissy d'Anglas fut suivie par une note où La Harpe déclare: »... aujourd'hui que l'on voudroit infirmer l'hommage que je rends à la Liberté, et faire croire que ma haine pour l'Aristocratie n'est que le sentiment de jalousie que l'on suppose aux conditions inférieures, je suis obligé de déclarer qu'en effet le hasard m'a fait un assez bon Gentilhomme, d'une famille originaire de Savoie, et établie dans le pays de Vaud, remontant en ligne directe jusqu'à l'année 1389, où l'un de mes ancêtres étoit Gentilhomme de la Chambre de Bonne de Bourbon, Comtesse de Savoie ...«[16] Ce qu'il faut souligner ici, c'est le moment où ces allégations sont faites; cela leur donne plus de valeur car, en 1790, il n'y avait aucun avantage à se dire noble. Malheureusement, le certificat de baptême, cité plus haut, dit seulement que Jean-François de La Harpe, le père, est »Ancien Capitaine d'Artillerie,«[17] mais Sainte-Beuve, citant Ravenel, dit que le père de La Harpe avait énoncé ses titres dans le certificat de décès de l'une de ses filles.[18] On se trouve de nouveau dans le doute sur la question des enfants du ménage La Harpe. Peignot, par exemple, dit »qu'il en eut beaucoup d'enfans dont la plupart moururent en bas âge.«[19] Petitot et Auger reprennent cette affirmation,[20] tandis que Merlhiac dit que le père, après sa mort, »laissa plusieurs enfans orphelins sans aucune ressource.«[21] Le problème du nombre et de la survivance des enfants subsiste, car nous apprenons seulement par l'inventaire de La Harpe, fait le 7 mars 1803, qu'il y avait une sœur, Thérèse, dont Sainte-Beuve a parlé.[22] Elle épousa un nommé Cretin, vitrier. De ce mariage est née une fille, »Dame Magdeleine Cretin, veuve de François Bertrand,« qui est la nièce et l'héritière principale, dont il est question dans le testament de La Harpe.[23]

---

[11] Bachaumont, *Mémoires secrets*, I, 306.
[12] *Correspondance secrète, politique & littéraire*, V, 40.
[13] *Année littéraire* 1789, viii, 316.
[14] *Mercure de France*, 20 février 1790, p. 99; malgré les changements du titre — *Mercure françois* à partir du 17 décembre 1791, et *Mercure de France littéraire et politique* à partir du 20 juin 1800 — nos renvois à ce journal seront signalés comme *Mercure* en indiquant le volume, s'il y a lieu, en chiffres romains et la page en chiffres arabes. Cette procédure est adoptée pour tout ouvrage comportant plus d'un volume.
[15] *Ibid.*, p. 102.
[16] *Ibid.*, p. 110.
[17] Archives nationales, 0¹ 679.
[18] *Causeries du lundi*, V, 104.
[19] *Recherches historiques ...*, p. 11.
[20] *Mémoires sur la vie de M. de La Harpe*, p. I; *Vie de La Harpe*, p. I.
[21] *Vie de La Harpe*, p. 8.
[22] *Causeries du lundi*, V, 104.
[23] Archives nationales, Minutier central des notaires, Etude LXXIII, 1177.

Si on a disputé les titres nobiliaires à la famille La Harpe, tout le monde est d'accord sur son extrême pauvreté. La Harpe lui-même en convient et admet que, pendant une dizaine d'années, il a été nourri par les institutions charitables: »L'auteur, à l'âge de neuf ans, a été nourri six mois par les sœurs de la Charité de la paroisse Saint-André-des-Arcs, et l'on sait que, jusqu'à l'âge de dix-neuf ans, il a été élevé et nourri par charité.«[24] C'est au moment où mourut son père, le 6 mai 1749, que les difficultés économiques s'accrurent pour la famille sans père. La mère fut admise et soignée quelques années plus tard à l'Hôtel-Dieu, où elle est morte le 16 février 1756.[25]

Dans cette période de dépendance totale de la charité, leur plus efficace bienfaiteur fut Claude Léger, curé de la paroisse de Saint-André-des-Arcs, »cet homme de Dieu, qui passa quarante ans à faire du bien dans une paroisse pauvre, qui n'en perdra jamais la mémoire ... [il] n'était guère connu que des pauvres ... dont la reconnaissance n'a rien à donner à la vanité.«[26] Ce prêtre qui »se privait même du nécessaire ... [car] il n'était pas rare de voir enlever son dîner de sa table pour être porté à des malades qui manquaient de bouillon ...,«[27] a produit sur La Harpe une impression considérable. C'est lui que l'auteur a choisi comme modèle pour le caractère du curé de *Mélanie*.[28]

Il est possible que ce soit ce même curé qui présenta La Harpe à l'abbé Asselin, proviseur du Collège d'Harcourt, devant qui Jean-François récita si bien des vers que le proviseur s'intéressa à lui et l'accepta en automne 1749 comme boursier au collège, où l'un de ses contemporains illustres, Diderot, l'avait probablement précédé environ d'une quinzaine d'années. La Harpe y fut d'abord externe pendant un an, de son propre aveu, et ensuite huit ans pensionnaire.[29] Ses biographes croient que l'abbé Asselin subventionna lui-même le commencement de cette éducation de Jean-François,[30] mais cela n'est nullement sûr, car il pouvait lui obtenir une bourse si le collège disposait des fonds nécessaires. Or, nous savons, d'après la statistique des années 1735 et 1747, que les recettes du collège dépassaient les dépenses, de 454 livres en 1735 et de 894 en 1747.[31] Selon les réglements du collège, il fallait admettre un certain nombre d'étudiants (seize sur vingt-huit quand le collège fut établi) de quatre diocèses de Normandie (Coutances, Bayeux, Evreux et Rouen). »Le reste des écoliers sera pris dans les mêmes diocèses ou dans d'autres et indifféremment de toute nation [Province].«[32] Selon l'article XI, le proviseur pouvait, »s'il arrive que les revenus de ladite maison soient portés par nous ou par quelque autre au delà de ce qui est nécessaire à l'entretien de quarante écoliers [nombre fixé en 1311, lors de la fondation du collège, pour les deux écoles], ... recevoir des Artistes [étudiants en Arts et en Philosophie] ou des Théologiens capables, de quelque nation [Province]

---

[24] *Mercure*, 2 avril 1803, p. 58 (note). Voir aussi Sainte-Beuve, *Causeries du lundi*, V, 106.
[25] Sainte-Beuve, *Causeries du lundi*, V, 104.
[26] *Lycée*, VII, 127.
[27] *Œuvres diverses* (sa *Correspondance littéraire* y est incluse vols. X à XIII), XI, 417.
[28] *Ibid.*, p. 415.
[29] Bonnefon, »Une aventure de la jeunesse ...«, p. 359.
[30] Merlhiac, *Vie de La Harpe*, p. 12; Auger, *Vie de La Harpe*, p. II.
[31] Henri-Louis Bouquet, *L'Ancien Collège d'Harcourt*, pp. 391—92.
[32] *Ibid.*, p. 70.

qu'ils soient, suivant les ressources de l'établissement en leur assignant des Bourses d'après ce qui a été réglé plus haut ... [pourvu que l'on admette] un Théologien contre deux Artistes.«[33]

Selon l'article »LXIII. Tout Artiste devra étudier de telle sorte qu'au bout de cinq ans le Prieur des Théologiens et le Principal des Artistes le jugent digne de la licence.«[34] La Harpe y passa presque le double du temps prévu en 1311 pour les étudiants ès-Arts. Ce séjour prolongé était dû probablement, du moins en partie, aux réformes d'enseignement que le collège avait subies au cours de trois siècles et demi,[35] et aussi, le dit Petitot, parce que »la Harpe n'annonça pas dans les premières classes le talent qu'il devait déployer par la suite ... [étant] trop jeune, plusieurs objets qu'on lui donnait à traiter passaient son intelligence.«[36] Auger a dit qu'il »doubla sa Rhétorique,«[37] et Bouquet confirme qu'il était en Rhétorique en 1756 et 1757.[38] Nous savons qu'il était encore là quand De l'Esprit d'Helvétius parut en 1758; »J'étais alors en philosophie, dit-il.«[39]

On peut croire que le principal Asselin, qui cultivait les Lettres lui-même,[40] a dû surveiller de près le boursier de son choix. C'était lui qui avait permis la représentation de la Mort de César de Voltaire en 1735, ce qui atteste sa tolérance et sa libéralité. La Harpe a gardé les meilleurs souvenirs du »bienfaiteur de mon enfance, celui pour qui j'aurai une reconnaissance éternelle, celui qui m'a toujours conservé son amitié.«[41] La description qu'il donne de son séjour au collège, bien qu'écrite vers la fin de sa vie, indique la joie et la liberté qui y régnaient. Il y parle des glissades sur la rampe et surtout du jeu favori — la guerre de boules de neige contre les passants dans les rues obscurcies de Paris.[42] A mesure qu'il avance dans ses études, consistant principalement en des humanités latines, il se distingue de plus en plus, et il obtint le prix d'honneur deux années de suite, en 1756 et 1757,[43] ce qui, signale Bouquet,[44] ne fut accompli en aucun collège de l'Université de Paris qu'une fois depuis lors, par un nommé Noël. Dès la troisième, en 1753, le boursier se distingua en obtenant le premier accessit en Thème; en seconde, en 1755, il obtint le premier accessit en Vers latins et le premier prix en Version latine; en rhétorique, en 1756, il gagna le premier prix en Version grecque et le deuxième en Vers latins, et finalement, en rhétorique, en 1757, on lui décerna le premier prix en Discours français aussi bien qu'en Version grecque et le deuxième prix en Vers latins.[45] Mais, à la différence de Diderot

---

[33] Bouquet, L'Ancien Collège d'Harcourt, pp. 71—72.
[34] Ibid., p. 77.
[35] Il y a eu réforme des statuts en 1703, cf. Bouquet, L'Ancien Collège d'Harcourt, p. 667.
[36] Mémoires sur la vie..., p. II; Peignot affirme la même chose, Recherches historiques..., p. 13.
[37] Vie de La Harpe, p. II.
[38] L'Ancien Collège d'Harcourt, p. 700.
[39] Lycée, XV, 442.
[40] Bouquet, L'Ancien Collège d'Harcourt, p. 378, dit qu'il écrivit des odes sur l'existence de Dieu; sur le mépris de la fortune, et sur la foi et la paix du cœur; cf. aussi Biographie universelle, II, 336.
[41] Œuvres diverses, I, 91—92.
[42] Lycée, XI, 473.
[43] Bouquet, L'Ancien Collège d'Harcourt, p. 384.
[44] Ibid., p. 694.
[45] Ibid., p. 700.

La Harpe n'avait plus ni père ni mère pour le voir rentrer au foyer les mains pleines de prix et partager la joie de ses réussites.[46]

Il semble pourtant que cette gloire académique franchit aisément l'enceinte du collège et se répandit dans le monde; l'on y recherche le jeune homme.[47] Après ses études au collège, il entreprit, à en croire certains vers qu'il écrivit à l'époque, de faire son droit et même d'étudier les mathématiques. Ses études en droit sont attestées par le procès-verbal lors de l'affaire des couplets.[48] Mais il ne les trouvait pas à son goût. Il se lassa plutôt vite de »la juridique obscurité [et de] l'algébrique aridité« qui abrutirent son esprit à tel point qu'il échangea »la calculante manie [et] de Cujas le lourd jargon« pour la gaieté d'Anacréon.[49]

Il noua donc des liaisons avec des gens de lettres, et avec Diderot parmi les premiers, semble-t-il. »... c'est le premier de tous les gens de lettres que j'ai vu ... à dix-sept ans [lors de mon retour] ... de la campagne où un ami de Diderot m'avait donné une lettre pour lui.«[50] Ce qui lui assura un entretien de quatre heures, où il saisit bien le naturel du philosophe, surtout son penchant pour la pantomime. La Harpe se dit fier d'avoir attaqué, au cours de cette entrevue, le *Discours sur la poésie dramatique* de Diderot, qui venait de paraître, ce qui permet de dater cette rencontre de l'automne 1758, lorsqu'il avait dix-huit ans plutôt que dix-sept. Parlant de cette liaison beaucoup plus tard, après sa conversion, dans la *Correspondance littéraire*, il la dépréciait en niant avoir eu une »liaison particulière avec Diderot, quoique je l'eusse vu trois ou quatre fois dans ma première jeunesse,«[51] et il professait son dégoût pour les ouvrages du philosophe.[52]

Avant ce revirement, le jeune La Harpe s'était engagé dans un de ses premiers écrits, l'*Aléthophile*, publié en 1758, à défendre le directeur de l'*Encyclopédie* en particulier, et les encyclopédistes en général, contre Fréron, Palissot et Moreau:

> exilés de la Littérature qui blâment tout ce qu'ils ne sçauraient faire, qui déprécient tout ce qu'ils ne sçauraient atteindre, qui attaquent les grandes réputations pour s'en faire une, & qui pensent que quelques froides plaisanteries, quelques injures grossièrement aiguisées, pourront rabaisser un corps composé de tout ce qu'il y a de plus respectable dans la République des Lettres.[52]

Pour être sûr que ceux qu'il critique se reconnaissent, il nomme »l'Auteur des Petites Lettres ... l'Auteur de l'Année Littéraire, & celui des Cacouacs,«[53] qui attaquent les encyclopédistes, en particulier Diderot, parce qu'ils lui trouvent un mérite moins universel.[54] »Mais M. D. est un Philosophe profond,« poursuit l'*Aléthophile*, »un homme dont le jugement est aussi droit que les

[46] Arthur Wilson, *Dideront: The Testing Years*, p. 17, répète la même chose dans *Diderot*, p. 7.
[47] Merlhiac, *Vie de La Harpe*, p. 13.
[48] Bonnefon, »Une aventure de la jeunesse ...,« p. 359.
[49] *Mélanges littéraires ou Epîtres et pièces philosophiques*, p. 41.
[50] Petitot, *Mémoires sur la vie de M. de La Harpe*, p. V.
[51] *Œuvres diverses*, X, p. XIV.
[52] *Aléthophile, ou l'Ami de la vérité*, pp. 7—8.
[53] *Ibid.*, p. 9.
[54] *Ibid.*, p. 12.

connaissances étendues, un Ecrivain qui pense & qui s'exprime avec une force égale; enfin un Auteur qui fait honneur à notre siècle.«[55]

La réaction de Fréron fut à peine marquée d'abord, annonçant »encore une Brochure contre moi,«[56] sans en soupçonner l'auteur. Pourtant la brochure fit quelque bruit, dit son journal une quinzaine d'années plus tard en 1760, comme on en parlait encore, »un certain *Lombard*, aide de camp du Comte de *Saint-Germain*,« déclara, à un souper avec Fréron, qu'il ne connaissait pas avant que l'auteur de l'*Aléthophile* n'était autre que le jeune La Harpe.[57] Cette satire consacra la longue et solide inimitié du rédacteur de l'*Année littéraire* vis-à-vis du jeune auteur de l'*Aléthophile* qui avait déjà eu, selon son propre aveu, sa première escarmouche avec Fréron, lors d'un dîner chez Dorat. D'après ce même texte, le sujet en était Voltaire, dont Fréron parla, à cette occasion, dédaigneusement, »dans le style de ses Feuilles.«[58] La Harpe, encore collégien, admirait le partriarche de Ferney. »Je ne pus sans émotion entendre dénigrer, confesse-t-il, ce que j'adorais: je combattis son détracteur avec toute l'impétousité de ma jeunesse, et toute la force d'une bonne cause.«[58] Toujours selon La Harpe, Fréron semble avoir discerné à cette occasion son talent de critique, et se voua à l'»étouffer«, devinant qu'il deviendrait un jour »*le tyran de Littérature.*«[58bis]

Dorat ne tarda pas à donner sa version de cette rencontre dans une lettre, où il dit qu'il voulait »rapprocher« Fréron et La Harpe, que »*Freron* y fut aimable & bonhomme; son antagoniste au contraire y fut tranchant, disputeur, criard & ennuyeux.«[59] A en croire Dorat ce n'était pas l'auteur de *Zaïre* qui provoqua la querelle, mais celui du *Cid*, »parce que quelqu'un de nous s'avisa de dire en passant que Corneille avoit du génie.«[60] C'est probablement, comme l'affirme Johnston, que La Harpe défendit la critique voltairienne de Corneille contre les propos de Fréron en faveur de l'auteur du *Cid*.[61] Cette querelle sépara définitivement les deux adversaires. Dorat ne rapporte pas la date de cet événement de façon sûre, car il affirme que ce dîner servit d'inspiration à La Harpe pour concevoir son *Warwick*;[62] ce serait trop avancer cette genèse, à notre avis. Heureusement, La Harpe précise le moment de la réunion à deux reprises, d'abord dans son récit précité, disant qu'il était encore au collège,[63] et ensuite dans sa *Correspondance littéraire*, en 1776, où il avoue qu'il avait suscité de bonne heure la haine de Fréron, et que ce dîner chez Dorat eut lieu avant que l'*Ecossaise* de Voltaire ne parut.[64] Or, cette »pièce imprimée arriva à Paris, selon Beuchot, vers la fin de mai 1760.«[65] Il faut donc conclure que cet entretien chez Dorat, au lieu

---

[55] *Aléthophile*, p. 13.
[56] *Année littéraire* 1758, II, 24.
[57] *Ibid.*, 1776, VI, 88—89.
[58] *Journal de politique et de littérature*, 25 novembre 1776, III, 447.
[58bis] *Ibid.*, p. 449.
[59] *Année littéraire*, 1776, VI, 263.
[60] *Ibid.*, pp. 263—64.
[61] Stuart Lynde Johnston, *Jean-François de La Harpe, The Man — The Critic*, Thèse dactylographiée Harvard University, 1939, p. 10.
[62] *Année littéraire* 1776, VI, 264.
[63] *Journal de politique et de littérature*, 25 novembre 1776, III, p. 447.
[64] *Œuvres diverses*, X, 293.
[65] Voltaire, *Œuvres complètes*, éd. Moland, V, 402.

d'avoir engendré *Warwick*, inspira à La Harpe d'écrire son *Aléthophile*, qui cristallisa les animosités et ne permit jamais ni réconciliation, ni même de trêve.

L'année suivante, étant étudiant en droit vraisemblablement, il publia deux héroïdes, genre alors à la mode, qu'il fit précéder d'un *Essai sur l'héroïde en général*. La Harpe regrette que, dans le passé, on ait fait de l'amour le thème unique traité dans ces sortes de monologues attribués à des personnages historiques.[66] Pour lui »un livre d'Héroïdes ... de ce genre, formerait une galerie brillante, à ce que pense La Harpe, où l'esprit se promènerait avec plaisir, & verrait tour à tour les mœurs des Nations, le caractère des grands hommes, & les mouvemens de tant de passions différentes, revêtus de couleurs de la Poësie.«[67] La première héroïde est *Montézume à Cortès* et la seconde *Elisabeth de France à Don Carlos*. Fréron en fit un compte rendu sévèrement critique, surtout en ce qui concerne l'*Essai*: »... rien de plus commun, dit-il, de plus trivial que ce prétendu *Essai sur l'Héroïde*.«[68] Il invite le jeune homme à garder dans son portefeuille les autres héroïdes et lui conseille: »Qu'il lise, relise les Anciens, au lieu de les juger et de nous donner des leçons ... [de cette façon] peut-être il pourra parvenir à grossir cette foule d'écrivains ... qui possèdent toutes les qualités qu'on peut acquérir en défaut de génie.«[69]

Les journaux pro-philosophes, de leur côté, firent des comptes-rendus favorables à l'ouvrage de La Harpe. Ainsi, le *Mercure* augure bien pour le jeune poète et l'encourage à continuer dans ce genre, où il promet de réussir: »... je ne puis qu'inviter l'Auteur à remplir la carrière qu'il s'est ouverte. Il sentira ses forces s'augmenter à chaque pas; & ses premiers essais, quoique défectueux, font présumer favorablement des succès qui doivent les suivre.«[70] Le *Journal encyclopédique* y trouve »du feu, de la noblesse, de l'élégance et un bon goût de versification ... Ces morceaux suffisent pour donner une idée avantageuse de l'Auteur dont la jeunesse et les talens méritent des encourage-mens.«[71] En effet, Montézume est philosophe. Il condamne les conquêtes espagnoles qui ont ruiné un pays paisible et heureux. Il se révolte contre une religion qui excuse et même encourage »l'art affreux du carnage.«[72] Montézume ne peut pas accepter que l'on puisse être croyant, observer les principes d'un Dieu juste et, en même temps, usurper la paix et envahir le pays d'un peuple paisible au nom de ce même Dieu. Ce »Dieu des Tyrans est un monstre« pour le Mexicain.[73] Il s'adresse à un Dieu de l'avenir pour venger les victimes malheureuses:

> Mais cet Etre puissant, ce Dieu de l'avenir,
> . . . .
> . . . .
> Ce Dieu que je conçois, sans l'oser définir.[73]

Au commencement de 1760, la vie de La Harpe fut perturbée, ses études arrêtées par l'affaire des couplets satiriques contre les maîtres du Collège

---

[66] *Héroïdes nouvelles précédées d'un Essai sur l'héroïde en général*, p. 10.
[67] *Ibid.*, p. 11.
[68] *Année littéraire*, 1759, VI, 95.
[69] *Ibid.*, p. 100.
[70] *Mercure*, novembre 1759, p. 98.
[71] *Journal encyclopédique*, 1er décembre 1759, p. 128.
[72] *Montézume à Cortès*, p. 17.
[73] *Ibid.*, p. 18.

d'Harcourt, trouvés dans la cour du collège où on les avait placés afin de les diffuser. Le principal Asselin, très fâché, donna assez d'importance à l'affaire pour la remettre entre les mains de Sartine, lieutenant général de police, afin qu'on trouve et punisse l'auteur de cette vile satire. Sartine écrivit, le 29 février 1760, une lettre à l'inspecteur de police, La Villegaudin, lui envoyant »des couplets satiriques et diffamatoires et autres pièces que M. Asselin, proviseur et principal de collège d'Harcourt, m'a remis.«[74] Cette lettre déclare que les couplets sont écrits de la main de Jean-Baptiste Lafitte, écolier en philosophie au Collège de Beauvais, âgé de seize ans, ce que les experts en écriture, Paillasson et Pottard, confirment. Mais on croyait que Lafitte n'était qu'un coupable accessoire, qu'il connaissait l'auteur des couplets et cachait son identité, bien qu'il eût dit que La Harpe les lui avait donnés pour les copier et répandre. On demandait l'avis d'Asselin sur l'affaire afin d'y donner suite. Le lendemain, La Villegaudin répondit par un billet à Sartine pour lui dire qu'il était allé voir Asselin et que celui-ci lui avait dit avoir reçu une lettre signée par Lafitte fils, et envoyée par Mme de Lallement, où l'on admet »que l'auteur des vers qu'il a copiés et distribués est le sieur La Harpe, un de ses amis... j'ai employé tout le jour, continue l'inspecteur, pour découvrir la demeure du sieur de La Harpe.«[75]

Dans le dossier sur cette affaire, il y a une seule lettre, sans date, adressée par Lafitte à Mme de Lallement, et elle est bien peu claire. Il y déclare avoir promis »pour ainsi dire de se sacrifier pour son ami et qui par son aveu croit encore le perdre... J'ose donc me flatter que... vous aurés la bonté d'employer tout votre crédit pour ne point perdre M. De la harpe qui a été de mes amis.«[76] Cette lettre suggère tout au plus qu'il y avait, avant elle, une autre communication, écrite ou orale, où Lafitte a admis que La Harpe était l'auteur des couplets en question, car elle commence en ces termes: »Je ne crois pas que vous ayés doutée d'un instant de la vérité de l'affaire ou je suis malheureusement impliqué.«[77] Elle montre de surcroit la confusion, bien compréhensible à son âge, du jeune Lafitte. Plus maître de lui, La Harpe indique, dans une lettre du 9 mars, adressée au chirurgien Lafitte, que son correspondant cherchait à sauver son fils en rejetant le blâme sur lui-même La Harpe. Il tente d'intimider le chirurgien, l'accuse d'avoir »servi le ressentiment injuste de gens qui m'ont accusé sans aucune ombre de preuves«,[78] lui montre le caractère dangereux de sa manœuvre »pensant agir contre moi, vous [avez] agi contre votre fils. ...«[78] Il lui fait reproche d'opinions préconçues dans cette affaire, de calomnie même, affirme que, avant de faire quoi que ce soit, il fallait s'expliquer avec La Harpe, ce qui aurait

---

[74] Tous les documents, pour la plupart publiés par François Ravaisson, *Archives de la Bastille*, XII, 454—57, et par Paul Bonnefon, »Une aventure de la jeunesse de la Harpe, l'Affaire des couplets,« *Revue d'Histoire Littéraire de la France*, 1911, 354—363, se trouvent à la Bibliothéque de l'Arsenal, Archives de la Bastille, Ms 12070. Nous nous rapporterons, dans les notes, à l'article de Bonnefon, excepté dans le cas où il s'agit d'un document inédit, alors les notes se rapporteront à la cote du manuscrit.

[75] Bonnefon, »Une aventure de la jeunesse...,« p. 357.

[76] *Archives de la Bastille*, Ms. 12070, document inédit.

[77] *Ibid.*

[78] Bonnefon, »Une aventure de la jeunesse...,« p. 357.

empêché, dit-il, »des démarches précipitées qui vous ont causé un chagrin que je partage sincèrement avec vous...«[79] La lettre nie toute culpabilité de la Harpe, sous prétexte que, premièrement:

> parmi les personnes attaquées dans ces vers il y en a trois à qui jamais je n'ai parlé de ma vie qu'en passant et avec qui je n'ai eu aucune sorte de démêlé: [deuxièmement] . . . il y en a une que je ne connaîtrais ni de vue ni de nom si on ne me l'eût montrée depuis; [troisièmement] . . . je n'ai eu avec les autres que des différends momentanés, et qui ne m'ont pas empêché de les voir; [et finalement] . . . le seul qui fut connu pour être mon ennemi n'était plus à Paris lorsque les vers ont paru.[80]

Elle se plaint des procédés illégaux dans le traitement de La Harpe et continue d'un ton nettement menaçant, disant que, si »aux démarches irrégulières, on ajoutait l'imprudence de me poursuivre, il ne me serait que trop facile de faire retomber sur monsieur votre fils toutes les suites d'une accusation si témérairement arrachée...«[80] Elle souligne que l'âge du jeune Lafitte lui sert en même temps d'abri contre »toute procédure extrême,« et affaiblit »sa déposition [en la rendant] vaine et insuffisante.«[80] Elle se termine en un post-scriptum qui, lui aussi, peut être compris de deux façons différentes: comme une menace pour empêcher de montrer la lettre, ou bien comme un leurre pour la remettre aux autorités. »Comme tout ce que je viens de dire ne s'adresse qu'à vous seul, il n'est pas besoin que d'autres voient ma lettre. Cependant, comme je ne dis ni n'écris rien qui ne puisse être lu et répété, vous en ferez l'usage qu'il vous plaira.«[80] Par ce post-scriptum, La Harpe espérait peut-être inciter le destinataire de la lettre à la remettre aux autorités. N'était-elle pas capable en effet de les convaincre de son innocence puisqu'elle persiste à nier que son auteur ait commis le crime dont on l'accuse et accentue l'absurdité d'un méfait gratuit envers des gens qu'il ne connaissait même pas?

Lafitte père transmit la lettre à la police, qui regardait La Harpe comme le principal suspect de ce crime. Une bonne raison à l'appui de ces soupçons était l'attribution à ce même jeune homme d'une satire contre Fréron, l'*Aléthophile*, dont il n'accepta jamais la paternité. On en parlait encore en 1760, et l'on en connaissait l'auteur, nous l'avons vu plus haut.[81] On continua à surveiller de près le jeune homme pendant encore quelques jours, et les soupçons ont dû se renforcer à la suite du déménagement subit de La Harpe la veille d'un long interrogatoire, où, devant le commissaire Gyot et l'inspecteur de police La Villegaudin, il admit avoir eu des démêlés avec deux »maîtres de chambres particulières,« Daunay et Lefranc, et avec un ancien maître de chambre, Allais, »actuellement curé en Normandie.«[82] Il confesse également avoir fait des vers et en avoir fait imprimer »avec permission de la police.«[82] De plus, il avoue qu'il avait donné à Lafitte deux extraits à copier, qu'ils ont été publiés par le *Journal encyclopédique*,[83] ce dont nous n'avons

---

[79] *Ibid.*
[80] *Ibid.*, p. 358.
[81] *Supra*, p. 20.
[82] *Archives de la Bastille*, Ms 12070; cité aussi par Bonnefon, »Une aventure de la jeunesse...,« p. 359.
[83] Bonnefon, »Une aventure de la jeunesse...,« p. 360.

pas pu trouver de trace. Ces détails ne devaient-ils pas servir en faveur de l'innocence de La Harpe, au moins selon sa propre logique, car il se présentait aux yeux des gens sérieux comme un auteur qui trouve déjà une voie légitime publique pour diffuser sa poésie et sa prose? Ainsi pouvait être infirmée l'accusation de paternité des couplets diffamatoires clandestins, dont le public doit être beaucoup moins distingué et incomparablement moins nombreux. Il se défendit d'avoir composé des vers satiriques contre qui que ce soit au Collège d'Harcourt, mais convint d'en avoir entendu réciter au café Dubuisson, sans se souvenir qui les avait récités;[83] que les vers (les couplets en question), que les représentants de la police lui montrèrent, étaient de l'écriture de Lafitte; qu'il avait conseillé à Lafitte d'avouer à la police la vérité à ce sujet, lorsque celui-ci lui avait parlé de ces couplets chez une demoiselle Fleury, Lafitte ayant admis en cette occasion que ces vers étaient écrits de sa main. Il identifie le septième et le huitième couplets comme étant les vers qu'on lui avait récités chez Dubuisson.[83] Or, peut-être par pure coïncidence, ces deux couplets raillent deux de ses professeurs, Allais et Dagoumer.[84] Le premier était connu, La Harpe en convient, pour être son ennemi. Mais, chaque fois qu'on revient à lui demander si lui, La Harpe, les a écrits, il le nie. Cependant, une autre raison qui a dû accroître les soupçons de la police était le fait que La Harpe ne consentit qu'avec hésitation à invoquer les témoignages des gens qui avaient pu avoir connaissance de l'affaire. Il est d'accord pour se rapporter aux témoins »s'ils disent la vérité,« insistant toutefois que »personne ne peut déposer qu'il a fait les dits couplets.«[85] Avait-il peur que la vérité ne sorte de la bouche des témoins, pour feindre le doute qu'ils puissent ne pas dire la vérité? On ne le saura peut-être jamais. Mais ce qui est sûr c'est que, malgré ses démentis, on le mena immédiatement au Fort-l'Evêque.

Le lendemain, Lafitte fils subit le même genre d'interrogatoire. Il convint que La Harpe lui avait donné les onze couplets à copier, ce qu'il avait fait; que La Harpe en était l'auteur; qu'il [La Harpe] s'était intéressé »à la bonté des vers« de ces couplets; qu'il s'en était avoué l'auteur au Luxembourg, lorsqu'il les donna à Lafitte pour les copier;[85] que La Harpe avait »affecté de contrefaire son écriture;«[86] que lui, Lafitte, avait brûlé l'original en présence d'un nommé Casaubon; qu'il avait montré l'original à un nommé Simon; que La Harpe lui avait dit de jeter les copies dans la cour du Collège d'Harcourt;[87] qu'il avait copié pour La Harpe des »extraits pour servir dans le journal encyclopédique.«[88] Lafitte semble faire un effort pour se montrer excessivement naïf afin de convaincre de son innocence. Il dit qu'il voulait obliger un ami, en copiant ces vers;

> qu'il ne prévoyait pas les conséquences de cette affaire; qu'il ignorait qu'il fût défendu de faire de semblables vers, et qu'il savait encore moins qu'il ne fût point permis de les copier; que s'il avait pu prévoir les dangers qu'il courait en faisant une semblable copie, il se serait bien gardé de brûler l'exemplaire que le S. Delaharpe lui avait donné écrit de sa Main; que l'usage qu'il en a fait prouve sa bonne foy et son peu d'expérience.[88]

---

[83] Bonnefon, »Une aventure de la jeunesse . . .,« p. 360.
[84] *Archives de la Bastille*, XII, 455.
[85] Bonnefon, »Une aventure de la jeunesse . . .,« p. 360.
[86] *Archives de la Bastille*, Ms 12070.
[87] Bonnefon, »Une aventure de la jeunesse . . .,« pp. 360—61.
[88] *Archives de la Bastille*, Ms 12070.

Tout cela, en dépit des conseils bien sages de son ami Simon qui, selon un document inédit, lui »a représenté ... qu'il faisait une sottise, qui pouvait avoir des suites facheuses, et de très grandes conséquences pour l'auteur. Le Sr Lafitte a répondu qu'on ne risquait rien vis-à-vis de pareilles gens.«[89] Lafitte aussi fut mis en prison au Petit Châtelet.

Il se peut que Lafitte ait dit la vérité sur ce qui s'était passé au Luxembourg, et que La Harpe se soit vanté alors d'avoir fait tous les couplets, mais dans ce cas pourquoi aurait-il contrefait son écriture quand il voulait qu'on copie ces vers d'une autre main avant de les déposer à la cour du collège. Un tel manque de logique s'explique vraiment mal. Quoi qu'il en soit, l'incarcération de Lafitte fut brève. Son père fit intervenir des gens influents auprès des autorités, et l'on relâcha le jeune homme après deux semaines, le 30 mars 1760. Dans le dossier concernant cette affaire, il y a une lettre datée du 18 mars, dont l'expéditeur est un certain Lherminier, avocat, et le destinataire, Chaban, haut fonctionnaire de police, tous deux, donc, gens susceptibles de comprendre la portée des infractions légales. On y demande un accueil favorable pour Lafitte père, et l'on croit »son fils très excusable tant à cause de sa jeunesse que de son inexpérience. Je vous aurai, Monsieur, la plus grande obligation, continue cette missive, si sans intéresser la justice ... vous pouvez rendre la liberté à ce jeune homme ...«[90] Or, les gens innocents n'ont pas peur d'être traduits devant la justice. Un autre document sans signature dit:

> comme il a été constaté que c'est . . . La Harpe qui . . . est l'auteur [des vers satiriques], et que . . . Lafitte n'a fait que les copier. M. le comte de St. Florentin est supplié de faire expédier un ordre pour la liberté [de] . . . Lafitte.[91]

Il n'y a pourtant aucun document dans ce dossier, ou ailleurs, autant que nous le sachions, qui prouve que La Harpe en soit l'auteur; il n'y a que les traces de l'accusation.

Sans parents et sans protecteurs, La Harpe eut beaucoup plus de peine à sortir de la prison. Encore incarcéré mais assagi par cette expérience, quoique niant toujours qu'il soit l'auteur des couplets, il écrivit à la marquise Dubourg, le 27 mars, en la suppliant

> de vouloir bien assurer monseigneur le lieutenant de police que rien n'est plus contraire à mon caractère que de faire des vers contre personne, et ... instruit par une triste expérience combien il est funeste d'en être seulement soupçonné, je ne donnerai pas même lieu aux moindres apparences d'une pareille faute ...[92]

Il alla même plus loin et, quatre jours plus tard, le premier avril, il adressa une lettre à Sartine soulignant que »le seul visiblement coupable et intéressé à se disculper a été dispensé (chose étrange) de prouver ce qu'il avançait; et à voir de quelle manière on le traite on dirait qu'il ne s'est délivré du péril qu'en se rendant l'organe de mes ennemis.«[93] Mettant l'accent sur l'absence

---

[89] *Ibid.*
[90] *Ibid.*
[91] *Ibid.*
[92] Bonnefon, »Une aventure de la jeunesse ...,« p. 361.
[93] *Ibid.*, p. 362.

de preuve du crime dont on l'accuse, »j'ose dire, poursuit l'auteur, que je souffre plus innocent que je mériterais coupable ... [et qui pire est] je suis ... menacé d'un traitement plus cruel.«[93] Ce »traitement plus cruel« c'est la possibilité de transfert dans une autre prison, comme le fait penser une note, datée du 21 avril, où on peut lire: »M. Chaban, le ministre, consent que le S. de la Harpe soit puni seulement [Bonnefon souligne ce mot, mais il ne l'est pas sur l'original] par la prison et qu'il reste dans celle où il est.«[94] D'où probablement, comme le croyait Johnston, le bruit courait que La Harpe allait être transféré à Bicêtre.[95] Le 27 mars, la marquise Dubourg demandait, dans une lettre à Sartine probablement, une audience pour un M. Rotreri (?) afin d'intervenir pour La Harpe.[96] Mais tout fut inutile jusqu'au 18 mai où, après deux mois de prison »pour avoir fait des vers satiriques contre les principaux du Collège d'Harcourt,« on libéra La Harpe qui »parait assez puni et qu'il promet d'être plus circonspect à l'avenir.«[97] Il reste qu'aucun document ne confirme cette accusation. Seulement en 1764, dans un »Avertissement« de *Timoléon*, La Harpe lui-même avoue la paternité de quelques couplets:

> On dit, et on le répète par-tout, que j'ai écrit contre le principal du collège où j'ai été élevé, et contre mes maîtres. Cela est faux ... Il est bien vrai, qu'à l'âge de dix-neuf ans, je fis très-imprudemment quelques couplets contre des particuliers du collège d'Harcourt, et que quelques-uns de mes camarades les recueillirent et y en ajoutèrent d'autres ... il n'est nullement question d'aucun homme envers qui j'eusse le moindre devoir à remplir.[98]

Il fait appel aux témoignages du principal Asselin et à ses maîtres, qu'il nomme dans cet avertissement, mais on n'a aucune preuve qu'ils les lui donnèrent. D'autre part, en février 1790, prenant la défense de son ami, Boissy d'Anglas déclare:

> avec la franchise dont j'ai toujours fait profession[99] ... [que] M. de la Harpe, par une inconséquence digne de son âge, se permit, à la vérité, de faire, en société avec quelques-uns de ses camarades, plusieurs couplets contre divers Membres du Collège qu'il avoit quitté; mais ce n'étoit ni *contre ses Maîtres ni contre ses Bienfaiteurs*. Cette plaisanterie étoit l'ouvrage de plusieurs jeunes gens, et M. de la Harpe fut le seul puni, parce qu'il étoit pauvre, sans appui, sans état, sans protecteurs, et parce qu'il eut le courage de garder à ses compagnons le secret le plus inviolable ... le jeune Auteur fut, en entrant dans le Monde, la victime d'un de ces abus d'autorité qui ont si longtemps deshonoré la France ... C'est de plus un fait constant, qu'il a conservé sans altération l'estime et l'amitié de tous ceux qui ont pris soin de sa jeunesse.[100]

On dirait que Boissy se fait l'écho de La Harpe, et c'est bien ainsi qu'il faut l'entendre, car il n'a pu savoir par lui-même la vérité sur cette affaire. Nul autre que La Harpe ne connaissait mieux les faits. Il a donc dû les raconter

[93] Bonnefon, »Une aventure de la jeunesse ...,« p. 362.
[94] *Ibid.*, p. 363 et *Archives de la Bastille*, Ms 12070.
[95] Stuart Lynde Johnston, *Jean-François de La Harpe ...*, p. 22.
[96] *Archives de la Bastille*, Ms 12070.
[97] *Ibid.*
[98] *Œuvres diverses*, I, 91.
[99] *Mercure*, 20 février, p. 100.
[100] *Ibid.*, pp. 103—104.

à Boissy. Mais son âge — cinquante ans passés — et le temps écoulé depuis lors — trente ans — tout tend à prouver qu'on dit la vérité telle que La Harpe l'avait déjà dite en 1764. A cet âge, il pouvait se permettre de dire la vérité sur une action qui, quoique peu louable, et même répréhensible, n'est tout de même pas aussi criminelle qu'on voulait la faire croire. On comprend bien que la malice de ses contemporains, surtout de ses nombreux détracteurs, ait voulu exploiter cet incident afin de discréditer La Harpe. Mais qu'on ait continué à tant se scandaliser d'un événement pareil jusqu'à nos jours, même parmi les enseignants, c'est ce qui surprend. Une telle attitude d'étudiants de vingt ans ou moins vis-à-vis des professeurs se manifeste souvent, de nos jours comme alors, et nous doutons qu'il existe beaucoup de professeurs, quelque brève que soit leur carrière, qui n'aient eu l'occasion de trouver dans leur courrier quelque littérature d'une pareille eau. L'ambition de ces auteurs est souvent moins prétentieuse, mais l'inspiration est sûrement la même. A supposer que La Harpe eût pu mentir même à cinquante ans, à propos d'une polissonnerie de jeunesse, il est malaisé de concevoir qu'il eût compromis un de ses amis, homme si respectable, en lui faisant dire un mensonge. Car La Harpe est, malgré tous les défauts de son caractère, un homme honorable. Boissy le constate et tous ses biographes en conviennent. Le châtiment fut excessif pour un pareil méfait, et La Harpe a sans doute amplement expié sa faute en souffrant les calomnies fondées sur cette incarcération, qui se répétèrent durant toute sa vie, et qui ont dû contribuer largement à son complexe de persécution.

Bientôt après son élargissement, La Harpe publia deux nouvelles héroïdes, *Caton à César* et *Annibal à Flamminius*, qui nous semblent, malgré quelques vers agréables, moins intéressantes que les deux premières. Ayant déjà appris l'identité de l'auteur de l'*Aléthophile*, Fréron saisit l'occasion de se venger et donna à La Harpe, par dérision, le sobriquet de *Bébé*, en répétant, dans son compte rendu, le conseil qu'il lui avait donné à l'occasion de ses deux précédentes héroïdes: »J'avais conseillé,« dit-il en discutant le premier de ces deux poèmes, »...à un *Bébé* de notre Parnasse de laisser mourir dans son porte-feuille les Héroïdes enfantines dont il nous menaçoit; il n'a tenu aucun compte de cet avis salutaire.«[101] Un nain du roi de Pologne portait ce sobriquet, et c'est là que Fréron le trouva. Comme La Harpe était de petite taille, quoique d'une belle physionomie, ce surnom lui allait bien et devint très populaire auprès des gens qui détestaient en lui la morgue et l'arrogance. Plus loin, il appelle le jeune poète »notre rimeur Lilliputien,«[102] et »Notre Poëtriau.«[103] Il reproche à la première héroïde »des lieux communs, des apostrophes à des marbres, des interrogations, des exclamations qui voudroient échauffer un discours glacé.«[104] La seconde inspire le même genre de commentaires.

Peu de temps après, Fréron eut l'occasion de discuter *L'Homme des Lettres*, poème anonyme, qu'il devine écrit par La Harpe, »si je me connois un peu en style, je crois que cet ouvrage puérile est du petit *Bébé*...«[105] Comme dans le cas de l'*Aléthophile*, La Harpe n'admit pas sa paternité, il ne la nia non plus. Il y avait dans ce poème, à côté d'un hommage très flatteur

---

[101] *Année littéraire*, 1760, VII, 283.
[102] *Ibid.*
[103] *Ibid.*, p. 285.
[104] *Ibid.*
[105] *Ibid.*, 1761, VIII, 39.

à Voltaire, une critique à peine voilée de Fréron. La Harpe y parle des difficultés des gents de lettres et de la sévérité du public envers les pièces de
théâtre, et Fréron lui offre un conseil prématuré: »... de ne point donner des
pièces au Théâtre ... supposé qu'il nous menace de quelques pièces à sa
façon,«[106] ce qui a bien pu inspirer au jeune auteur d'écrire *Warwick* et
l'inviter surtout à bien soigner ce travail afin de réussir.[106bis]

De cette même époque datent certains autres vers, qui sont intéressants
soit à cause des détails biographiques, telle l'*Epître à Zélis*, par exemple, qui
semble écrite en prison:

> Dans un séjour où l'innocent
> Rougit à côté du coupable,[107]

soit à cause de la peinture de la solitude, dans le *Malheur*, où:

> Tout semble triste...
> Quel effrayant silence!
> Que ces lieux sont aff[r]eux!...
> Ils sont faits pour mon cœur...[108]

Il se plaît dans les ténèbres de la nuit, qui sont moins noires que les ennuis
de son cœur, et identifie sa vie avec le torrent qui tombe »dans un vaste
abîme.«[109] Heureusement, la philosophie lui a appris que la vie n'est qu'un
rêve, où »il n'est de réel que nos maux.«[110] Ses accents mélancoliques, causés
par la solitude et la persécution, sont bien près du romantisme et préludent
à Vigny et à Lamartine:

> Zélis, c'est un tourment bien rude
> De porter dans la solitude
> Les dévorantes passions,
> Leurs transports, leur inquiétude,
> Et l'horreur des réflexions...[111]
>
> Enfin ce globe lamentable
> Me paroît un vaste manoir
> Où quelque despote implacable
> Exerce un horrible pouvoir;
>
> Où l'on entend des cris de rage,
> Et des Pleurs & des sifflemens
> Les soupirs plaintifs des mourans
> Le bruit des armes, du ravage;
> Et l'infortune qui gémit,
> Et les hurlemens de la Haîne,
> Et le Crime traînant sa chaîne,
> Et le Désespoir qui rugit.[112]

[106bis] *Infra*, p. 43.
[107] *Mélanges littéraires* ..., p. 30. Voir la note de cette épître, qui, comme l'épître
elle-même, proteste contre la persécution injuste, *Ibid.*, p. 31. Ce poème et
d'autres avec des vers retranchés, sont réimprimés dans *Œuvres de La Harpe*,
Pissot. Paris, 1778.
[108] *Ibid.*, p. 22.
[109] *Ibid.*
[110] *Ibid.*, p. 31.
[111] *Ibid.*, p. 32.
[112] *Ibid.*, p. 33.

En 1761 paraît un libelle intitulé *Anecdotes sur Fréron*, et l'on soupçonna La Harpe d'en être l'auteur. Même Voltaire, qui ne connaissait pas encore La Harpe, le lui attribuait dans une lettre à Lebrun, du 6 mai 1761: »Les Anecdotes sur Fréron sont du sieur La Harpe, jadis son associé et friponné par lui. Thiriot m'a envoyé ces anecdotes écrites de la main de La Harpe.«[113] Beaucoup plus tard, le patriarche corrigea cette erreur dans une lettre à La Harpe lui-même, du 8 avril 1777: »...ce n'est pas, dit-il, à l'auteur de Warwick et de Mélanie qu'on pourra jamais attribuer de pareilles misères.«[114] Cependant, La Harpe poursuit ses activités littéraires et compose deux odes pour le concours de poésie à l'Académie: *Le Philosophe des Alpes* et *La Gloire*, qui n'obtinrent pas de prix, mais furent publiés en 1762 chez la veuve Brunet. Dans le premier poème, l'auteur chante les bienfaits de la nature qui reflète ses émotions d'homme libre, qui lui sert d'abri contre les maux, les hypocrisies et les restrictions de la vie en société. C'est du Rousseau pur dont La Harpe se fait l'écho:

> Au milieu des Cités, loin de ces bords sauvages
> Dans le cercle des loix, des mœurs & des usages,
>   Tout l'homme est resserré.
> Il est couvert d'un masque ou flétri sous les chaînes,
> Et soumis aux erreurs d'âmes faibles & vaines
>   Dont il est entouré.
> Ah! dans ce lieu désert où l'on pense sans Maître,
> J'appelle les humains, qui des droits de leur être
>   Sont encore jaloux.
> Alpes, c'est à vos pieds, loin d'un joug méprisable,
> Que l'esprit est hardi, fécond, inébranlable,
>   Immense comme vous.[115]

Le jeune homme sent donc qu'il a du talent et va tenter sa chance dans un genre qui, parce qu'il est considéré le plus difficile à maîtriser, offre, quand on y perce, de plus brillants succès: L'année suivante, il débutera au théâtre en remportant une victoire importante. Pourtant son impulsivité et son arrogance, accentuées à la suite des calomnies concernant son caractère réputé déjà ingrat (ce qui le conduisit à la prison), ont imprimé leur cachet sur une destinée qui semble vouée à la persécution. Le public s'était déchaîné contre lui. Mais ces revers et ces désavantages ne dompteront pas de si tôt cet esprit rebelle et ce jeune critique, souvent peu modeste et presque toujours trop acerbe, qui était déjà bien sur le chemin de se faire une réputation littéraire.

---

[113] Besterman, *Voltaire's Correspondence*, XLVI, 11.
[114] *Ibid.*, XCVI, 140.
[115] *Mélanges littéraires...*, p. 92.

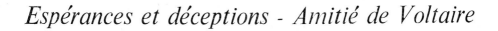

Espérances et déceptions - Amitié de Voltaire

CHAPITRE II

Espérances et déceptions - Amitié de Voltaire

> »...il est plus difficile, en tout genre, de soutenir une grande
> élévation, que d'y parvenir.«
> La Harpe, *Œuvres diverses*, I, 259.

Environ deux semaines avant son vingt-quatrième anniversaire, le 7 novembre 1763, La Harpe fit jouer par la Comédie française sa tragédie de
Warwick, sa première pièce, qui connut un succès brillant dont presqu'aucune
de ses autres pièces n'approchera. Elle eut seize représentations,[1] et donna
lieu à des comptes rendus unanimes dans la louange. Le journal de Fréron,
malgré la rancune de son rédacteur en chef vis-à-vis du jeune poète, en fit une
critique qui s'étend, avec une lettre de Dorat et une autre anonyme, sur une
cinquantaine de pages. A côté d'une réserve justifiée portant sur le traitement
du thème, assaisonnée d'une accusation de plagiat,[2] elle ne ménage pas les
louanges bien méritées: »...on ne peut pas se tromper au mérite de l'ouvrage,
déclare Dorat dans sa lettre, il ne tient qu'à l'auteur de s'illustrer dans une
carrière où les triomphes sont si rares & si éclatans.«[3] Le *Mercure*, de son
côté, lui prodigua des louanges: »Il paroît généralement convenu, y dit-on,
que l'on a peu vû d'exemples d'un début aussi heureux dans cette difficile
carrière & qui donne d'aussi hautes espérances, attendu la jeunesse de
l'Auteur & le talent recommandable dont il a déjà produit de si glorieuses
preuves...«[4]

A l'opposé, dans un commentaire généralement favorable, Grimm hasarda
sur La Harpe dramaturge une prophétie qui devait bientôt se réaliser. Appré-
ciant le style et la sagesse de l'auteur, Grimm y voyait de la faiblesse partout:

> La tragédie de *Warwick* continue à avoir le plus brillant succès,
> assure-t-il,... Cette pièce vient d'être imprimée.[5] Son grand défaut
> est la faiblesse qui se montre partout: on dirait que c'est le coup
> d'essai d'un jeune homme de soixante ans. J'aimerais mieux, con-
> tinue cet article, y remarquer plus d'inégalité et de force, et
> moins de sagesse; cela me donnerait bonne espérance pour ses

---

[1] Joannidès, *La Comédie-Française de 1680 à 1900.*
[2] *Année littéraire*, 1763, VIII, 118.
[3] *Ibid.*, 89.
[4] *Mercure*, décembre 1763, p. 176.
[5] Chez Duchesne à Paris, 1764.

ouvrages à venir. Je meurs de peur que M. de La Harpe ne reste toute sa vie froid et sage ...[6]

Mais il n'y a rien de tel qu'un succès si distingué pour rallumer les jalousies, et La Harpe n'était déjà pas à court d'ennemis, que lui valaient surtout sa morgue et son ton acerbe et tranchant; des bruits très fâcheux commencèrent à courir sur le compte du jeune auteur. Ils réchauffèrent la haine envers l'homme et son œuvre. Ainsi, Bachaumont rapporte que »en applaudissant à l'ouvrage de M. de La Harpe, on donne lieu de rechercher sa vie & ses mœurs: on en fait un portrait affreux; c'est déjà un monstre d'ingratitude & de noirceur, si l'on croit tout ce qu'on en dit.«[7] Une belle partie de ces mauvaises rumeurs, selon Bachaumont, provenait de Mlle Clairon, fâchée de ce qu'il n'y avait pas de rôle pour elle dans la pièce. A cette animosité contre La Harpe, elle »joint une jalousie prodigieuse contre sa rivale; elle réjaillit sur le jeune homme: elle accrédite, elle favorise, elle répand tant qu'elle peut les mauvais bruits qui courent sur le compte« de l'auteur.[8] Bachaumont raconte également, à cette occasion, l'histoire des couplets dans une esquisse biographique qu'il fit de La Harpe.[9] Et le journal de Collé reprenait la même histoire en soulignant qu'on n'a »encore vu qui que ce soit qui ait contredit ou nié ce fait [d'ingratitude vis-à-vis du principal Asselin].«[10] La Harpe lui-même attribuait au succès de la pièce, dans la *Préface* de *Warwick*, le déchaînement de ses nombreux ennemis: »... c'est de ce moment que s'est déchaînée contre l'auteur cette foule d'ennemis qui n'a cessé de le poursuivre et de le calomnier dans sa personne et dans ses ouvrages.«[11]

On traite dans cette pièce un thème de l'histoire de l'Angleterre au XVe siècle, la guerre des Deux-Roses, sous Henri VI, avec beaucoup de liberté d'adaptation. La Harpe en use de telle sorte que son héros, Warwick, meurt en combattant au service de la maison d'York alors qu'en réalité c'est pour celle de Lancastre qu'il a été tué. A quel point l'auteur a pu s'identifier avec son héros Warwick, mis en prison innocent, libre à nous de l'imaginer! Les caractères y mettent en valeur l'amour de l'indépendance et l'amour de la liberté; la loyauté à la patrie vient avant la loyauté au souverain, ce qui a dû paraître aux yeux des contemporains comme une critique implicite du trône. De tels procédés littéraires étaient familiers aux Français, surtout depuis les *Lettres persanes*, et les autorités toléraient ce genre de critique attribuée à un étranger se prononçant sur son propre pays:

> L'Anglais, indépendant et libre, autant que brave,
> Des caprices de cour ne fut jamais esclave.
>
> Nous ne l'avons point vu régler jusqu'à ce jour,
> Sur la faveur des rois, sa haine ou son amour ...
> Souvent contre le trône il défend sa patrie.
> Ses rois le savent trop. Ce peuple citoyen
> Ose attaquer leur choix et soutenir le sien.[12]

---

[6] *Correspondance littéraire*, V, 416.
[7] *Mémoires secrets*, I, 296.
[8] *Ibid.*
[9] *Ibid.*, 306.
[10] *Journal et mémoires de Charles Collé ...*, II, 320.
[11] *Œuvres diverses*, I, 9.
[12] *Ibid,.* 54—55. Pour une comparaison entre la pièce du même nom de Cahusac et la pièce de La Harpe voir l'article de Spire Pitou »Cahusac's *Warvic* (1742) and La Harpe's *Warwick* (1763)«, dans *Romance Notes*, 1972, pp. 1—7.

A en croire La Harpe lui-même, le public a dû apprécier »la simplicité et du sujet et du style.«[13] Une autre preuve du mérite intrinsèque que l'auteur y voyait, avec raison, est que la pièce fut traduite »en plusieurs langues, joué[e] à La Haye en hollandais et en anglais au théâtre de *Drurylane* ...«[13]

Quoique ce travail ne se propose pas d'étudier La Harpe en tant qu'auteur dramatique, il serait peut-être utile de donner ici un aperçu de ses conceptions dramaturgiques. Le poète dramatique doit faire la peinture fidèle des passions et des pensées de l'homme. Ainsi pour être sûr de la valeur d'une oeuvre d'art, il faut la comparer à la nature dont elle est l'image. Dans le théâtre le grand plaisir des spectateurs est »de se retrouver dans ce qu'ils voient.«[14] Pour émouvoir les autres un auteur doit posséder

> Ce feu pur, émané de la Divinité
> Le plus beau de ses dons, la sensibilité[15]

Qu'est-ce que la sensibilité? C'est, dit La Harpe, l'habileté de recevoir les impressions et de les transmettre aux autres: »... c'est celle qui ne résistant point à l'impression des objets, les rend comme elle les a reçus ... qui gardant des traces fidèles de ce qu'elle a éprouvé, se trouve toujours d'accord avec ce qu'ont éprouvé les autres, et leur raconte leurs sensations.«[16]

De tous les genres, il préfère la tragédie, parce qu'elle permet de combiner les meilleurs éléments des autres genres:

> C'est que tous les dons partagés à ses sœurs,
> Accumulés sur elle [la tragédie], en ont plus de douceurs;
> Que sont art, rapprochant tous les arts qu'on adore,
> A réuni leurs droits pour les étendre encore.[17]

Il croit que l'intrigue, »la chaîne des événements qui doivent naître les uns des autres«, est l'aspect le plus important dans une tragédie.[18] Le dramaturge doit avoir le talent de »contre-balancer par des forces à peu près égales, les principaux moyens de l'action, en sorte que l'équilibre subsiste jusqu'à ce que le cours des événements fasse un poids qui entraîne et précipite un dénoûement.«[19]

On peut emprunter les thèmes à l'histoire, à la mythologie [»la fable«, au dire de La Harpe] et à l'imagination. Il donne la préférence aux deux dernières et croit comme Voltaire, qu'il cite en exemple, que l'imagination est le domaine que les auteurs modernes, ses contemporains, doivent explorer. Ces thèmes, traités seulement »par des écrivains très médiocres, qui n'en faisaient que des romans dialogués en mauvais vers«, n'ont produit jusqu'alors aucune pièce importante.[20] Mais l'un des buts de la poésie dramatique est de montrer la beauté des thèmes inexplorés, qui abondent dans la nature:

---

[13] *Ibid.*, 10.
[14] *Œuvres diverses*, IV, 124.
[15] *Ibid.*, III, 329.
[16] *Ibid.*, IV, 90—91.
[17] *Ibid.*, III, 327.
[18] *Lycée*, I, 55.
[19] *Ibid.*, IX, 88.
[20] *Ibid.*, 273—74.

».. . le monde entier est ouvert à la tragédie et on n'a pas encore été partout.«[21] Pour se conformer au goût lassique, La Harpe voit dans la versification des pièces de grandes difficultés d'où ressort la beauté de la tragédie: »une tragédie en prose ne peut être qu'un monstre né de l'impuissance et du mauvais goût.«[22] La vraie puissance ne dédaigne pas les obstacles. Elle les recherche plutôt, car elle se sait capable de les franchir. Plus loin, dans la discussion de ses pièces, l'occasion se présentera d'éclaircir ses vues sur quelque aspect technique de l'art dramatique.

Dans le climat d'inimitié provoqué par le succès de la pièce et pour faire face à tant d'ennemis, il fallait songer à s'attacher l'appui de quelqu'un de puissant dans la république des lettres. La Harpe fit le choix de Voltaire, et lui dédia la pièce en l'imprimant accompagnée d'une lettre au patriarche de Ferney, où le jeune homme, en suivant la mode, comme il dit, veut offrir l'essai de sa jeunesse au grand maître en le louant délicatement:

> En soumettant cet ouvrage à vos lumières, avoue-t-il, je ne fais que suivre la foule; et si je puis m'en distinguer, ce n'est que par la sensibilité particulière qui m'a toujours attaché à vos écrits.[23] . . .Je serais trop heureux . . . si le plaisir qu'on goûte à la lecture de vos ouvrages suffisait pour apprendre à les imiter. Sans prétendre à cette gloire, je me suis attaché du moins à pratiquer vos leçons. J'ai cherché la clarté dans le style, la simplicité dans la marche. . .[24]

Il profita également de l'occasion pour se plaindre auprès de Voltaire »publiquement des discours que la haine et la crédulité répandent sur moi.«[25] Il y a, de surcroît, dans cette lettre, une discussion des principes de la tragédie qui frappe par un ton prétentieux, du moins par endroit, car La Harpe semble parler avec Voltaire d'égal à égal. Ce manque de modestie rassurait un peu Grimm sur l'avenir de La Harpe en tant que dramaturge: »Cette lettre n'a pas réussi dans le public comme la tragédie, poursuit-il; elle fait pourtant toute ma consolation, parce que c'est le seul signe de jeunesse que M. de La Harpe nous ait donné; s'il était toujours aussi sage que sa pièce, je le tiendrais pour un homme perdu. . .«[26]

Voltaire ne tarda pas à répondre, encourageant l'auteur à continuer dans la voie qu'il s'était choisie: »Vous êtes dans les bons principes, et votre pièce justifie bien tout ce que vous dites dans votre lettre.«[27] Il rappelle au jeune homme que le grand nombre des ennemis est inclus dans le destin des hommes de mérite. Il n'y a de changé, affirme le patriarche, que le nom sous lequel on les désigne. Autrefois, on les accusait de jansénisme, maintenant, »faites une bonne tragédie, et l'on dira que vous êtes athée . . . [car] il y

---

[21] *Œuvres diverses*, VI, 113.
[22] *Ibid.*, I, 304.
[23] *Ibid.*, 15. Voir sur *Zaïre*, par exemple, *Lycée*, IX, 129—30. Dans un autre endroit, il parle de l'*Epître à Uranie* dont le manuscrit lui tomba »entre les mains dès ma rhétorique, et ne fit que trop d'effet sur une jeune tête, folle de poésie et de vanité. Je sus bientôt la pièce par cœur,« *Œuvres diverses*, XVI, 348.
[24] *Ibid.*, 19.
[25] *Ibid.*, 23.
[26] *Correspondance littéraire*, V, 417.
[27] Besterman, *Voltaire's Correspondence*, LIII, 118—119.

a eu de tous temps des Frérons dans la littérature; mais on dit qu'il faut qu'il y ait des chenilles, parce que les rossignols les mangent afin de mieux chanter.«[28] »La recette était singulière,« dira Sainte-Beuve.[29] La Harpe l'appliqua trop souvent et ne chanta pas mieux pour cela. Fréron se prétendit amusé par cette lettre de Voltaire, et en assura la publication en l'imprimant dans son journal: »... je me hâte, dit-il, de l'insérer moi-même dans mes Feuilles pour leur petite satisfaction [de Voltaire et de La Harpe] & pour la mienne.«[30]

Un autre adversaire de La Harpe, qui le devint surtout vers la fin de la vie de notre auteur, Palissot, voyait certains des mérites de *Warwick:* »malgré les défauts inévitables d'un premier essai, cette pièce eut un succès d'encouragement qu'elle dut aux belles scènes de son quatrième acte.«[31] La pièce fut présentée à la Cour le premier décembre 1763, et »fit, selon un article du *Mercure*, sur les spectateurs la même impression qu'elle avoit faite à Paris, & par conséquent eut un succès général...«[32]

Un pareil succès encouragea le jeune dramaturge à tenter de nouveau, bientôt après, sa chance dans le théâtre. Sa deuxième pièce, *Timoléon*, fut jouée pour la première fois le premier août 1764;[33] la seconde représentation en fut suspendue par un accident qui eut »des suites assez graves pour ôter à M. le Kain, chargé d'un des premiers rôles, la liberté de marcher.«[34] De nouveau, l'auteur prend un thème historique comme intrigue de sa pièce. Timoléon, homme d'état, né à Corinthe, et qui vécut vers 350 avant Jésus-Christ, était célèbre par son amour des lois et de la liberté. Il laissa tuer son frère Timophane, coupable d'avoir aspiré à la tyrannie. Une fois de plus, La Harpe usa de la licence poétique pour transposer librement les faits historiques.

Collé fut parmi ceux qui assistèrent »à la première représentation de *Timoléon*... [la pièce] fut écoutée, jugée et condamnée par le public, avec beaucoup de tranquillité. Il y eut deux ou trois endroits applaudis de la salle entière avec beaucoup de vivacité; le troisième acte surtout le méritoit.«[35] En dépit de ce manque d'enthousiasme pour la pièce, Collé croyait y voir »plus de germe de talent que dans toute sa tragédie de *Warwick*.«[35] Bachaumont commenta, lui aussi, la première de *Timoléon*, indiquant la déception assez marquée du public vis-à-vis des talents dramatiques de La Harpe. Il louait les trois premiers actes, qui »ont été reçus avec de grands applaudissements,«[36] mais le quatrième et le cinquième ont paru détestables. »On remarque une tête pleine de réminiscences & profondément empreinte de son Racine.«[36] Un autre article, quatre jours plus tôt, parlait d'une cabale qui s'organisait contre La Harpe, dont la morgue et le despotisme littéraire révoltaient.[37]

---

[28] *Ibid.*, 119.
[29] *Causeries du lundi*, V, 109.
[30] *Année littéraire*, 1764, I, 51.
[31] *Mémoires pour servir à l'histoire de notre littérature*, II, 18.
[32] *Mercure*, janvier 1764, I, 149.
[33] Joannidès, *La Comédie-Française...*
[34] *Mercure*, septembre 1764, p. 201.
[35] *Journal...*, II, 368.
[36] *Mémoires secrets*, II, 79—80.
[37] *Ibid.*, 78.

La pièce fut reprise le 10 décembre et n'eut que trois représentations. Dans cette suspension des représentations de la pièce, Collé voyait

> une injustice de nos histrions de ne l'avoir pas laissée aller, puisque le dernier jour qu'ils la donnèrent, il y avoit beaucoup de monde, et qu'elle n'étoit tombée dans les règles qu'une seule fois, et encore à vingt francs près ... [l'auteur] a été, continue cet article, la victime des comédiens dans cette occasion-ci; ces messieurs l'ont sacrifié à l'intérêt qu'ils avoient de faire débuter promptement un nouvel acteur dont ils ont besoin pour jouer dans le *Siège de Calais* ... de M. de Belloy ...[38]

Autant *Warwick* donnait d'espérances pour la carrière de La Harpe dramaturge, autant *Timoléon* inspirait de déceptions. Presque tout le monde en a trouvé l'auteur dépourvu de génie pour le théâtre. Collé voulait pourtant trouver une excuse à La Harpe: »Vu sa grande jeunesse, on peut encore se tromper peut-être en lui refusant entièrement le génie...«[39] Tout espoir de ce genre s'était évanoui chez Grimm:

> M. de La Harpe pourra réussir dans des genres de poésie plus froide... comme dans les épîtres, dans l'héroïde, etc; mais s'il fait jamais une tragédie, je serai bien trompé... [il] est notre soleil... de novembre. C'est bien toujours le soleil, mais sans chaleur, sans force, sans action; il ne sait ni atteindre, ni pénétrer, ni répandre cette influence puissante et douce qui porte à toute la nature l'existence et la vie.[40]

Et de noter que les amis aussi bien que les ennemis de La Harpe se réjouissaient de ce manque de succès: »ceux-ci sont bien aise de le voir puni de sa fatuité, les autres espèrent que le malheur l'en corrigera.«[41]

Cependant, La Harpe ne se tenait pas pour battu et ne croyait pas avoir si mal fait; il décida de faire imprimer la pièce.[42] Fréron, n'ayant pas eu l'occasion de discuter les représentations de la pièce, se livra à un examen détaillé de l'ouvrage imprimé, donnant d'abord l'historique du thème et se livrant ensuite à la discussion du sujet, des caractères, de l'action, des situations et du style. Il reproche à la pièce le manque de passions fortes: »Vous ne trouverez dans la Pièce de M. *de la Harpe* aucune passion décidée.«[43] Il condamne la manière dont l'auteur amène la mort de Timophane,[44] et ne croit pas »qu'il y ait dans aucune Pièce de Théâtre des caractères plus équivoques & moins marqués.«[45] En avançant une observation sur les jeunes auteurs en général, mais visant La Harpe en particulier, il les censure sévèrement, disant qu'ils

> ne soupçonnent pas même la nature; ils n'ont aucune idée du cœur humain; ils ne le connaissent pas... pourquoi [alors, se demande-t-il,] le Public, ridicule à force d'indulgence, est-il assez bon pour que de petits Ecoliers rimailleurs, à peine échappés

[38] *Journal...*, II, 386.
[39] *Ibid.*, 369.
[40] *Correspondance littéraire*, VI, 50.
[41] *Ibid.*, 137.
[42] Duchesne, Paris, 1765.
[43] *Année littéraire* 1765, I, 152.
[44] *Ibid.*, 155.
[45] *Ibid.*, 158.

> à la férule, s'ingèrent de lui donner des Tragédies... le genre
> de Littérature qui demande le plus de tête, d'étude, de maturité,
> de combinaison, de sciences des hommes & de leurs passions?[46]

En conclusion, il émet condamnation sur la talent de La Harpe en tant que
poète dramatique:

> Il ne fera, de sa vie, une seule Scène, même médiocre, de senti-
> ment; les émotions douces, les tendres épanchemens de l'ame
> sont une langue tout-à-fait étrangère pour lui. Je suis fâché qu'il
> s'obstine à cultiver un champ qui ne lui produira jamais que
> des ronces & des épines.[47]

Reconnaissant de l'esprit à La Harpe, il lui conseille de se faire avocat,[48] ce
qui provoqua une lettre de protestation d'un avocat au Parlement de Paris,
indigné de la suggestion que l'avocature devienne »le pis aller des mauvais
Poëtes.«[49]

Outre le texte de la tragédie, La Harpe imprima l'*Avertissement*, dans
lequel il tâchait d'arrêter les bruits qui couraient sur son passé et dont on
trouve la discussion au chapitre premier. Un autre morceau qui précédait
la pièce s'intitule *Réflexion utiles*, d'environ cinq pages. La Harpe s'y montre
admirateur des philosophes et les y mentionne nommément: »MM. de Voltaire,
d'Alembert, Rousseau, Diderot, Buffon.«[50] Fréron profita de l'occasion pour
décharger sa bile en discutant ces *Réflexions*.[51]

Pendant la suspension des représentations de la pièce, La Harpe se maria
avec la fille d'Ambroise Monmayeux et de Catherine Dubois, marchands
limonadiers, chez qui il logeait. Marie-Marthe était mineure, selon le contrat
de mariage conclu le 21 novembre 1764.[52] Les Monmayeux avaient quatre fils
et trois filles et étaient pauvres.[53] Quant à Marie-Marthe, »c'était une jeune
personne, très-jolie, très-honnête, très-modeste, disait Bachaumont, & qui
étoit grosse de plusieurs mois de ce poëte fécond. Il paroît que les muses
ont fait les frais les plus considérables de cet hymen, les deux conjoints n'ont
rien du tout.«[54] C'était presque littéralement vrai, quoique les Monmayeux
constituassent une espèce de dot pour leur fille, promettant »en avancement
sur leurs successions futures ... la somme de quatre mille livres, en déduction
de laquelle ils ont payé audit sieur futur époux, ainsy qu'il le reconnoist,
la somme de mille livres dont il les quitte et decharge.«[55] Pour le reste de
cette dot ainsi constituée, les Monmayeux s'obligèrent de »garantir, fournir
et faire valoir auxdits futurs époux cent cinquante livres de rente annuelle
et perpétuelle ... en deux payements égaux de six mois en six mois ... pour
ainsy continuer tant que ladite rente aura cours et jusqu'au remboursement
que les dits sieur et dame Monmayeux se réservent la liberté d'en faire en
payant trois mille livres pour le principal de ladite rente avec les arrérages

---

[46] *Ibid.*, 165—66.
[47] *Ibid.*, 176.
[48] *Ibid.*, 176—77.
[49] *Ibid.*, 274.
[50] *Œuvres diverses*, I, 96.
[51] *Année littéraire*, 1765, I, 267—73.
[52] Archives nationales, Minutier central des notaires, Etude XCI, 1018.
[53] *Ibid.*, Inventaire de Marie-Thérèse Monmayeux, Etude XCI, 1125.
[54] *Mémoires secrets*, II, 123.
[55] Archives nationales, Minutier central des notaires, Etude XCI, 1018.

qui en seront lors dus et échus.«[55] Grimm considérait cela comme une mauvaise affaire: »Une mauvaise tragédie et un mariage, c'est faire deux sottises coup sur coup.«[56]

Collé voyait au contraire dans cet acte de La Harpe »des qualités estimables, de la fermeté et de la noblesse d'âme,« car il épousa cette jeune fille qui l'amait pour lui offrir »la réparation qu'il lui devoit, quoiqu'il ne la lui eût point promise; et quoique ce soit justice, l'on mérite toujours de grandes louanges quand on la rend aux autres, contre ses propres intérêts.«[57] Boissy d'Anglas le voyait généreux, lui aussi: »On a reproché à La Harpe d'être méchant, on a eu tort, je ne crois pas qu'il ait jamais fait une méchanceté à personne, et j'ai connu de lui des mouvemens et des actions remplis de générosité.«[58] Boissy connaissait Marie-Marthe aussi et parle d'elle en termes flatteurs: »... [elle] était douée de beaucoup d'esprit et d'une sorte d'amabilité qui n'était pas sans agrément. Un homme moins irascible et moins emporté que La Harpe eût pu goûter quelque bonheur dans un lien dont la durée avait rempli la moitié de sa vie...«[59] Voltaire lui-même a été très impressionné tant par le physique de Marie-Marthe que par ses talents d'actrice:

> Il [La Harpe] est un peu petit, mais sa femme est grande. Elle joue comme melle Clairon, à cela près qu'elle est beaucoup plus attendrissante[60] ... [c'est une personne] dont la figure est fort au dessus de celle de Mad^ile Clairon, qui a beaucoup plus d'esprit, et dont la voix est bien plus touchante.[61]

En 1765, il concourut et obtint le premier prix à l'Académie des sciences, belles-lettres et arts de Rouen pour le poème *La Délivrance de Salerne*, qu'il fit imprimer la même année. Voltaire en parla favorablement dans une lettre à Cideville.[62] Cette publication fut suivie vers la fin de cette même année des *Mélanges littéraires* dont on a parlé dans le chapitre précédent à propos de sa vie et de sa première poésie. Fréron, comme c'était déjà son habitude au sujet de La Harpe, en fit un compte rendu défavorable, y exceptant tout de même *Le Philosophe des Alpes*, »qui, quoique défectueux à beaucoup d'égards, est assez original.«[63]

Depuis l'envoi à Voltaire de *Warwick* à la fin de 1763, La Harpe correspondait avec le patriarche et, comme on devait s'y attendre, ils discutaient théâtre. Voltaire venait de faire son *Commentaire sur Corneille*; on trouve une discussion de cet ouvrage dans une lettre du 25 mai 1764, où Voltaire loue la justesse d'esprit et la sûreté de goût de La Harpe:

> ...mon cher confrère... vous avez l'esprit juste et vrai, votre goût est sûr, vous n'êtes dupe d'aucun préjugé. Vous avez bien raison de dire, que je n'ai pas remarqué toutes les fautes de Corneille... J'ai dit ce que tout homme de goût se dit à lui-même quand il lit Corneille, et ce que vous dites tout haut, parce que vous avez la noble sincérité qui appartient au génie...[64]

[55] Archives nationales, Minutier central des notaires, Etude XCI, 1018.
[56] *Correspondance littéraire*, VI, 138.
[57] *Journal...*, III, 80—81.
[58] *Les études littéraires et poétiques d'un vieillard*, III, 202.
[59] *Ibid.*, 217.
[60] *Voltaire's Correspondence*, LXV, 63.
[61] *Ibid.*, 179.
[62] *Ibid.*, LIX, 48.
[63] *Année littéraire*, 1765, VIII, 254.
[64] *Voltaire's Correspondence*, LV, 54—55.

Invité par Voltaire, La Harpe fit, avec sa femme, une visite à Ferney où leur hôte les accueillit chaleureusement. Dès avant leur venue, sachant qu'ils étaient à court d'argent, le patriarche écrivit à Camp, banquier à Lyon, le 20 mars 1765: »Il viendra dans quelque temps un jeune homme nommé m. de La Harpe, à qui je vous supplierai de vouloir bien donner pour moi quatre louis d'or pour l'aider à faire son voyage de Lyon à Genève.«[65] On ne sait pas précisément quand La Harpe partit pour Ferney, mais on apprend, par une lettre de Voltaire à Damilaville, que La Harpe est déjà chez lui le 7 juin; qu'il »va faire une tragédie tirée de l'histoire de France [*Pharamond*],«[66] ce qui atteste, du moins, qu'il n'était pas trop découragé par l'échec de *Timoléon*. Voltaire le conseilla et l'encouragea dans son travail. Une autre missive du 24 juin parle de nouveau de la pièce que La Harpe a l'intention d'écrire, disant qu'il »n'a pas encor beaucoup travaillé,« mais le patriarche espérait toujours,[67] et répète la même chose dans une lettre du lendemain, à Chabanon.[68]

Il y avait, semble-t-il, toujours du monde à Ferney et La Harpe profitait de l'occasion pour en jouir et pour montrer ses talents de poète en composant des vers fugitifs, en tournant un compliment à son hôte ou à quelqu'un d'autre.[69] Il osa même taquiner Voltaire à table, devant vingt personnes, récitant des vers de Le Franc de Pompignan, sans d'abord en indiquer l'auteur, ne révélant son nom qu'après que Voltaire eut admis la beauté de l'*Ode sur la mort de Rousseau*.[70] Tout cela a dû diminuer sans doute ses soins pour *Pharamond*. Ainsi dans une lettre du 3 juillet, Voltaire augure mal de la pièce: »La Harpe, qui est toujours chez moi, dit cette lettre, m'avait promis une tragédie. Il n'a rien commencé...«[71] Ce n'est pas exact, mais le jeune auteur a dû travailler en cachette, pour une raison quelconque. Voulait-il faire une surprise ou bien sentait-il la faiblesse de l'ouvrage pour ne pas l'avoir montré à Voltaire?

Le thème porte sur Pharamond, chef franc, légendaire, du Ve siècle. L'intrigue tourne autour de la succession à son trône, pour laquelle rivalisent ses deux fils, Clodion et Mérovée. Ce dernier, proscrit dès le berceau et que l'on croyait mort, vivait sous un autre nom à la cour de son père, et s'était rendu fameux par des exploits militaires. Une affaire sentimentale accentue le conflit entre les deux frères. Clodion prend les armes pour monter sur le trône, mais il est tué et la couronne passe à son frère, qui a secouru Pharamond, son père.

Lorsque La Harpe quitta Ferney, sa pièce devait être terminée; en effet, un article de Bachaumont du 7 août affirme que »Les comédiens François commencent à s'occuper sérieusement de *Pharamond*,« tragédie encore anonyme.[72] Bon stratagème qui empêchait les cabales de s'organiser pour faire tomber une pièce d'un auteur qu'on n'aimait pas. On attribua la pièce, disait Bachaumont, d'abord à Thomas, et ensuite à plusieurs autres. Elle fut jouée

---

[65] *Ibid.*, LVII, 216.
[66] *Ibid.*, LVIII, 148.
[67] *Ibid.*, 159.
[68] *Ibid.*, 162.
[69] Voir *Œuvres de La Harpe*, Paris, Pissot, 1778, II, 126, 127 et 129, où l'on trouve deux morceaux de ce genre fugitif.
[70] *Lycée*, XIII, 152.
[71] *Voltaire's Correspondence*, LVIII, 244.
[72] *Mémoires secrets*, II, 219.

le 14 août, et l'anonymat ne l'empêcha pas de tomber, car elle eut seulement deux représentations.[73] Cette fois-ci, La Harpe n'avait plus l'excuse d'un échec causé par la haine pour l'auteur. Les comptes rendus faits avant qu'on n'en découvrit le nom étaient défavorables. Bachaumont, après avoir résumé l'intrigue, trouvait le premier acte froid, le troisième faible, le quatrième un peu mieux et le dernier languissant; il découvrait dans le second des beautés réelles qui furent applaudies et soupçonnait la paternité de La Harpe: »Ce drame est remarquable, dit-il, par une simplicité de plan, bien rare aujourd'hui: cette qualité fait croire au grand nombre de connoisseurs que *Pharamond* est de M. de la Harpe.«[74] Collé en rend compte disant: »Cette pièce n'est pas d'une bête, mais elle est bien ennuyeuse... la versification de *Pharamond* est faible, prosaïque, et quelque fois obscure«, l'auteur n'est point connu.[75] Par contraste avec Bachaumont, qui soupçonnait la paternité de La Harpe, Grimm voyait l'ouvrage beaucoup au-dessous de l'auteur de *Warwick*:

> On a attribué la tragédie de *Pharamond* à M. de La Harpe; mais je crois que ce jeune poëte est capable de faire mieux que cela. ...Quel que soit le père de ce pauvre *Pharamond*, il doit s'armer de philosophie et de résignation pour se consoler des rigueurs du public.[76]

Comme tous les secrets, celui-ci fut découvert. Quand on connut que La Harpe était l'auteur, les espérances qu'on avait conçues pour lui lors de la réussite de *Warwick* diminuèrent d'autant. Grimm, surpris de ce que La Harpe ait pu si mal faire, lui conseilla de renoncer au théâtre: »Il n'est plus douteux aujourd'hui que la tragédie de *Pharamond* ne soit de M. de La Harpe. J'en suis fâché; je le croyais capable de faire mieux. Ce jeune poëte ne manque pas de talent, mais je crois qu'il fera bien de renoncer à la carrière du théâtre...«[77]

Il fallait bien davantage pour que La Harpe s'avouât battu au point de se décourager de faire des pièces. Ainsi en produisit-il une l'année suivante, *Gustave Wasa*, présentée par la Comédie française le 3 mars 1766.[78] Echec total, car la pièce, à la seule représentation dont on l'honora, »...a eu beaucoup de peine à parvenir jusqu'à la fin, s'il faut en croire Bachaumont, & les deux derniers actes ont été soufferts très-impatiemment. Rien de plus misérable aussi. Cet auteur, au lieu d'augmenter, n'a fait que décroître depuis sa première tragédie, & montre absolument dans celle-ci son incapacité...«[79] Même condamnation sans appel sous la plume de Collé: »L'on n'a point d'idée d'un plus mauvais plan de pièce, et de caractères plus mal pris et plus défigurés. Ce jeune homme, qui fait assez bien le vers, ne fera jamais de drames.«[80] Grimm n'est pas moins catégorique: »Quant à l'âme de M. de La Harpe, il faut qu'elle renonce absolument à la carrière dramatique.«[81]

---

[73] Joannidès, *La Comédie-Française*...
[74] *Mémoires secrets*, II, 222.
[75] *Journal*..., III, 40—41.
[76] *Correspondance littéraire*, VI, 342.
[77] *Ibid.*, 356.
[78] Joannidès, *La Comédie-Française*...
[79] *Mémoires secrets*, III, 5.
[80] *Journal*..., III, 79.
[81] *Correspondance littéraire*, VI, 501.

A cette occasion, Grimm racontait que Piron se fâcha contre La Harpe, parce que celui-ci avait imité celui-là en composant *Gustava Wasa* et pour s'en venger Piron composa deux épigrammes, l'une la veille de la représentation et l'autre le lendemain.[82] On soupçonnait La Harpe d'une autre imitation qui aurait pu lui être plus utile, celle de la pièce de Henry Brook, intitulée *Gustave Vasa, The Deliverer of his country*, qui avait été traduite par Du Clairon et imprimée à Paris environ deux mois plus tôt.[83] La popularité de la pièce anglaise a dû contribuer, selon Christopher Todd, à la chute de la pièce de La Harpe.[84] La Harpe lui-même a convenu plus tard que *Timoléon*, *Pharamond* et *Gustave Wasa* étaient des pièces faibles; qu'il a cédé aux besoins pécuniaires pour imprimer *Timoléon*; qu'il jeta au feu *Pharamond* et qu'il ne garda que quelques fragments de *Gustave Wasa*.[85] En comparant la qualité du travail dans *Warwick* et dans les trois pièces qui lui succédèrent, il a dit que:

> ...graces à la difficulté d'introduire sur la scène un premier ouvrage, j'eus le loisir de travailler *Warwick* pendant deux ans avec soin et avec défiance; et que ensuite, graces à toute la faveur qui suit naturellement un grand succès, je fus à portée de faire jouer en dix-huit mois trois pièces, qui devaient se sentir de cette précipitation qui est l'abus de la facilité et la suite d'une confiance téméraire.[86]

Cependant, il est curieux de citer ici, rapportée par La Harpe, l'opinion de Voltaire sur cette dernière pièce, lorsque l'auteur la lut à son hôte à Ferney en automne 1766. Voltaire:

> fut affecté de la même manière que le public de Paris... ses impressions pendant les [trois] premiers actes allèrent jusqu'à l'enthousiasme. *Et cela est tombé* (s'écriait-il)! — *Non, ce n'est pas cela qui est tombé* — *Je ne connais rien de plus beau et de plus original depuis trente ans. Je ne conçois pas que cela ait pu tomber....* Il le comprit si bien, qu'aux premières scènes du quatrième acte, il ne voulut plus m'entendre.[87]

Mais dans une lettre du 24 novembre, où il ne peut s'agir que de cette lecture, car La Harpe est arrivé à Ferney le 4 novembre,[88] Voltaire ne parle nullement d'une quelconque beauté de la pièce. Il qualifie le tout de défectueux, mais is espère que, refaite sur un nouveau plan, elle pourra réussir: »Le petit Laharpe nous a lu sa pièce. Il n'a jamais rien fait de si mauvais; mais je crois qu'on peut, en réformant son plan, en faire quelque chose de fort bon.«[89] Pour sauver ce qu'il y avait de beau dans la pièce, Voltaire lui traça un nouveau plan pour la refaire, »mais je lui répondis, écrit La Harpe, que j'étais résolu d'attendre, et de ne rien donner au théâtre de quelques

---

[82] *Ibid.*, 502—503.
[83] *Mercure*, janvier 1766, première partie, I, 133—34 et surtout deuxième partie, II, 213—14.
[84] »Two Lost Plays of La Harpe...« dans *Studies on Voltaire and the Eighteenth Century*, LXII, 152. Pour cette pièce et les *Brames* voir le travail de M. Todd, *Ibid.*, 151—272.
[85] *Œuvres diverses*, II, 619.
[86] *Ibid.*, 619—620.
[87] *Ibid.*, 620—21.
[88] *Voltaire's Correspondence*, LXIII, 67.
[89] *Ibid.*, 120.

années; que j'avais été beaucoup trop vîte, et que je voulais apprendre mon métier.«[90] Pour se détendre peut-être et pour ne pas négliger ses talents de poète, il s'exerçait dans les genres moins difficiles, qui lui apportèrent des succès bien considérables.

En août 1766, pendant qu'il était chez le marquis de Florian et en route pour Ferney, l'Académie française décerna le prix à La Harpe pour son discours en vers, *Le Poète*,[91] ce qui inaugura pour lui toute une série de brillants succès dans la lice académique, et qui atteste aussi de la solide protection que le parti philosophe lui assurait. Voltaire fut enchanté de cette réussite du jeune poète et lui fit part de son contentement dans une lettre du 11 août, regrettant: »de ne vous avoir pas donné le prix de ma main,«[92] et pour s'en dédommager, il promettait de »faire provision de lauriers pour vous en faire une petite couronne à votre arrivée.«[92] Ce que les philosophes ont dû priser dans ce poème, ce sont les vers qui chantent les efforts de la poésie d'alors pour s'élever jusqu'à la philosophie afin d'étendre l'horizon de nos connaissances et de se rendre ainsi utile:

> Par un effort nouveau l'auguste poésie.
> S'éleva de nos jours vers la philosophie.
> Osez du moins la suivre en son auguste essor;
> Parvenu dans sa sphère, osez l'étendre encor;
> Qu'un sublime talent soit un talent utile.
> Pensez comme Platon, chantez comme Virgile...[93]

Une lettre de Voltaire à d'Argental, du 3 novembre 1766, annonce l'arrivée de la Harpe pour le lendemain;[94] à partir de cette date, lui et sa femme, et même un enfant, semble-t-il,[95] vont passer à Ferney presque une année entière. Bientôt après son arrivée, La Harpe lut, comme nous l'avons dit plus haut,[96] et discuta avec Voltaire sa pièce *Gustave Wasa*. Celui-ci l'encouragea à la refaire sur un autre plan. »Je m'occupe beaucoup, mandait-il à Damilaville, de [la tragédie] à laquelle Laharpe travaille actuellement sous mes yeux, et j'en ai de grandes espérances.«[97] Le patriarche écrivait à Lacombe que la pièce pourrait être prête pour Pâques,[98] ce qu'il répète à d'Argental quelques jours plus tard, lui avouant qu'il rendait à La Harpe »toutes les sévérités dont vous m'accablez, je ne lui passe rien, et j'espère qu'à Pâques il vous donnera une Tragédie très bonne.«[99] Par une autre missive à Chabanon, nous apprenons que »Mr de la Harpe travaille chez moi [à cette tragédie] dix heures par jour,«[100] et l'espoir pour la pièce persiste, malgré le changement

---

[90] *Œuvres diverses*, II, 621.
[91] Publié chez Regnard en 1766 sous le titre: *Le Poëte, épître qui a remporté le prix de l'Académie française en 1766*; voir aussi *Les Registres de l'Académie Française*, (1672—1793), III, 219.
[92] *Voltaire's Correspondence*, LXII, 109.
[93] *Œuvres diverses*, III, 233.
[94] *Voltaire's Correspondence*, LXIII, 67.
[95] *Ibid.*, LX, 152; on doit conclure par cette lettre de Voltaire à Damilaville, du 12 mars 1766 que les La Harpe ont au moins un enfant: »Je plains le pauvre Laharpe, dit-il; il est chargé d'une famille...« *Ibid.*
[96] *Supra*, p. 43.
[97] *Voltaire's Correspondence*, LXIII, 140.
[98] *Ibid.*, 149.
[99] *Ibid.*, 171.
[100] *Ibid.*, 207.

de la date terminale, car le patriarche disait, le 14 janvier 1767, à Florian: »... j'espère qu'après Pâques m^r de Laharpe vous raportera une pièce intéressante et bien écrite.«[101]

Vers la mi-février, le patriarche était devenu un peu sceptique en ce qui concerne cette tragédie: »J'espère qu'il ne reviendra à Paris qu'avec une très bonne tragédie, déclarait-il à Marmontel, quoiqu'il n'y ait rien de si difficile à faire, et quoiqu'on ne sache pas trop à quoi le succès d'une pièce de théâtre est attaché,«[102] et il profita de l'occasion pour suggérer qu'on pense à élire La Harpe à l'Académie.[102] La fête de Pâques approchait, mais le travail sur la pièce semblait être arrêté. En effet, Voltaire, après avoir dit à d'Argental, le 14 février 1767, que La Harpe s'était »trompé dans son Gustave, mais il n'en vaudra que mieux,«[103] ne parla plus d'aucune pièce de son disciple jusqu'au mois de juin, quand il avoua à Florian: »Laharpe est toujours chez nous, mais point de Tragédie.«[104] Ensuite, le 20 juin, il mande à d'Argental que La Harpe avait abandonné l'ouvrage qu'il avait en chantier et qu'il »commence une pièce nouvelle après en avoir fait une autre à moitié.«[105] Cette fois-ci, il s'agit des *Barmécides*, et nous nous étions trompé lorsque nous affirmions dans un article que La Harpe avait commencé à écrire les *Barmécides* dès 1766.[106] La Harpe précise ce point dans une lettre à Suard, du 15 juillet 1767: »... j'espère, écrivait-il, que vous pourrez vous apercevoir à la lecture de *Barmecide*, combien mes principes sont changés.«[107] Il espérait achever cette tragédie et la jouer sur le théâtre de Ferney, à croire une missive du 12 août 1767 adressée à un certain Dupoirier,[108] mais elle ne sera ni tout à fait achevée peut-être ni jouée certainement sur un théâtre public avant juillet 1778.[109]

A Ferney, on ne passait pas tout son temps à travailler; les distractions ne manquaient pas. On y jouait surtout des pièces de Voltaire, et le jeune couple tenait des rôles dans ces pièces à la grande satisfaction du patriarche. Il était particulièrement enthousiasmé pour les talents de Mme de La Harpe, qu'il comparait à plusieurs reprises avec la célèbre Mlle Clairon:

> Nous avons trouvé dans mad^e De Laharpe un talent bien singulier. Il ne lui a fallu que deux ou trois répétitions pour acquérir ce que m^{lle} Clairon a longtemps cherché. Sa déclamation pleine de tendresse et de force est soutenue par la figure la plus nôble et la plus théâtrale, par de beaux yeux noirs qui disent tout ce qu'ils veulent dire, par un geste naturel, par la démarche la plus libre, et par les attitudes les plus tragiques. Son mari est un acteur excellent. Il récite des vers aussi bien qu'il les fait; et quoi que très petit, il a une figure fort agréable sur le théâtre.[110]

---

[101] *Ibid.*, LXIV, 92; voir pour cette même pièce *Ibid.*, 109 et 166.
[102] *Ibid.*, 202.
[103] *Ibid.*, 205.
[104] *Ibid.*, LXVI, 15.
[105] *Ibid.*, 39.
[106] A. Jovicevich, »An Unpublished Letter of La Harpe,« dans *Modern Language Notes*, May 1963, pp. 304—305.
[107] *Voltaire's Correspondence*, LXVI, 74.
[108] A. Jovicevich, »An Unpublished Letter of La Harpe,« p. 306.
[109] Joannidès, *La Comédie-Française* ...
[110] *Voltaire's Correspondence*, LXIV, 150; voir aussi sur les talents du couple en tant qu'acteurs *Ibid.*, LXV, 63, 179 et 253.

De telles lettres sont probablement la cause de l'assertion de Grimm que Voltaire avait »conseillé à tous les deux d'embrasser l'état de comédien, et qu'ils ne sont pas éloignés de suivre ce conseil.«[111] Il n'est certainement pas loin de la vérité en concluant que »la dernière moitié de cette nouvelle [est] fausse.«[111]

En plus de ces activités, La Harpe trouvait le temps d'écrire *Des malheurs de la guerre et des avantages de la paix* pour le concours du prix d'éloquence à l'Académie française. Voltaire tenait à ce prix pour son disciple. Aussi écrivit-il, le 2 décembre 1766, à d'Alembert pour lui recommander »une déclamation dont la devise est *Humanum paucis vivit genus;* il m'a paru qu'il y avait de bonnes choses,« ajoutait-il.[112] C'était la devise du discours de La Harpe, et on lui décerna le prix en janvier 1767. Cependant, Voltaire annonçait cette victoire dès le 25 décembre 1766 à Pierre-Michel Hennin: »Je suis dans la joie, mon petit Laharpe vient de remporter le prix de l'académie.«[113] Il répétait la même chose à d'Alembert le 29 décembre.[114]

Dans cette composition La Harpe veut montrer que la paix

> n'est pas un trésor chimérique.[115] ...C'est à la philosophie, continue-t-il, de préparer et de hâter l'époque d'un heureux changement. Tandis que les hommes la calomnient et la persécutent, elle médite en secret leur bonheur, elle jette continuellement sur la terre des semences utiles, qui, souvent foulées aux pieds par la génération présente, ne sont cependant pas étouffées, et mûrissent obscurément pour les générations futures.[116]

Il faut blâmer les maîtres pour les maux du genre humain, affirme-t-il,[117] et d'énumérer les avantages de la paix: »La population augmentée, la culture des terres favorisée, le commerce protégé et agrandi, tous les arts encouragés, toutes les parties de l'administration perfectionnées, enfin l'opulence et la félicité générale.«[118] Le discours se termine par une prière déiste pour une paix bienfaisante:

> Père des hommes; car ce n'est qu'à ce titre qu'ils sont quelque chose devant toi, et que les besoins de leur faiblesse peuvent intéresser ta grandeur, éteins dans les cœurs cette rage destructive qui deshonore ton ouvrage. Que les hommes n'ajoutent plus aux fléaux de la nécessité, les fléaux de leur fureur, qu'ils ne ravagent plus cette terre que tu leur as donnée à cultiver, et ces moissons qui murissent sous les rayons de ton soleil. Qu'on ne les entende plus dans l'excès de leur démence te prier de consacrer leurs meurtres et te remercier de leurs crimes...[119]

Quoiqu'il dise avoir composé ce discours »peu de temps après que M. le duc de Choiseul... eut donné la paix à l'Europe par le traité de Versailles

[111] *Correspondance littéraire*, VII, 307.
[112] *Voltaire's Correspondence*, LXIII, 144.
[113] *Ibid.*, 215.
[114] *Ibid.*, 224.
[115] *Œuvres diverses*, V, 8.
[116] *Ibid.*, 9—10.
[117] *Ibid.*, 15—20.
[118] *Ibid.*, 21.
[119] *Ibid.*, 30—31.

de 1763,«[120] on ne peut qu'y voir sinon la main de Voltaire, du moins son coup d'œil attentif et ses conseils, car »le petit« La Harpe a bien attrapé la manière du »papa« grand homme.

C'était la seconde victoire académique en l'espace de quelques mois, mais les finances de jeune couple ne furent guère raccommodées par ces succès, et cela inspira Voltaire d'écrire à Charles-François de Laverdy, contrôleur général des finances, afin de le prier de donner à La Harpe la moitié

> de deux mille livres dont sa majesté a bien voulu me gratifier, [La Harpe]... n'ayant pas de pension, la mienne est trop forte de moitié,... on doit la partager entre lui et moi... sans lui faire savoir que je suis pour quelque chose dans cet événement. Il sera aisément persuadé, ainsi que tout le monde, que cette pension est une juste récompense des services qu'il a rendus à la littérature.[121]

Il priait Elie de Beaumont en août suivant de solliciter la même faveur par l'intermédiaire d'une dame qui avait du crédit.[122] La réponse affirmative ne venait pas, quoique d'Alembert dît: »M. de Boullongne me paroît bien disposé à obliger M. de La Harpe et j'espère qu'il y réussira auprès de M. le Controlleur Général.«[123]

Deux autres écrits, qui datent de ce séjour à Ferney et qui portent l'empreinte de Voltaire, sont deux diatribes contre les vœux monastiques et les abus qui en sont la suite. L'une, intitulée *Le Camaldule*, est la description d'une reconntre imaginaire, près d'un cloître à la campagne, entre l'auteur et un moine, où celui-ci, pour se venger de ses confrères hypocrites et tyrans, veut révéler à tous ceux qui s'entretiennent avec lui »les dangers, la honte et les horreurs de la vie monastique.«[124] L'ouvrage se termine par une prière déiste qui fait penser plutôt à Voltaire:

> O Dieu, être suprême et nécessaire, que j'ignore et que je crois parce que tout me l'annonce sans que rien me l'explique! tu n'as pas créé la beauté pour que l'homme en détournât ses regards: tu n'as pas déployé devant lui les richesses de la création pour qu'il habitât des cachots: tu n'as pas mis dans son cœur le besoin d'aimer ses semblables pour qu'il trompât sans cesse ce besoin doux, et qu'il jurât de n'aimer rien.[125]

L'autre pièce, intitulée *Réponse d'un solitaire de la Trappe à la lettre de l'abbé de Rancé*, se propose, comme le dit Voltaire dans la préface qu'il écrivit pour cette satire et qu'on a publiée avec elle, de »déplorer le malheur de ces insensés que la séduction enterre dans ces prisons réputées saintes, dans ces tombeaux de vivants, où la folie du moment auquel on a prononcé ses vœux est punie par des regrets qui empoisonnent la vie entière.«[126] Les différences entre les deux ouvrages sont négligeables: tandis que le moine dans *le Camaldule* fut

---

[120] *Ibid.*, 20.
[121] *Voltaire's Correspondence*, LXIV, 99.
[122] *Ibid.*, LXVI, 174.
[123] *Ibid.*, LXV, 37.
[124] *Œuvres diverses*, V, 170.
[125] *Ibid.*, 174.
[126] *Ibid.*, III, 406.

forcé par sa mère de prendre l'habit monacal,[127] celui de la Trappe le fit contre le gré de ses »parents désolés... [qui] s'efforçaient en pleurant de retenir mes pas.«[128] Une autre différence, c'est la forme de la composition; le premier ouvrage est écrit en prose et le dernier en vers, mais la portée en est la même: la peinture, de ce que le solitaire de la Trappe appelle les rigueurs de la vie monastique:

> Mais quel est donc le but de ces rigueurs mystiques
> De ces austérités que l'on nomme héroïques?
> Insensé, qui te crois au-dessus des humains,
> Pour creuser un tombeau Dieu forma-t-il tes mains?
> Pour songer à la mort t'a-t-il donné la vie?
> Eh! songe à tes devoirs; sers l'homme et ta patrie;
> Ce sont là les tributs qu'au ciel on doit offrir:
> Apprends, apprends à vivre, et tu sauras mourir.
> Crois-tu charmer le ciel, quand la voix fanatique
> Hurle durant la nuit un barbare cantique...
> Dors pour savoir veiller, veille pour être utile.[129]

Tandis qu'aucun commentaire de Voltaire sur *Le Camaldule* n'est consigné dans sa correspondance, par exemple, il s'était enthousiasmé pour la *Réponse d'un solitaire...*, comme le prouvent de nombreuses références à ses lettres. A Chabanon, le 16 mars 1767, il dit: »C'est un des meilleurs ouvrages que j'aie vu.«[130] A Damilaville il répète: »C'est à mon gré le meilleur ouvrage de M^r De Laharpe,«[131] et, à la même date, il recommande au marquis de Ximenès la diffusion des copies de cette épître: »Je me flatte que vous en ferez faire plusieurs copies pour l'édification de ceux qui aiment la raison et les vers.«[132] Le patriarche voyait la nécessité d'y faire des corrections: »Il y a quelques longueurs... On les retranche. La pièce est bonne, elle est utile. Au nom de Dieu m^r le marquis ne brisez pas le cœur de mon petit La Harpe,«[133] et il se chargea lui-même de remettre une copie à Frédéric II.[134] Tout le monde s'apercevait, à la lecture de cette *Réponse...*, qu'elle exprimait non seulement les idées de Voltaire sur les moines, mais saisissait aussi sa façon de dire, ce qui faisait soupçonner du moins une étroite collaboration entre le maître et le disciple. Aussi Bachaumont fut-il porté à écrire: »M. de la Harpe a écrit à Genève, sous les yeux de M. de Voltaire, la *réponse d'un solitaire à M. l'abbé de Rancé*. Cette épître est... forte de choses hardies & philosophiques... Tout cela est fait de main de maître, & bien des gens sont tentés de croire que M. de Voltaire y a mis sa touche.«[135]

Le patriarche aimait la personne et les ouvrages de La Harpe, ce qui le rendait bien indulgent envers son disciple. Chabanon, qui était à Ferney en même temps que La Harpe, a rapporté des épisodes de ce séjour où l'auteur de *Warwick*, devenu acteur dans les pièces de Voltaire, osait improviser des corrections dans les œuvres du grand maître. Celui-ci se soumettait avec

---

[127] *Œuvres diverses*, V, 169.
[128] *Ibid.*, III, 410.
[129] *Ibid.*, 413.
[130] *Voltaire's Correspondence*, LXV, 57.
[131] *Ibid.*, 67.
[132] *Ibid.*, 68.
[133] *Ibid.*, 77—78.
[134] *Ibid.*, 109.
[135] *Mémoires secrets*, III, 171.

beaucoup d'indulgence à ces vanités de son disciple. Jouant un rôle important dans *Adélaïde de Guesclin*, La Harpe disait à Voltaire: »Papa, j'ai changé quelques vers dans mon rôle qui me paraissaient faibles. — Voyons, mon fils!« Voltaire écoute les changements et reprend: »Bon! mon fils; cela vaut mieux: changez toujours de même, je ne puis qu'y gagner.«[136] Une autre fois, ces corrections ne furent même pas annoncées, mais Voltaire les reconnut et cria de sa place: »... il a raison, c'est mieux comme cela...«[137] Une autre occasion de cette collaboration montre le disciple bien moins docile aux changements d'une métaphore suggérée par le maître avec beaucoup de ménagements. En parlant du commerce, La Harpe avait dit: »... *ce grand arbre du commerce, étendant au loin ses branches fécondes, etc.* Voltaire condamnait cette figure: il prétendait qu'un arbre, immobile de sa nature ne pouvait pas servir d'emblème au commerce toujours inséparable du mouvement.«[138] On appela Chabanon pour arbitrer cette dispute; il se mit du côté du disciple, et Voltaire, donnant raison aux arguments des deux jeunes hommes, insistait cependant pour que »son fils«, comme il appelait La Harpe, jetât »son arbre à bas.«[139] Un épisode semblable est rapporté par Perey et Maugras au sujet d'une lecture de *Warwick* où le père de *Zaïre* avançait quelques observations défavorables à une scène de la pièce de La Harpe: »le jeune poète, outré de la critique, finit par dire des injures à son interlocuteur.«[140] Ces témoignages vont à l'encontre d'une déclaration d'Amélie Suard qui, elle aussi, avait eu l'occasion d'observer les choses d'assez près:

> Malgré l'amour-propre qu'on lui reproche, et dont son injuste sévérité lui laisse quelquefois trahir les mouvements, je n'ai point connu d'auteur plus docile à la critique, affirme-t-elle. Il écoute tous les *bons juges* et réforme et corrige tout ce qu'on désapprouve.[141]

Non seulement Voltaire ménage l'excessif orgueil de La Harpe, mais il essaie, au printemps de 1767, de le réconcilier avec Dorat, avec qui les relations étaient mauvaises depuis des années. Quelques mois auparavant, il y avait eu un incident entre Voltaire et Dorat concernant l'*Avis aux sages du siècle, MM. de Voltaire et Rousseau*, qui est un commentaire de Dorat sur la querelle de Rousseau et Hume, et sur la conduite de Voltaire à cette occasion. Cela fut suivi d'un nombre de lettres personnelles de Dorat à Voltaire pour implorer sa clémence. Ensuite Dorat se plaignit à Voltaire de La Harpe qu'il soupçonnait d'avoir abusé de quelques renseignements personnels. Voltaire se défendit d'avoir »jamais montré à personne ni vos Lettres, ni vos premiers vers imprimés, ni vos seconds manuscrits.«[142] Il admit que Mme Denis lui en avait parlé une fois en présence de La Harpe, et que Voltaire avait cité cette fois-là un endroit d'une lettre de Dorat; qu'il ignorait si La Harpe avait fait aucun usage de cette confidence; qu'il en avait parlé à La Harpe et que celui-ci »était très affligé d'avoir eu sujet de se plaindre

---

[136] *Tableau de quelques circonstances de ma vie*, p. 145.
[137] *Ibid.*, 146.
[138] *Ibid.*, 144—45.
[139] *Ibid.*, 145.
[140] *La vie intime de Voltaire aux Délices et à Ferney*, p. 412.
[141] A. Boiteux, *Au temps des cœurs sensibles*, p. 88.
[142] *Voltaire's Correspondence*, LXV, 75.

de vous.«[142] Cette tentative de les raccommoder n'aboutit à rien. Leurs relations, dont nous parlerons un peu plus tard, vont se détériorer. Cependant, il y a dans cette même lettre un autre renseignement qui intéresse La Harpc. Voltaire prie Dorat de ne pas nuire à La Harpe et de considérer que c'est un jeune homme qui a des talents, qui est pauvre, et de plus »il... a une femme et des enfans.«[142] Grimm en parle en mêmes termes deux mois plus tard: »M. de la Harpe réside à Ferney depuis la fin d'été dernier avec femme et enfants... M. de Voltaire a recueilli depuis peu cette petite famille.«[143] Depuis ce moment, il n'y a plus, nulle part autant que nous sachions, aucune mention des enfants de La Harpe. Seraient-ils morts bientôt après, car dans une lettre à d'Hornoy, du 15 mars 1768, Voltaire parle seulement de la femme de La Harpe: »Tous les procédés de Laharpe ont été bien cruels pour moi... il n'est pas riche, il est marié, il a besoin d'avoir des protecteurs...«[144] Cependant, Hertault de Beaufort allègue qu'il y a eu deux enfants du premier mariage de La Harpe, qui ne vécurent pas.[145]

Comme s'il n'y avait pas assez d'activité à Ferney, il ressort d'une lettre de Voltaire à Panckoucke, à la fin de février 1767, qu'il était question que La Harpe traduise Tassoni, mais le patriarche doutait fort »que Mr de la Harpe, que je crois très supérieur au Tassoni, veuille s'abaisser à traduire le Tassoni.«[146] Voltaire voyait d'un oeil plus favorable les concours académiques, et son candidat présenta pour la séance du mois d'août 1767 l'*Eloge de Charles V* qui obtint le prix.[147] Pour ne pas lui laisser courir trop de risques au concours, le patriarche écrivait à d'Alembert, le 25 juin: »Mon petit la Harpe se recommande à vous. Il a fait un Eloge de Charles cinq qui me paraît éloquent et philosophique et qui à ces deux titres, est digne de votre suffrage.«[148] Et d'Alembert de répondre le 21 juillet, devançant la séance officielle, pour annoncer la victoire de La Harpe: »Il est juste, mon cher confrère, de vous laisser une seconde fois la satisfaction d'annoncer vous-même à m[r] de la Harpe qu'il a remporté le prix d'Eloquence d'une voix unanime...«[149] En outre, d'Alembert prévient Voltaire qu'il y a, »dans le discours de m[r] de La Harpe quelques lignes rayées [par les censeurs],... il me semble qu'en cela ils ont passé leurs pouvoirs, les endroits rayés ne regardant ni la religion ni les mœurs.«[150] Une lettre du 4 août précise les endroits censurés, bien insignifiants d'ailleurs,[151] dont le premier est rétabli dans le texte imprimé.[152]

Dans cet *Eloge* La Harpe se proposait de tracer le portrait d'un monarque qui réunit

> du moins en partie, tous ces talents divers dont dépend le sort
> des nations... il doit rassembler sous ses regards la guerre et les
> lois, l'administration intérieure et étrangère... il doit avoir surtout
> ces vues générales et bienfaisantes qui sont la philosophie du

---

[142] *Voltaire's Correspondence*, LXV, 75.
[143] *Correspondance littéraire*, VII, 307.
[144] *Voltaire's Correspondence*, LXVIII, 224.
[145] »Jean-François de La Harpe,« dans *Les Contemporains*, 1904, p. 16.
[146] *Voltaire's Correspondence*, LXIV, 262; voir aussi Petitot, *Mémoires sur la vie de M. de La Harpe* dans *Œuvres choisies et posthumes*, I, p. XXIII.
[147] *Les Régistres de l'Académie Françoise*, III, 234.
[148] *Voltaire's Correspondence*, LXVI, 48—49.
[149] *Ibid.*, 114—15.
[150] *Ibid.*, 115.
[151] *Ibid.*, 150.
[152] *Œuvres diverses*, IV, 31.

trône[153] ...Charles V se présente à nous, dit La Harpe, sous le double aspect de restaurateur de la France, et de législateur ...d'un homme qui fut nommé sage, et ce sage était roi[154] ...Son caractère distinctif ...était cette intelligence vaste et rapide qui voit par-tout ce qui manque et ce qui pourrait être suppléé, et qui suffit à-la-fois au travail de produire et à celui de perfectionner.[155]

Ce roi, mort jeune, vécut de 1337 à 1380, ce que le panégyriste exprime en disant que »le grand homme [est] placé dans son siècle entre les lumières et les ténèbres, et [le philosophe] le juge sur ce qu'il a ôté aux unes et ajouté aux autres.«[156] D'où il ressort que La Harpe avait une conception bien claire et moderne du progrès historique.

En discutant cet éloge, Grimm reflète l'opinion à Paris que les plus beaux morceaux du discours »étaient de M. de Voltaire... Je crois bien, continue Grimm, que M. de Voltaire a jeté le yeux sur le discours de M. de La Harpe ...mais [ces morceaux de Voltaire, s'il y en a] ...ne font que relever un très-bon fond.«[157] Le duc de Villars exprimait la même idée, d'une façon plus discrète, à Voltaire lui-même, le 30 septembre: »Tous les talents se sont donc retirés à Ferney, l'éloge de Charles V y a été composé, et m. de La Harpe y a été inspiré par le dieu qui y préside .«[158] Bachaumont annonça que l'assemblée particulière de l'Académie avait l'intention de couronner l'ouvrage de La Harpe.[159] A la suite de cela, l'Académie prit la décision de ne plus annoncer les jugements que le jour même de la séance officielle.[160] Dans un autre article du 25 août, Bachaumont dit que:

> cet ouvrage n'a pas eu les applaudissements que reçoivent d'ordinaire les ouvrages couronnés. On y a remarqué peu de faits & beaucoup de digressions longues, qui font de ce discours plutôt une amplification de rhétorique, qu'un précis rapide & serré de la vie de ce monarque, qui tient une place aussi distinguée dans notre histoire.[161]

Comme de coutume, le discours fut imprimé chez la veuve Regnard et Fréron se livra, une fois de plus, à un examen minutieux du texte publié. Le premier reproche qu'il y fait est l'idée de »la Philosophie du Trône«, mais il trouvait la division du discours en »Restaurateur de la France & de Législateur,« »heureuse« parce que naturelle.[162] Ce qui gâte pourtant la composition, selon Fréron, c'est »le mauvais goût de l'antithèse, la manie des contrastes, une certaine affectation d'idées qu'on croit fines & qui ne sont que petites...«[163] Il poursuit la dissection de la stylistique du discours pour conclure qu'il était »mesquin«, »sec« et »froid,« on trouve par-ci par-là quelques traits agréables, mais nulle force, nulle vigueur, nulle ame, nulle énergie.«[164]

---

[153] *Ibid.*, 6.
[154] *Ibid.*, 7.
[155] *Ibid.*, 22.
[156] *Ibid.*, 32.
[157] *Correspondance littéraire*, VII, 411.
[158] *Voltaire's Correspondence*, LXVII, 61.
[159] *Mémoires secrets*, III, 208.
[160] *Voltaire's Correspondence*, LXVI, 186.
[161] *Mémoires secrets*, III, 218.
[162] *Année littéraire*, 1767, VII, 53.
[163] *Ibid.*, 54.
[164] *Ibid.*, 60.

Voltaire, encouragé par les succès de La Harpe, songe déjà sérieusement à son élection à l'Académie: »J'espère qu'enfin la gloire de mon petit la Harpe servira à sa fortune,« disait-il à d'Alembert.[165] »Je vous recommande Laharpe quand je ne serai plus,« écrivait-il à Marmontel le 21 août 1767. »Il sera un des piliers de nôtre église; il faudra le faire de l'académie. Après avoir eu tant de prix, il est bien juste qu'il en donne.«[166] Il réitère la même requête à la fin de septembre à d'Alembert, mais ce qui était encore plus urgent pour La Harpe, pensait le patriarche, c'était de lui assurer l'existence.[167]

Cette même année La Harpe avait concouru à l'Académie de Marseille avec, pour sujet, *Combien le génie des grands écrivains influe sur l'esprit de leur siècle*, mais »des circonstances relatives aux réglements de l'académie de Marseille ne permirent pas [que son ouvrage] concourût, quoiqu'il eût été envoyé,«[168] Il s'agissait de montrer, au moyen d'un aperçu rapide à travers les siècles, que »l'influence des lettres et des écrivains illustres [est] plus marquée [au XVIIIe siècle] qu'elle ne l'avait jamais été.«[169] Question importante, dit-il, »sur-tout dans nos jours où tout ce qui n'est pas peuple veut être éclairé ou veut le paraître, où la gloire des lettres portée à son plus haut point a tant d'aspirants et de détracteurs, où la philosophie se félicite de tant de progrès et essuie tant de reproches.«[170] Parlant de ce discours, le duc de Villars disait qu'il aurait »vu couronner [La Harpe] avec bien du plaisir à notre académie de Marseille pour un très beau discours, si on n'eût craint d'irriter encore plus le fanatisme en lui montrant le fidèle et énergique tableau de son délire et de ses horreurs.«[171]

Comme l'annonçaient certaines lettres de Voltaire, La Harpe partit pour Paris à la fin d'octobre ou au début de novembre 1767,[172] et laissa courir, à son arrivée dans la capitale, une épigramme, écrite très probablement par lui, contre Dorat, en la laissant attribuer à Voltaire. Il y déplore la tristesse des vers de Dorat, leur pesanteur, leur longueur même:

> ...ah! qu'il est triste d'être
> Ou sa maîtresse ou son lecteur![173]

Dorat croyant, ou voulant croire, que l'épigramme était de Voltaire, répondit par des vers assez spirituels, disant supporter sans trop de mal la privation de lecteurs, mais plaidant pour qu'on lui laisse sa maîtresse:

> Par pitié seulement, laisse-moi ma maîtresse...
> Si de mes vers Chloé s'ennuie,
> Pour l'amuser, je lui lirai les tiens.[174]

La Correspondance littéraire, dans sa livraison de décembre, doutait déjà »que l'épigramme contre Dorat soit une émanation immédiate de la plume

[165] *Voltaire's Correspondence*, LXVI, 128.
[166] *Ibid.*, 202.
[167] *Ibid.*, LXVII, 53.
[168] La Harpe, *Œuvres diverses*, V, 33.
[169] *Ibid.*, 35.
[170] *Ibid.*, 34.
[171] *Voltaire's Correspondence*, LXVII, 61.
[172] *Ibid.*, 53 et 73.
[173] *Correspondance littéraire*, VII, 471.
[174] *Ibid.*, 472.

du grand patriarche; on l'impute au contraire à M. de La Harpe, qui l'a apportée de Ferney.«[175] Bachaumont disait aussi, à ce moment-là, que »on attribue cette Epigramme à M. de la Harpe, d'autres la prétendent de M. de Voltaire.«[176]

Bien vexé quand il apprit ce fait, Voltaire écrivit à Mme Necker, chez qui Dorat fréquentait, pour qu'elle dise à Dorat, »pour la décharge de ma conscience, que je suis innocent, et qu'il faudrait être un innocent pour me soupçonner ... je m'en lave les mains.«[177] Il se plaignit à Chabanon au sujet des vers contre Dorat, disant: »... je les condamne quoique bien faits ... j'ai beaucoup à me plaindre, le procédé n'est pas honnête,«[178] et également à d'Alembert: »... on m'impute une épigramme contre la maîtresse et les vers de m. Dorat; cela est très impertinent: je ne connais ni sa maîtresse ni les vers qu'il a faits pour elle.«[179] Une autre lettre vers le 10 février 1768 se lamente parce que: »Il n'y a pas jusqu'à l'épigramme contre Mr Dorat que l'on n'ait essaié de faire passer sous mon nom. C'est un très mauvais procédé de l'auteur. Il faut être aussi indulgent que je le suis pour l'avoir pardonné.«[180] Finalement, il écrivit à Dorat personnellement, en mars 1768, pour se justifier: »J'ai été très affligé de cette imposture. J'ai des preuves en main qui me justifieraient pleinement, mais je ne veux ni compromettre, ni accuser personne.«[181] Une semaine plus tard, d'Alembert assurait au patriarche qu'il ne croyait pas que La Harpe eût aucun tort dans l'affaire de l'épigramme: »Je dois au reste vous assurer qu'il a protesté plusieurs fois en ma présence que l'épigramme contre Dorat n'étoit pas de vous, ainsi je ne lui crois point de tort à cet égard.«[182]

En effet, Voltaire n'accusa et ne nomma personne au cours de cette longue période de vexation. Mais il n'avait pas eu le temps de l'oublier que le scandale du vol des manuscrits éclata dans les journaux. Des copies du second chant de la *Guerre civile de Genève*, que l'auteur voulait soustraire au public, au moins pendant quelque temps, s'étaient répandues à Paris, à ce qu'on disait, vers la fin de l'automne 1767. On accusait La Harpe de cette diffusion indiscrète et contraire à la volonté de son ami et protecteur. Voltaire avait ébauché le plan de ce poème en janvier 1767 lors du séjour de La Harpe à Ferney. L'ouvrage a bien dû attirer l'attention de ce dernier dès ce moment, car d'Alembert, en réponse à une lettre de Voltaire du 18 janvier,[183] où il est question de ce poème, disait: »Mr de la Harpe m'a déjà parlé du poème sur la guerre de Genève; ce qu'il m'en dit me donne grande envie de le lire.«[184] On doit supposer que La Harpe en parla à d'autres amis à Paris, suscitant autant d' intérêt, et la curiosité de ceux-ci a probablement influé sur le jeune ami du patriarche pour leur faire communiquer autant qu'il pouvait du contenu de ce poème. Malheureusement, nous n'avons pas pu retrouver la

[175] *Ibid.*, 499. Mme Necker croyait cette pièce de La Harpe. Voir F. Golowkin, *Lettres diverses recueillies en Suisse*, p. 339.
[176] *Mémoires secrets*, III, 264.
[177] *Voltaire's Correspondence*, LXVII, 263.
[178] *Ibid.*, 255.
[179] *Ibid.*, 262.
[180] *Ibid.*, LXVIII, 125.
[181] *Ibid.*, 182.
[182] *Ibid.*, 204.
[183] *Ibid.*, LXIV, 104—105.
[184] *Ibid.*, 127.

plupart des lettres de La Harpe de ce temps-là, où il devait en être question. Il parla du poème dans ses œuvres, beaucoup plus tard mais sans enthousiasme, excepté pour le premier chant. Ce témoignage, qui contraste avec le ton de la lettre de d'Alembert, confirme qu'il était

> à Ferney quand Voltaire fit ce malheureux poëme de *la guerre de Genève*. Il en fit lecture ... dans un cercle assez nombreux. On rit et on applaudit à quelques détails, où, malgré la faiblesse de l'ensemble, on retrouvait la verve et la gaieté de l'auteur, surtout dans le premier chant. Mais quand ce vint au second, où sont toutes les ordures contre Rousseau, il régna dans l'assemblée un silence de consternation, qui n'échappa nullement à l'auteur, et lui donna même une humeur qui dura toute la journée. La leçon pourtant ne fut pas inutile; car il prit le parti de ne plus lire ce second chant à personne, quoiqu'il lût très-souvent et trés-volontiers le premier.[185]

Quoi qu'il en soit, après son retour de Paris à Ferney au commencement de février 1768, on accusait La Harpe d'avoir volé ce manuscrit, ce qu'il niait avec persistance. Besterman cite une lettre à Damilaville, du 22 février 1768 environ, sans en reproduire le texte: Voltaire y apprend à son correspondant le vol par La Harpe de la *Guerre civile de Gèneve*, et le départ du coupable pour Paris.[186] A défaut de ce texte, il faut se rapporter à celui de la lettre de d'Alembert qui parle de cette affaire: »... frère d'Amilaville me fit voir une lettre où vous lui exposiez vos griefs contre m^r de la Harpe.«[187] Ce mot »grief« implique qu'on conçoit et qu'on exprime en quoi on est endommagé ou lésé. Ayant été donc au courant de cette affaire racontée à Damilaville, d'Alembert se hâta d'écrire à La Harpe et à Voltaire, le 29 février: »Je vous écrivis, disait-il à ce dernier, en même temps pour vous engager à lui pardonner une faute qui n'est de sa part qu'imprudence et qu'étourderie, car je sais qu'il vous est tendrement & sincèrement attaché.«[187] Il est important de souligner ces mots: *une faute qui n'est de sa part qu'imprudence et qu'étourderie.* Il y a certainement faute, mot assez vague par rapport au crime allégué et de la part d'une personne qui savait trouver et apprécier le mot juste, mais les mots imprudence et étourderie suggèrent des actions faites sans en envisager suffisamment les conséquences, un simple manque de réflexion en ce qui concerne ces actions. Or, il nous est bien difficile de concevoir comment on peut se servir de ces mots pour définir un vol commis par une personne de 28 ans, intelligente et cultivée, car ce vol a dû être prémédité. De plus, cette lettre regrette le chagrin que le départ du coupable a causé à Voltaire, et »le tort que cet événement fera à ce malheureux jeune homme.«[187] D'Alembert s'apitoie sur le sort de La Harpe, sentiment déplacé quand on écrit à la personne lésée. Il voit La Harpe: »courir audevant du malheur.«[187] Un tel langage, adressé à la personne offensée, s'accorde mal avec l'action de voler son ami et protecteur. On a peine à concevoir cette préoccupation pour la situation économique d'un voleur dans une lettre adressée à celui qui a été volé, et pourtant cette missive continue: »Heureusement pour lui j'ai enfin obtenu de m^r de Boullongne 50 louis qu'il trouvera à son arrivée, à ce que j'espère.«[187] La Harpe n'avait pas besoin de cette somme, affirme

---

[185] *Œuvres diverses*, XV, 488—89.
[186] *Voltaire's Correspondence*, LXVIII, 163.
[187] *Ibid.*, 171.

Besterman; mais c'est peut-être pour soutenir une métaphore qu'il voit »dans la même valise«, où se trouvait le manuscrit volé, les »rouleaux de louis d'or que Voltaire avait l'habitude de glisser dans les bagages de ses protégés sur leur départ.«[188]

Une lettre à Pierre-Michel Hennin, du 1er mars, contient des renseignements supplémentaires:

> Soyez très sûr ... que vôtre Languedochienne [qui était en visite à Genève] ... n'avait point vu la deuxième balliverne. J'avais abandonné aux curieux la première et la troisième; mais pour la seconde je l'avais toujours laissée dans mon portefeuille; et j'avais des raisons essentielles pour ne la point faire paraître. Si [elle] ...l'a eue, ce ne peut être que depuis le mois de novembre, car Laharpe partit [en] ... octobre, et ce fut au commencement de novembre qu'il la donna à trois personnes de ma connaissance. Les copies se sont peu multipliées,

car ces choses-là intéressent peu Paris.[189] Ces trois personnes (il y en a en effet quatre) sont d'Alembert, le chevalier de Rochefort d'Ally, une dame, et Dupuits.[190] Ce dernier n'arriva à Paris que vers la mi-décembre; il y a donc ici une incertitude en ce qui concerne l'intérêt de ce poème. Nous avons déjà vu ce que d'Alembert en pensait d'après la seule description de La Harpe. Et comment croire à un manque d'intérêt des Parisiens pour le poème de Voltaire, quand on songe que Bachaumont en parlait déjà en avril 1767, même sans avoir vu aucune partie du texte.[191] De son côté, Grimm laissait croire qu'il était en possession du texte du premier chant en mai, car il écrivait le 15 mai: »Vous avez vu le premier chant de *Guerre de Genève*, vous allez lire le troisième ... ce sont les seuls que M. de Voltaire ait communiqués à ses amis.«[192] Ces derniers l'ont découragé, continue cette note, à »poursuivre cette entreprise, elle paraît aujourd'hui abandonnée.«[192] Après le retour à Paris de Chabanon et de La Harpe, en novembre 1767, *la Correspondance littéraire* apporte à ses abonnés de nouveaux renseignements sur cette œuvre, qu'elle croyait abandonnée, et annonce que »MM. de Chabanon et de La Harpe ... de retour de Ferney depuis quelques jours, viennent de nous ... apporter le second chant.«[193] Par contraste avec l'article de mai 1767, celui du 15 novembre montre que Grimm n'a pas vu ce second chant.[193] Or, nous avons vu quel usage il avait fait de l'épigramme à Dorat, qui parut à ce moment-là, et qu'il croyait de Voltaire. Il la reproduisit aussi bien que la réponse de Dorat, et la commenta longuement.[194] Bachaumont, lui aussi, reproduisit l'une et l'autre. Comme tout ce qui provenait de Voltaire prenait place sans délai dans les mémoires du temps, on ne saurait expliquer leur discrétion en ce qui concerne ce deuxième chant, si vraiment il avait circulé à Paris, grâce à l'entremise de La Harpe dès le mois de novembre. Ce qui est plus vraisemblable, c'est que Chabanon et La Harpe ont parlé de ce chant après leur retour. Ils en

---

[188] Besterman, »Le vrai Voltaire par ses lettres,« dans *Studies on Voltaire and the Eighteenth Century*, X, 39. Il répète la même chose dans son *Voltaire*, pp. 478—82.
[189] *Voltaire's Correspondence*, LXVIII, 175—76.
[190] *Ibid.*, 232.
[191] *Mémoires secrets*, III, 172—73.
[192] *Correspondance littéraire*, VII, 318.
[193] *Ibid.*, VIII, 488.
[194] *Supra*, pp. 52—53.

citaient en toute probabilité des vers, puisque Voltaire l'avait lu, comme nous avons vu par le témoignage de La Harpe, au moins une fois devant »un cercle nombreux.«[195]

Quant à Voltaire, il est sûr, ou presque sûr, de son fait, quoique Hennin semble en douter en peu. Voltaire voyait qu'un autre que La Harpe aurait pu commettre cette infidélité, »ce polisson de Gallien [par exemple], cependant il ne l'a pas faite.«[196] Ce qui le fortifie dans cette conviction, c'est la double attitude de La Harpe lui-même. Certes, à son retour de Paris, La Harpe lui a bien affirmé, oralement que cette »coionnerie« avait paru avant son voyage d'octobre.[196] Mais alors que d'ordinaire, si l'on en croit Voltaire, il le tenait au courant dans ses lettres parisiennes« de toutes les anecdotes littéraires«, il s'est bien gardé cette fois de lui conter son histoire par écrit et de »prévenir par cet avertissement les soupçons qui pouvaient tomber sur lui. Cependant il ne m'en dit pas un seul mot.«[196] Il s'avère en fait, quand on vérifie la correspondance du patriarche pendant le séjour de La Harpe à Paris, entre octobre 1767 et février 1768, non seulement que celui-ci n'instruisait pas celui-là minutieusement de tout ce qui se passait à Paris, mais que Voltaire se plaignait de ce que La Harpe ne lui écrivait pas du tout. Ainsi le patriarche écrivait-il à Chabanon le 30 novembre: »Vous êtes bien plus attentif que le vitorieux auteur de Charles 5. Il ne m'a point apris d'anecdote, car il ne m'a point écrit du tout.«[197] Et le 7 décembre il réitère sa plainte au même: »Je félicite M^r De La Harpe de tous ses succès. Il en est si occupé qu'il n'a pas daigné m'écrire un mot depuis qu'il est parti de Ferney.«[198] Voilà donc une erreur de faits, mais qui n'empêcha pas que les soupçons tombent sur La Harpe; peut-être les renforça-t-elle. Peut-on être sûr que tout le reste se passa comme le disent les lettres d'accusation? Nullement. Voltaire est tellement fâché qu'une confusion se dégage de ses lettres de cette époque-là. Pour établir les faits tels qu'ils ont dû se passer, on aimerait consulter les témoignages d'Antoine, de Dupuits et de La Harpe, mais ces témoignages n'existent pas, car ils ne les déposèrent qu'oralement.

On vient de voir que La Harpe n'écrivait pas du tout à Voltaire et, par conséquent, ne l'instruisit pas de cette affaire de Paris, mais Voltaire allègue que La Harpe »donna une copie [du second chant] à Mr Dupuits, et le pria de ne m'en point parler ... [et il] ne m'en parla qu'à son retour lorsqu'il fallut éclaircir l'affaire.«[199] La Harpe est supposé avoir convenu de sa culpabilité, d'avoir fait passer le texte fidèle, en se justifiant »qu'il n'avait donné le manuscrit que parce qu'il en courait des copies infidèles. Il en avait donc une copie fidèle, continue Voltaire, ... je ne la lui avais certainement pas donnée.«[199] La question se posait donc pour Voltaire de trouver comment La Harpe avait obtenu cette copie fidèle. La Harpe dit d'abord qu'il la tenait »d'un jeune homme dont il ne dit pas le nom. Huit jours après il dit que c'était d'un sculpteur [Antoine] qui demeurait dans sa rue.«[199] Cette attitude de La Harpe rappelle bien sa conduite au cours de l'interrogatoire dans l'affaire des couplets, où il était un des complices, mais non pas le seul ni même le principal coupable.

---

[195] *Supra,* p. 54.
[196] *Voltaire's Correspondence,* LXVIII, 176.
[197] *Ibid.,* LXVII, 186.
[198] *Ibid.,* 210.
[199] *Ibid.,* LXVIII, 176.

Entre temps, il est intéressant de suivre la discussion épistolaire de l'affaire entre Voltaire et Hennin. Celui-ci affirme:

> qu'avant le départ de M. Delaharpe, on m'a soutenu qu'il existoit à Paris des copies du second chant, on m'en avoit même dit des vers. ... à coup sûr il n'a pas été le premier à la publier.[200]

> La petite mièvreté de la Harpe, insiste Voltaire ... est certaine et avérée ... Gallien en avait retenu quelques vers, mais ... il n'en avait point pris de copie ... cet Antoine ... dont la Harpe prétendait tenir le manuscrit, a été interrogé par un de mes amis [Damilaville]. Sa réponse a été que la Harpe était un menteur et quelque chose de pis.[201]

Ce qu'Antoine a dit exactement à Damilaville n'est pas vérifiable, malheureusement. D'après une lettre de Voltaire à Mme Denis, Antoine a avoué qu'il possédait des copies infidèles, ce qui confirme les allégations de La Harpe et de Hennin que les copies se répandaient à Paris avant l'arrivée de la Harpe; qu'Antoine avait donné une copie infidèle à La Harpe, ce qui est en outre une confirmation partielle du témoignage de La Harpe cité plus haut; que La Harpe avait la copie fidèle sur laquelle Antoine corrigea les siennes.[202] Mais ce texte, que nous allons citer, s'embrouille dans l'endroit critique. Voilà ce qu'on y dit:

> Damilaville est allé chez cet Antoine qui demeure rue Hautefeuille. Cet Antoine que la Harpe disait luy avoir donné la copie de cette misère en question, cet Antoine qui *ne luy avait donné qu'une copie infidèle sur la quelle il* [Antoine?] *rectifia celles que lui La Harpe fit courir* (parce qu'apparemment la Harpe en avait une copie fidèle).[202]

C'est ce texte, fort obscur, que nous avons essayé d'éclaircir avant de le citer. Pour rendre la confusion encore plus frappante, une lettre de Voltaire à Marie-Marthe de La Harpe contredit l'assertion que même La Harpe avait le texte fidèle, car on y dit: »... tout l'ouvrage arrive en Suisse, il parvient à un libraire, et tout ce que je puis faire, c'est d'obtenir du libraire qu'il accepte une bonne copie au lieu d'une mauvaise et que l'ouvrage complet paraisse dans un meilleur état.[203]

Parmi les lettres de La Harpe que nous avons fait publier, il s'en trouve trois adressées à Jacques-Denis Antoine. Elles datent de 1798, époque à laquelle peu de gens conaissaient l'adresse de La Harpe, car il se cachait à Corbeil après la proscription de septembre 1797. Elles indiquent donc que les deux hommes sont restés des amis intimes, car La Harpe se serait gardé de révéler son adresse, ou même celle d'un intermédiaire, à quelqu'un en qui il n'aurait pas eu confiance. Il faut se rappeler que même Madame Récamier n'obtint pas l'adresse pour aller rendre visite au proscrit; qu'elle devait se rendre d'abord chez la comtesse de Clermont-Tonnerre et venir avec elle.[204] Comment La Harpe aurait-il pu rester en aussi bons termes avec Antoine,

---

[200] *Ibid.*, 181.
[201] *Ibid.*, 191.
[202] *Ibid.*, 179—180.
[203] *Ibid.*, 232.
[204] *Infra*, p. 185.

si les insultes rapportées par Damilaville avaient été effectivement prononcées, dans une affaire qui blessait sa réputation et lui causait tellement d'ennuis? On n'a, par exemple, aucune indication qu'il ait renoué la liaison avec des gens impliqués dans l'affaire des couplets, et c'était une affaire où La Harpe eut peut-être moins de torts que dans celle des manuscrits.

Toujours est-il que La Harpe et sa femme quittèrent brusquement Ferney, contrairement à leur intention d'y rester encore quelques temps. Mais on peut bien comprendre pourquoi ils partirent. Ce qui est plus difficile à interpréter c'est le départ subit et imprévu de Mme Denis et des Dupuits, le 1er mars 1768. L'explication se trouve, croyons-nous, dans l'assertion de Wagnière que la nièce de Voltaire était »impliquée dans cette affaire.«[205] C'est ce que disait Hughes Maret à Piron dans une lettre du 7 mars.[206] La nièce court après le voleur et veut le ramener à Ferney, à ce que dit une lettre de Voltaire à Hennin,[207] et dans une autre à Chabanon: »Elle va arranger sa santé, ses affaires et les miennes.«[208] A Mme Denis elle-même Voltaire dit: »La Harpe est cause de mon malheur. Qui m'aurait dit que la Harpe me ferait mourir à cent lieues de vous, n'aurait pas été cru,«[209] à Rochefort d'Ally il annonce que: »...made Denis part cette semaine pour Paris pour des affaires indispensables;«[210] ce qu'il répète à Chabanon,[211] aussi bien qu'à Mme de la Tour du Pin de Saint-Julien.[212]

Un peu plus tard, il explique que ses affaires se sont délabrées à cause »des soupers de deux cents convives, des bals, des comédies...«[213] et il confesse à d'Hornoy que »Made Denis m'a laissé pour environ quinze mille livres de dettes criardes à payer...[214] Il se plaint à Mme Du Deffand aussi: »J'ai été pendant quatorze ans l'aubergiste de l'Europe, et je me suis lassé de cette profession.«[215] On disait, et Voltaire en parlait aussi, qu'on allait vendre Ferney,[216] mais cette intention ne semble pas avoir été sérieuse. Cependant, Hennin croyait, dans une lettre à Chabanon du 2 mars, que Voltaire s'était servi du prétexte du vol des manuscrits »pour commencer à vuider la maison.«[217] Une lettre de d'Alembert à Voltaire indique nettement que celui-ci avait d'autres problèmes plus urgents à ce moment-là:

> Je sens combien vous devez être affecté dans les circonstances présentes de l'imprudence de la Harpe, et des effets qui en peuvent résulter... Je sais... quoique vous ne m'en disiez rien, que vous avez d'autres sujets de chagrin, et plus considérables; j'ai été chercher made Denis sans la trouver, je compte la voir peut-être aujourd'hui, et lui parler à fond de vous et de l'intérêt que j'y prends.[218]

[205] *Mémoires sur Voltaire...*, I, 278.
[206] *Voltaire's Correspondence*, LXVIII, 205.
[207] *Ibid.*, 176.
[208] *Ibid.*, 178.
[209] *Ibid.*, 179.
[210] *Ibid.*, 187.
[211] *Ibid.*, 193.
[212] *Ibid.*, 196.
[213] *Ibid.*, 236.
[214] *Ibid.*, 274.
[215] *Ibid.*, 280.
[216] *Ibid.*, 200, 201, 208, 209, 218 et 223.
[217] Perey et Maugras, *La Vie intime de Voltaire...*, p. 416.
[218] *Voltaire's Correspondence*, LXVIII, 218—19.

A Paris, peu après son retour, La Harpe prit un emploi comme secrétaire d'un intendant des finances nommé Boutin, acte que Bachaumont considérait comme abandon »de tout espoir de rentrer en grâce auprès de M. de Voltaire.«[219] La nouvelle de son départ de Ferney et les causes de celui-ci se répandaient dans le public. La *Gazette d'Utrecht* disait dans un article du 18 mars que les La Harpe étaient congédiés de Ferney; que la maison de Voltaire leur avait été interdite pour toujours; que le jeune auteur s'était attiré cette disgrâce »pour avoir abusé de la confiance de son bienfaiteur en lui enlevant furtivement differens Manuscrits précieux.«[220] Cette affaire, continue la *Gazette*, fait perdre à La Harpe »une honnête subsistence, l'assurance d'une pension de 6 mille livres après la mort de son protecteur... en un mot ce jeune Auteur perd le plus solide point d'appui de sa réputation dans la Littérature.«[220] En énumérant les manuscrits supposés volés, on ne nomme pas la *Guerre civile de Genève*, ce qui dispensera convenablement tout le monde de commenter ce détail dans les démentis qui suivront. La *Gazette d'Utrecht* nommait: *l'Homme aux 40 écus... le Cathécumène... le Sermon...* prêché à Bâle... [et la] lettre de l'Archevêque de *Cantorbery* à Milord de *Beaumont...*«[220] Quelle que soit la culpabilité de La Harpe, les détails allégués dans cet article sont faux. Aussi Voltaire se dépêcha-t-il d'insérer un démenti dans le *Journal encyclopédique* du 15 avril, mais daté le 31 mars 1768: »*La vérité m'oblige, dit-il, de déclarer que ces bruits sont sans aucun fondement & que tout cet article est calomnieux d'un bout à l'autre; il est triste qu'on cherche à transformer les nouvelles publiques et d'autres écrits plus sérieux en libelles diffamatoires. Chaque citoyen est intéressé à prévenir les suites d'un abus si funeste.*«[221] La Harpe aussi écrivit, le 25 mars, un démenti qui fut publié dans *L'Avant-coureur*, niant point par point les diverses assertions de la *Gazette d'Utrecht*. Puisqu'on n'y trouvait aucune mention de la *Guerre civile de Genève*, La Harpe, comme on s'y attendait, passa outre au problème et termina ainsi sa lettre »... quoiqu'il en doive coûter au bonheur de certaines gens... je ne suis point brouillé avec M. de Voltaire, & ce grand homme n'a rien diminué de son amitié pour moi, qui m'est aussi chère qu'honorable.«[222] Ces démarches obtinrent une rétraction de la *Gazette d'Utrecht*, le 5 avril, où il est dit: »On sait à présent que tout ce qui s'est débité au sujet de M^r de la *Harpe* & de son départ de Ferney n'avoit aucun fondement.« Cette rétraction continue, niant spécifiquement le vol d'aucun ouvrage et la perte de l'amitié de Voltaire.

Récemment M. J. Vercruysse a publié une lettre inédite de La Harpe à Choiseul.[223] Les commentaires de ce document ajoutent, croyons-nous, à la confusion, quand on déclare, après avoir cité cette lettre, que »La Harpe reconnaît avoir subtilisé des manuscrits à Ferney...«[224] Que veut dire précisément ici *subtiliser*? est-ce voler ou bien s'emparer avec adresse de quelque chose? Nous le prenons au sens de voler, mais c'est ce que cette lettre de

---

[219] *Mémoires secrets*, XVIII, 339.
[220] *Supplément*, 18 mars 1768.
[221] Le même démenti fut imprimé dans le *Mercure*, avril 1768, II, 148—49, et dans le *Journal helvétique*, avril 1768, p. 465.
[222] *L'Avant-coureur*, 4 avril 1768, p. 220; reproduit aussi par les *Mémoires secrets*, XVIII, 331—32.
[223] »*La Harpe et la* Gazette d'Utrecht: *une lettre inédite à Choiseul*«, dans *Studies on Voltaire...*, LXXIX, 193—198.
[224] *Ibid.*, p. 197.

La Harpe ne dit pas. Au contraire, il y nie »d'avoir pris a mr de voltaire et répendu dans le public le *Catechuméne* ... l'homme aux 40 écus, le *Sermon* prêché a bâle, et la lettre de l'archevéque de Cantorbery.«[225] Il se dit »trop sur de [son] innocence et vous êtes trop a portée de savoir la vérité de mr de voltaire lui même, pour que j'insiste sur les preuves.«[225] Il admet »d'avoir donné à plusieurs de ses amis [de Voltaire] le second chant de la guerre de genève, qu'il voulait corriger.«[225] Il appelle cet acte une »légère indiscrétion [qui] n'a point du tout altéré son amitié pour moi.«[225]

Hennin, persistant à croire La Harpe innocent, entretenait avec lui une correspondance assez régulière, et tâchait de le tenir au courant de ce qui se passait à Ferney. »Il n'y a pas quatre jours, lui écrivait Hennin le 7 avril, que j'ai la solution du problème qui vous a embarrassé, ainsi que tout Paris. Elle est étrange, soyez-en sûr, et ne me citez pas ... Je vous conterai tout cela à mon premier voyage qui sera, j'espère, au mois d'octobre.«[226] Comme on peut bien le comprendre, La Harpe ne pouvait se satisfaire de cette promesse, ni patienter jusqu'au mois d'octobre. Aussi écrivit-il à Hennin, le 14 avril, pour lui demander des précisions sur cette solution: »Il me semble pourtant, insistait-il, qu'elle ne peut pas être de nature à n'être pas mise sur le papier. Me remettre à vôtre arrivée a Paris, c'est me rejetter un peu loin.«[227] Il exprime sa reconnaissance pour le zèle avec lequel Hennin le défendit auprès de Voltaire et luï dit que le patriarche lui avait écrit, de sa propre main, une lettre de trois pages, »et il m'a envoyé le certificat [l'article du *Journal ency-clopédique* du 31 mars] qu'il me devait en toute équité, et qui a confondu les calomnies des méchans et des gazettes.«[228] Cette insistance sur le démenti comme une équité qu'on lui doit, rend nulles, nous semble-t-il, les déclarations de d'Alembert qui font penser, à tort croyons-nous, que La Harpe avait admis le vol du manuscrit.[229] Tout ce qu'il avait admis, en toute probabilité, comme dans la lettre citée plus haut, c'était qu'il était impliqué dans cette affaire; que cela était un tort, »une légère indiscrétion«, ce que d'Alembert appelle, à mainte reprises, une imprudence. Hennin pourtant ne se hâta pas d'obliger La Harpe, ne voulant pas mettre sur le papier les détails, quels qu'ils soient, qu'il avait appris. Mais il lui assura, le 25 avril, qu'il n'a »rien vû dans la manière dont M. de V. m'a parlé de vous qui, bien examiné, prouvait autre chose sinon qu'il avoit voulu à toute force être seul ...«[230]

Cependant, les démentis dans les journaux et les rétractations publiques ne détruisirent pas la conviction du public en général que La Harpe était coupable du crime dont on l'accusait. Grimm, en dépit de ce qu'il disait en novembre — que Chabanon et La Harpe avaient apporté le second chant — maintenait en avril qu'il était »certain et je peux l'attester, que ce chant ne nous

---

[225] »*La Harpe et la* Gazette d'Utrecht: *une lettre inédite à Choiseul*«, dans *Studies on Voltaire* ..., LXXIX, 196.

[226] Perey et Maugras, *La Vie intime de Voltaire* ..., p. 421.

[227] *Romanic Review*, January—March 1930, XXI, 8.

[228] *Ibid.*, 9.

[229] *Voltaire's Correspondence*, LXVIII, 203, 218—19, LXIX, 8.

[230] Institut de France, Ms 1265, f. 348. Il est important de remarquer le désir de Hennin pour voir clair dans cette affaire et l'effort (manifesté par les ratures de cette lettre) qu'il fait pour transmettre ses impressions, aussi précises que possible, à La Harpe afin de l'apaiser. Cette lettre a été publiée par Christopher Todd, (»La Harpe Quarrels with the Actors, ...« *Studies on Voltaire*, ... LIII, 230), mais il en a mal déchiffré le texte et a sauté ce »bien examiné« qui me semble bien important dans le contenu de cette missive.

est venu que par M^r de La Harpe; il a même dit à un de ses amis, dont je l'ai tenu ensuite, que M. de Voltaire l'avait chargé de le répandre...«[231] De cette certitude, Grimm n'avait rien dit depuis novembre jusqu'à ce que le scandale éclatât en public, et pourtant Grimm n'avait pas coutume de se taire sur les productions de Voltaire. Il en profite pour reprocher à La Harpe de l'arrogance dans l'échange des billets entre La Harpe et Voltaire, d'une chambre à l'autre du château: »Cette insolence fit perdre patience à M. de Voltaire qui renvoya M. de La Harpe avec sa femme et ses guenilles à Paris.«[231] La *Correspondance littéraire* répandait aussi le bruit, qui déjà courait Paris, que Mme Denis »s'est réellement coiffée de ce petit homme.«[231] Mais il faut soulinger que, après toutes ces allégations prétendument sûres, Grimm ajoutait: »Au reste, le public ignore encore les véritables motifs de cette révolution, et pour les pénétrer, il faudrait d'abord s'assurer que les parties intéressées disent exactement la vérité.«[232] Le résultat immédiat du scandale fut que Boutin congédia La Harpe de son poste de secrétaire, parce que l'intendant des finances »n'a pas eu, selon Bachaumont, plus de foi à ce certificat [le démenti de Voltaire dans le *Journal encyclopédique*].«[233]

Cette affaire reste l'une des plus épineuses de la vie de La Harpe, et la seule qui doit attendre encore une solution définitive, qu'elle n'aura peut-être jamais. Il n'y a de certain que l'accusation du vol. Cependant, après considération de tous les détails relatifs à cette affaire, il nous semble nécessaire de redistribuer les rôles et de répartir les responsabilités. Selon toute l'évidence disponible, une conjecture semble s'imposer; qu'on nous la permette ici: ne se put-il que ce Dupuits, dont Voltaire annonçait le voyage à Paris dans la lettre à Chabanon du 7 décembre 1767,[234] où le patriarche se plaignait que La Harpe ne lui écrivait pas, ne se peut-il, disons-nous, que Dupuits ait apporté ce manuscrit à Paris, avec les lettres de recommandations de Voltaire, qui sollicitaient une charge dans l'armée pour lui? C'est seulement quelques semaines après son arrivée à Paris que le scandale éclata, et nous croyons que si c'était La Harpe qui avait apporté ce manuscrit l'affaire aurait été connue avant l'arrivée de Dupuits. Est-il plausible de supposer que La Harpe ait apporté ce manuscrit pour en donner une copie à Paris à Dupuits alors qu'il le voyait tout le temps à Ferney? Et que penser de ce départ imprévu et précipité de Mme Denis, cette course après le voleur, sans s'expliquer ni dire au revoir à son oncle? Ne voulait-elle pas, en rejetant tout le blâme sur La Harpe, gagner le temps de penser à une défense plus convaincante, de consulter ce même La Harpe peut-être afin qu'il consentît à ne pas répandre des révélations qui aurait pu faire condamner la nièce comme principale coupable avec Dupuits ensuite en tant que messager spécial? Besterman, après avoir conclu »avec certitude que le coupable est La Harpe,« se rapproche davantage de la vérité, nous semble-t-il, en disant que »La Harpe avait été encouragé, soudoyé peut-être par mme Denis.«[235] Faudrait-il dire plutôt, s'il y avait besoin d'encouragement, que La Harpe encouragea Mme Denis? La conduite de la nièce, au moment où l'oncle

---

[231] *Correspondance littéraire*, VIII, 50.
[232] *Ibid.*
[233] *Mémoires secrets*, XVIII, 339.
[234] *Voltaire's Correspondence*, LXVII, 210.
[235] »Le vrai Voltaire par ses lettres,« dans *Studies on Voltaire and the Eighteenth Century*, X, 39.

faisait son enquête et interrogeait La Harpe, ne suggère pas un comportement innocent, elle l'accuse plutôt de complicité dans l'affaire. Il est à croire que, si une personne avait pu avoir un accès facile aux manuscrits de l'oncle, c'était la nièce. De plus, elle avait déjà l'expérience de ces procédés-là.[235bis]

Evidemment, il ne s'agit nullement de disculper La Harpe, mais plutôt de redéfinir son crime qui consiste, à ce que nous croyons, en ce qu'il accepta le texte de ce chant sans en dire un seul mot à Voltaire, quand le devoir d'ami et de protégé exigeait le contraire. De plus, il s'arrogea le rôle de distributeur de ce chant alors qu'il savait parfaitement que Voltaire ne voulait pas le répandre. Il s'embrouilla quand son protecteur l'interrogea, ne voulant pas lui dire la vérité afin de protéger Mme Denis, croyant par là épargner une plus grande déception à l'oncle trahi. La Harpe n'était pas, nous l'avons déjà vu, d'une conduite impeccable, ni avant, ni cette fois-ci, mais il était assez honorable pour avoir le courage d'avouer ses torts, quand la vérité n'était pas trop gênante, voire douloureuse, pour les autres. Son insistance sur le démenti de Voltaire comme »la démarche juste qu'il a faite,«[236] et comme »le certificat qu'il me devait en toute équité,«[237] indique que La Harpe ne se sentait pas coupable au point où l'on voulait qu'il le soit. Quand Hennin refuse d'écrire ce qu'il avait appris sur cette affaire, La Harpe ne voyait pas comment cela pouvait être accusatoire au point de ne pouvoir être exprimé par écrit. Son attitude suggère un coupable, un complice, mais nullement un voleur.

En apparence au moins, la vie de La Harpe ne semble pas gênée après l'affaire des manuscrits. Il reste allié des philosophes et se présenta cette même année au concours académique avec le *Discours sur les avantages de la philosophie*, qui ne remporta pas le prix, uniquement, disait Bachaumont, à cause de la vanité de son auteur, qui se hâta d'annoncer son succès d'avance, ce qui enleva la couronne à cette épître de La Harpe, »qui avoit beaucoup de partisans. [...] Vraisemblablement il l'auroit emporté: il a malheureusement eu l'imprudence de se vanter d'avance qu'il avoit le prix... [ce qui était] contraire aux réglemens & aux lois du concours.«[238] Cette infraction força l'Académie à exclure La Harpe du concours et à effectuer dans ses statuts une réforme par laquelle »on n'ouvrira les billets des noms des concourrens que le jour même de la St. Louis, ou dans la Séance qui doit le précéder.«[238] On donna un accessit à ce *Discours*. Cependant, le secrétaire de l'Académie, Duclos, en annonçant les prix, parla de »l'indécence du concours cette année« et déclara publiquement: »que ceux qui prétendent au prix sont avertis, que s'ils se font connoître avant le jugement, ou ils sont connus, soit par l'indiscrétion de leurs amis, soit par des lectures faites dans des maisons particulières, leurs pièces ne seront point admises au Concours.«[239]

[235bis] Pour le soupçon d'avoir aidé son amant, marquis de Ximenès, afin de s'emparer de certains manuscrits de Voltaire, en 1754, voir Jean Stern, *Voltaire et sa nièce Madame Denis*, p. 200.

[236] Perey et Maugras, *La Vie intime de Voltaire...*, p. 435 omet ce »juste«. Christopher Todd, »La Harpe quarrels with the Actors...,« *Studies on Voltaire and the Eighteenth Century*, LIII, 231.

[237] *Romanic Review*, January—March, 1930, XXI, 9.

[238] *Mémoires secrets*, IV, 86.

[239] *Ibid.*, 92—93.

Quant à Voltaire, il avait déjà pardonné à La Harpe, car il disait dès le 11 avril à d'Alembert: »J'ai oublié entièrement le tort que m. de la Harpe a eu avec moi.«[240] Et il écrivait à son »cher enfant« pour le consoler, le 31 octobre 1768, comme si rien ne s'était passé entre eux: »...il est certain que vous... avez eu... [le prix] car tout le public éclairé vous l'a donné; et il n'y a, je crois, pas un seul de mes confrères qui n'ait souscrit à la fin au jugement du public...«[241] Mais d'Alembert ne partageait pas cette opinion, il trouvait cette pièce »bien froide et bien monotone, ce sont plutôt de bons que de beaux vers... Je ne doute point que mr de la Harpe ne l'eût obtenu [le prix], avec un peu plus de chaleur & surtout une centaine de vers de retranchés.«[242]

Cette même année La Harpe composa l'*Eloge d'Henri IV*, »éloge du meilleur des rois... même du meilleur des hommes.«[243] Il le destinait à l'Académie de la Rochelle; mais, pour des raisons politiques, à ce que pense Collé, c'est celui de Gaillard qui l'emporta: »M. de La Harpe... eût obtenu [le prix], sans une considération politique qui... a empêché qu'on ne le lui adjugeât... une apostrophe du pauvre cultivateur aux riches inutiles à l'Etat, qui étoit de la dernière véhémence, et qui paroissoit une critique trop vive du gouvernement actuel.«[244] L'*Année littéraire* censura sévèrement, comme de coutume, cet éloge.[245]

Vers la fin de l'année se produisit pour La Harpe un événement capital, qui lui a servi autant qu'aucune autre activité pour consacrer sa réputation de littérateur. Il devint le critique littéraire du *Mercure de France*, dont Lacombe acquit la propriété en juin 1768. C'est là que La Harpe exerça ses talents d'une façon distinguée, analysant les productions littéraires, avec sévérité et même avec trop d'arrogance dans le cas de ses contemporains. Ce travail lui servit d'apprentissage et de base pour son professorat au Lycée, une quinzaine d'années plus tard.

En 1769, l'Académie des Jeux Floraux de Toulouse décerna le prix à La Harpe pour son *Portrait du sage*. Cet écrit, bien remanié depuis, est inclus dans ses *Œuvres diverses*, sous le titre *Le Philosophe*;[246] on y remarque cette définition, courante au XVIIIe siècle, du philosophe mondain:

> Sages, qui demandez d'où ce monde a pu naître,
> Laissez là ce qu'il fut, voyez ce qu'il peut être.
> Vous qui jettez sur l'homme un œil observateur,
> Laissez son origine, et cherchez son bonheur,
> Ce qu'on a fait pour lui, ce qu'on peut encore faire,
> Quel est le bien possible et le mal nécessaire.
> Son plus grand ennemi, croyez-moi, c'est l'erreur,
> Et qui détrompe l'homme est son vrai bienfaiteur.[247]

Il ne put se défendre d'envoyer à l'Académie française un écrit intitulé *Idées sur Molière*, en 1769, quand elle proposa comme sujet de concours un éloge de Molière, pour lequel on couronna le travail de Chamfort. »*Le ton, la*

[240] *Voltaire's Correspondence*, LXIX, 36.
[241] *Ibid.*, LXX, 127.
[242] *Ibid.*, 35.
[243] La Harpe, *Œuvres diverses*, IV, 41.
[244] *Journal...*, III, 222.
[245] *Année littéraire*, 1769, VIII, 220.
[246] *Œuvres diverses*, III, 254—262.
[247] *Ibid.*, 256.

forme et le peu d'étendue de ce fragment, excluait toute idée de concours,« avoue La Harpe, *»dans un sujet si vaste et si profond. L'auteur ne voulait que rendre hommage à-la-fois à la mémoire de Molière et à l'académie.«*[248] Il loue en Molière *»cet homme qui fut un grand poëte, un grand philosophe [moraliste], et le premier des comiques de tous les siècles.«*[249] On accorda l'accessit à cet écrit, ce qui surprit son auteur, selon son propre aveu dans le *Mercure* de décembre 1770, où il fit publier d'abord le morceau.[250]

Il tenta cette même année un retour au théâtre, avec un sujet qui occupa beaucoup Paris, selon Grimm.[251] C'était l'histoire d'une jeune fille qui se suicida plutôt que de se soumettre au désir de ses parents en se faisant religieuse, *»atrocité arrivée il y a deux ans, dit d'Alembert, dans un couvent de Paris.«*[252] L'inutilité de la vie monastique, et même la cruauté avec laquelle on forçait souvent les jeunes gens à émettre les vœux, servait de thème de discussion et de méditation littéraire au dix-huitième siècle.

La Harpe vit les avantages qu'offrait un sujet pareil pour formuler des idées chères aux philosophes en attaquant certaines pratiques de l'Eglise. Bonne occasion pour lui d'entrer plus avant dans les faveurs de ce groupe qui dominait déjà l'Académie. Il la saisit, s'efforçant de prouver à ses critiques qu'il était capable de sentiments profonds et qu'il pouvait émouvoir par l'intérêt de ses pièces. Le drame fut terminé au début de 1770, car Voltaire lui disait le 26 janvier: *»Dieu et les hommes vous sauront gré ... d'avoir mis en drame l'aventure de cette pauvre novice qui, en se mettant une corde au cou, apprit aux pères et aux mères à ne jamais forcer leurs filles à prendre un malheureux voile.«*[253] La Harpe ne se faisait pas d'illusion en ce qui concerne les possibilités de représenter la pièce sur le théâtre de Paris, *»il s'agissait,«* disait-il dans la *»Préface«* de 1778, *»d'une pièce que la nature du sujet et du costume excluait du théâtre de Paris.«*[254] Il disposait d'un autre moyen de faire connaître son ouvrage; la lecture dans les salons et la représentation sur les théâtres particuliers. Il en profita avec beaucoup de succès, car les lectures furent recherchées et la société s'en était engouée.

En février, Grimm disait que La Harpe avait lu sa pièce en quinze jours dans quinze cercles différents composés d'entre vingt à quarante personnes; qu'il avait été retenu pendant les trois semaines à venir: *»La mode s'en est mêlée, tout le monde veut avoir assisté à une de ces lectures: c'est après les opérations de finances, l'affaire la plus importante du jour.«*[255] Bachaumont le confirme: *»C'est une fureur pour entendre la lecture de la tragédie intitulée la Religieuse, de M. de la Harpe ... il ne peut suffire aux dîners ou soupers auxquels on l'invite, & dont ce drame fait toujours le meilleur plat ... on ne peut se refuser à s'attendrir jusqu'aux larmer à cette lecture intéressante ...«*[256]

Etant sûr que la pièce ne pouvait pas être jouée, ne sachant même pas s'il pourrait l'imprimer, La Harpe mit *»beaucoup de complaisance dans les*

---

[248] *Œuvres diverses*, V, 55.
[249] *Ibid.*, 67.
[250] *Mercure*, décembre 1770, pp. 133—143.
[251] *Correspondance littéraire*, VIII, 458.
[252] *Voltaire's Correspondence*, LXXIV, 122.
[253] *Ibid.*, 60.
[254] *Œuvres diverses*, I, 157.
[255] *Correspondance littéraire*, VIII, 459.
[256] *Mémoires secrets*, V, 69.

lectures de *Mélanie*.«[257] Ce qui lui valut l'enthousiasme du public, et celui-ci, à son tour, »entraina l'autorité« pour permettre l'impression du drame.[257] Petitot a raconté les détails de ces lectures, où

> d'Alembert ne manquait pas d'accompagner ... La Harpe; il avait l'air sérieux et composé qui fixait l'attention; au premier acte, il faisait remarquer les aperçus philosophiques de l'ouvrage, ayant soin d'en outrer les conséquences; ensuite ... il *pleurait* toujours aux mêmes endroits; ce qui imposait aux femmes sur-tout la nécessité de s'attendrir ... [car comment pouvaient-elles avoir] les yeux secs au moment où un philosophe pleurait?[258]

Quoi qu'il en soit de cet appareil, d'Alembert semble enchanté de l'ouvrage et croit qu'il vaudra à son auteur l'entrée à l'Académie.[259] Voltaire parlait à La Harpe de cet enthousiasme de Paris, et de celui de d'Alembert surtout, à un moment où il n'avait pas encore lu la pièce: »Votre ouvrage a enchanté tout Paris. M. d'Alembert en est idolâtre; vous avez pour vous les philosophes et les femmes; avec cela on va loin ...«[260] Grimm, lui aussi, trouvait beaucoup de mérite à la pièce avant sa publication: »Cette pièce est généralement, et avec raison, regardée comme un très-bel ouvrage: elle est écrite avec une pureté et une noblesse ravissantes. Il faut la placer immédiatement après les pièces de M. de Voltaire ...«[261] Ce dernier voulait voir l'œuvre imprimée, ce qui fut fait avant le commencement du mois de mars, grâce à la protection du duc de Choiseul.[262] De la pièce, il se vendit, selon Grimm, »deux mille exemplaires en trois fois vingt-quatre heures ...«[263] De plus Grimm affirme que Choiseul fit un cadeau de trois mille livres, auquel il faut ajouter la somme de quatre mille livres réalisées par la vente de l'ouvrage: c'était un succès financier remarquable.[263] Bachaumont confirme l'acte généreux de Choiseul qui écrivit une lettre à La Harpe, où »il lui marque ... qu'il se retient pour son Libraire, & lui envoie en conséquence mille écus à compte sur l'édition.«[264]

Voltaire reçut un exemplaire de l'ouvrage imprimé au début de mars et prodigua ses louanges à l'auteur:

> ... Je suis très malade, disait-il, ... mais j'ai oublié tous mes maux en vous lisant. Voilà le vrai style, clair, naturel, harmonieux, point d'ornement recherché, tous les vers frappés et sentencieux naissent du fond du sujet, et se présentent d'eux-mêmes; grande simplicité, grand intérêt; on ne peut quitter la pièce dès qu'on en a lu quatre vers, et les yeux se mouillent à mesure qu'ils lisent.[265]

Il persiste dans cette opinion,[266] quoique Meister déclare, beaucoup plus tard (en 1779), que le patriarche en vérité n'en pensait pas grand chose: »Cela

---

[257] *Œuvres diverses*, X, 137.
[258] *Mémoires sur la vie de M. de La Harpe*, dans *Œuvres choisies et posthumes*, I, p. XXX.
[259] *Voltaire's Correspondence*, LXXIV, 122.
[260] *Ibid.*, 135.
[261] *Correspondance littéraire*, VIII, 459.
[262] *Mémoires secrets*, V, 68.
[263] *Correspondance littéraire*, VIII, 470—71.
[264] *Mémoires secrets*, V, 68.
[265] *Voltaire's Correspondence*, LXXIV, 152.
[266] *Ibid.*, 158, 185, 189.

n'est pas très-bon, me disait M. de Voltaire . . . cela réussira pourtant; c'est un drame et l'on aime aujourd'hui les drames à Paris . . .«[267]

La plupart de ceux qui avaient lu l'ouvrage imprimé ne partagèrent pas l'avis de Voltaire. Parmi les premiers à exprimer une opinion peu flatteuse sur la pièce, Mme Du Deffand écrivait à Voltaire le 9 avril 1770: »La Mélanie de La Harpe est fort tombée depuis l'impression,«[268] et elle continue à exprimer sa préférence pour la *Réponse d'un Solitaire de la Trappe à l'abbé de Rancé.*[268] Bachaumont parlait également de la médiocrité de la pièce imprimée, des caractères faibles, et prisait seulement le dénouement. »Le style de la pièce est inégal, souvent foible, quelquefois dur, prosaïque, traînant, familier . . . [mais] d'une simplicité noble que l'auteur a eu le courage de préférer à la bouffissure de tant de drames modernes.«[269] Grimm, à son tour, ayant eu le loisir d'examiner l'ouvrage imprimé, souligne le contraste entre les impressions créées par l'auteur lorsqu'il lisait sa pièce et celles qu'en fait naître la lecture personnelle:

> On pouvait relever sans aigreur les défauts de la pièce et rendre justice à la douceur du style, à l'harmonie de la versification, qualités précieuses et essentielles dans un poëte . . . quand vous tenez *Mélanie*, n'oubliez pas que vous lisez une héroïde, passez-lui la faiblesse et le faux du genre, et vous ne serez pas mécontent.[270]

Fréron ne manqua pas une si belle occasion d'émettre son jugement sur un ouvrage dont presque tout Paris s'était épris. Aussi se livra-t-il avec plaisir à cette tâche et ses commentaires détaillés s'étalent sur 39 pages. Sa conclusion est que:

> M. *de la Harpe* a donné mal à propos à son ouvrage le nom de *Drame*, puisqu'il n'y a nulle action, nuls incidens, nuls moyens, nuls ressorts, nulle suspension, nulle révolution; on n'y passe point de la crainte à l'espérance, du désir à l'effroi, du bonheur au malheur; on y demeure immobile; on y languit dans la même situation . . . depuis le premier vers jusqu'au dernier.[271]

On joua la pièce sur les théâtres privés, où elle n'inspira plus le même respect qu'à la lecture dans les salons. Mme Du Deffand fut déçue quand elle assista

> avec la Maréchale de Boufflers, la Maréchale de Luxembourg, la Duchesse de Lauzun, et plusieurs hommes . . . à une représentation de la *Religieuse* de La Harpe; elle fut aussi bien jouée . . . qu'elle le serait à la Comédie; mais cette pièce est trainante; il y a peut-être une vingtaine de vers assez bons: à tout prendre elle ne vaut rien, et elle m'ennuya . . .[272]

Cependant, la pièce intéressait; on écrivait à son propos des épigrammes et une satire. Joseph Saurin, dramaturge et académicien, dédia des vers admiratifs au drame de La Harpe, qu'il considère comme l'héritier de Voltaire:

---

[267] *Correspondance littéraire,* XII, 246.
[268] *Voltaire's Correspondence,* LXXV, 13.
[269] *Mémoires secrets,* XIX, 167.
[270] *Correspondance littéraire,* VIII, 475—76.
[271] *Année littéraire,* 1770, I, 180—81.
[272] *Lettres de la Marquise Du Deffand à Horace Walpole,* II, 146.

. . . .
Ton drame touchant, tes vers pleins d'harmonie,
Retentissent encor dans le fond de mon cœur.
. . . .
Tu nous consoleras quelque jour de Voltaire,
Si quelqu'un toutefois peut nous en consoler.[273]

La Harpe, sensible aux compliments de Saurin, répondit en vers dans le
même numéro du *Mercure*. D'autre part, Bachaumont rapporte qu' »un
inconnu a parodié ces vers [de Saurin], et s'est servi des mêmes rimes pour
présenter l'inverse des mêmes idées:

'. . . . .
De tes vers si corrects la pesante harmonie
A frappé mon oreille & non touché mon cœur
. . . .
Nous pleurerons long-temps la perte de Voltaire
S'il ne reste que toi pour nous en consoler'«[274]

Un poème anonyme intitulé *Epître du curé de Saint-Jean de Latran à l'auteur
de Mélanie*, que tout le monde croyait de Dorat, circulait à Paris et trouva
son chemin dans la presse par l'intermédiaire du journal de Fréron. C'est
une satire piquante. Elle rappelle quelques chutes de La Harpe au théâtre
et se termine par ces mots:

Si dans vous l'Esprit-Saint efface
La tragique démangeaison,
Et que d'un illustre renom
Vous cessiez enfin d'être esclave,
Fissiez vous un autre *Gustave*,
Comptez sur l'absolution.[275]

Heureusement Voltaire prodiguait des compliments et offrait des consolations:

...soyez sûr qu'il viendra un temps où tout ce qui est écrit dans
le style du siècle de Louis XIV surnagera, écrivait-il le 23 avril,...
Il est impossible de lire la plupart des ouvrages qu'on fait aujour-
d'hui, mais on lira toujours la religieuse... écrite dans le style
de Jean Racine,[276]

et il disait, le 27 septembre: »...vous réussirez en prose et en vers. Vous
avez ce qui manque à presque tous les écrivains de ce siècle, justesse d'esprit,
goût, et stile naturel avec l'art de vous exprimer avec force sans faire de
contorsions.«[277]

Il n'y a aucun doute, quoi qu'en disent les critiques, que *Mélanie* soit
la pièce la mieux écrite de La Harpe. Sa lecture intéresse encore aujourd'hui.
Bon nombre de vers sont à retenir et à citer, parce qu'ils représentent certai-

[273] *Mercure*, avril 1770, I, 180; *Mémoires secrets*, V, 89.
[274] *Mémoires secrets*, V, 89—90.
[275] *Année littéraire*, 1770, II, 121.
[276] *Voltaire's Correspondence*, LXXV, 38—39.
[277] *Ibid.*, LXXVI, 197.

nes opinions chères au siècle des lumières, et une certaine expérience de la
vie. Ainsi, par exemple, lorsque Madame de Faublas condamne les couvents:

> Ces réduits ignorés où des esprits crédules,
> Désabusés trop tard et voués au malheur,
> Maudissant de leurs jours la pénible lenteur:
> C'est là que l'on gémit, que des larmes amères
> Baignent pendant la nuit les couches solitaires.[278]

Pandant qu'on discutait *Mélanie*, La Harpe travaillait à une traduction
des *Douze Césars* de Suétone, qu'il avait entreprise pour complaire au duc
de Choiseul, dont il avait gagné la faveur par l'intermédiaire de Voltaire,
comme l'indique une lettre du patriarche du 27 septembre 1770: »Il est vrai
que dans une lettre à Mad^e la Duchesse de Choiseul je glissai quelques vers,
disait-il à La Harpe, où je lui disais tout ce que je pense de vous.«[279] Choiseul
aimait, au dire de Petitot, la liberté et la franchise de La Harpe, qualités
que le duc n'avait pas l'occasion de rencontrer souvent autour de lui.[280] Le
ministre des affaires étrangères »s'informa, disait Grimm, il y a quelque
temps, s'il y avait une bonne traduction de cet auteur [Suétone]. Aussitôt,
M. de La Harpe, empressé de faire sa cour à ce ministre, entreprit cette
besogne.«[281]

Au début, Voltaire voulait dissuader son disciple de ce travail: »Je suis
très fâché que vous enterriez votre génie dans une traduction de Suétone,
auteur, à mon gré, assez aride et anecdotier très suspect ... j'aimerais bien
mieux ... une nouvelle tragédie de votre façon. Nous avons besoin de beaux
vers, beaucoup plus que de Suétone ...«[282] Mais plus tard il changea d'avis,
suggéra à La Harpe d'enrichir ce travail de remarques historiques et philosophiques, et lui témoigna l'impatience avec laquelle il attendait cet ouvrage:
»Quand aurons nous donc votre Suétone? Si vous l'enrichissez de remarques
historiques et philosophiques, ce sera un livre dont aucun homme de lettres
ne pourra se passer; je l'attends avec le plus grand empressement.«[283] La
Harpe obéit et composa un *Discours préliminaire* avec des notes, mais l'effet
fut tout le contraire de ce que Voltaire souhaitait. Même les gens qui étaient
favorablement disposés envers La Harpe trouvaient beaucoup à redire.
A Condorcet déplaisait la comparaison d'Henri IV avec César, et pire encore,
que La Harpe y parlât de Fréron, de Dorat, du chevalier Grandisson.[284] Il
constatait l'échec du traducteur: »Je suis assez de votre avis sur le Suétone
de M. de La Harpe ... Il y a contre lui un déchaînement si général, qu'il
faut qu'il renonce à l'Académie«.[285] Grimm lui reprochait des négligences
impardonnables, qu'on y »trouve par centaines«, et l'ignorance totale du
latin:

> Plus on examine la traduction de Suétone publieé par M. de
> La Harpe, moins on le trouve excusable de l'avoir hasardée.
> ...L'extrême négligence s'est trouvée réunie, dans M. de la Harpe,

---

[278] *Œuvres diverses*, I, 175.
[279] *Voltaire's Correspondence*, LXXVI, 197.
[280] *Mémoires sur la vie de M. de La Harpe*, dans *Œuvres choisies et posthumes*,
   I, p. XXX.
[281] *Correspondance littéraire*, IX, 243.
[282] *Voltaire's Correspondence*, LXXI, 244.
[283] *Ibid.*, LXXV, 91.
[284] Charles Henry, *Correspondance inédite de Condorcet et de Turgot*, p. 22.
[285] *Ibid.*, p. 31.

à l'extrême ignorance du latin en général. ...Les notes et les réflexions dont il a cru devoir enrichir son texte ne sont pas ce qu'il y a de moins impertinent dans cet ouvrage ...sa traduction de *Suétone*, au lieu de devenir un titre d'admission [à l'Académie], est devenue plutôt un titre d'exclusion.[286]

En effet, jamais La Harpe, n'avait fait si mal depuis *Gustave Wasa*, et cela lui valut de justes critiques. A en croire Bachaumont, *Suétone* inspira plusieurs épigrammes de Piron, extrêmement sarcastiques, à l'égard de:

> ...ce petit virtuose,
> . . . .
> Ecrivant, soit en vers, soit en prose,
> . . . .
> Il vend en vain des Césars travestis,
> . . . .
> Et *Suétone* à périr condamné
> Va dans la tombe ou *Gustave* repose.[287]

En 1770, il y avait trois places disponibles à l'Académie: celles de l'abbé Alary, de Hénault et de Moncrif. Voltaire surtout croyait que La Harpe avait un titre véritable à l'une des trois. Aussi écrivit-il en ce sens à Duclos, secrétaire de l'Académie:

> Mon vertueux et illustre confrère, vous aimez la liberté: vous avez trois places à donner, et je vous en fournirai bientôt une quatrième ... Les Gaillard, les De L'île, les Laharpe sont sur les rangs, et ils ont des droits véritables ... s'il est vrai qu'il y ait des difficultés pour l'un d'eux, je vous recommande très-instamment M*r* Marin ...[288]

Mais d'Alembert ne partageait pas cet avis sur La Harpe: »Pour la Harpe, je vois clairement qu'il n'y faut pas penser à ce moment, & que nous ne réussirions pas, si ce n'est peut-être à lui casser le cou.«[289] Quant à La Harpe lui-même, Collé insistait sur ce que Jean-François »étoit lui-même de ceux qui assuroient qu'il auroit [la place] ... du président Hénault, au cas qu'il ne se présentât point de gens de qualité: il me l'a dit, continue Collé, et comme je ne suis nullement lié avec lui, il l'a dit probablement à tous ceux qu'il aura rencontrés.«[290] Malheureusement pour La Harpe, cette confiance n'était pas justifiée. Il s'y présenta une opposition inflexible et insurmontable cette fois-ci. L'avocat général Séguier et Richelieu prirent comme prétexte de leur opposition l'incarcération de La Harpe, croyaient-ils, ou voulaient-ils croire, à Bicêtre. Pour l'exclure de l'Académie, il menacèrent de donner leur démission au cas où l'on élirait La Harpe:

> M. Séguier déclara à MM. ses confrères, disait Collé, en son nom et en celui de M. le maréchal de Richelieu, que si la pluralité élisait ... Laharpe, ils demandoient ... d'être rayés du nombre des académiciens; qu'ils ne vouloient ni ne pouvoient être les confrères d'un homme déshonoré ... qui avoit été condamné à Bicêtre ...[291]

---

[286] *Correspondance littéraire*, IX, 244—45—46.
[287] *Mémoires secrets*, V, 195.
[288] *Voltaire's Correspondence*, LXXVII, 192—93.
[289] *Ibid.*, 148.
[290] *Journal ...*, III, 281.
[291] *Ibid.*, 283.

Richelieu au moins avait un autre grief personnel contre La Harpe. On accusait ce dernier d'être l'auteur de certains vers satiriques contre le maréchal. L'affaire fut discutée dans les lettres de Voltaire, d'où il apparaît même que Richelieu menaça de mettre La Harpe en prison: »Si on vous a imputé des vers contre m^r le m^al de Richelieu, on m'attribue une lettre au pape. On veut vous faire arrêter et on veut m'excommunier ... il suffit d'avoir de la réputation pour être persécuté et damné.«[292] Il s'agissait d'une épigramme d'une trentaine de vers, raillant le »Vieux courtisan« qui n'est plus de mise à la cour:

> De ton squelette empoisonné
> Le temps a purgé les ruelles
> Du jargon d'un fat suranné
> Le temps a délivré nos belles...[293]

Cet échantillon suffit à montrer qu'il n'y avait rien de bon dans ce poème, et que Richelieu avait raison de se fâcher contre l'auteur quel qu'il fût. Rien ne dure aussi longtemps que la haine; une lettre de Voltaire à Richelieu, datée du 6 avril 1772, en témoigne. Le patriarche y aborde prudemment la question de nouveaux membres de l'Académie en suggérant en la personne de La Harpe un choix que le maréchal devrait appuyer: »Oserai-je encor vous parler du petit Laharpe qui a beaucoup d'esprit et beaucoup de goût, qui a fait de jolies choses. ...Si vous le mettiez de l'académie il pourrait vous devoir sa fortune, vous feriez un heureux, et c'est un très grand plaisir...«[294] Et l'on apprend dans une lettre postérieure à celle-ci de trois semaines, que Richelieu a repris en réponse la discussion de cette affaire et qu'il croit toujours La Harpe coupable, car Voltaire lui assure que:

> il est impossible que ce pauvre Laharpe ait fait ... les très impertinents vers ... Il en est incapable ... Soyez très persuadé, Monseigneur, que Laharpe n'a eu aucune part à cette platte infamie; je le sçais de science certaine. Il résultera de cette calomnie atroce que vous accorderez vôtre protection à ce jeune homme avec d'autant plus de bonté qu'il a été accusé auprès de vous plus cruellement.[295]

Richelieu ne voulait pas démordre encore, et son opposition à La Harpe n'était pas le seul obstacle insurmontable. La condamnation presque unanime de la traduction de Suétone découragea même ses amis d'appuyer sa candidature.

La Harpe s'était présenté au concours de l'Académie française pendant l'été 1770; partagée entre notre auteur et l'abbé de Langeac, elle décida de ne pas donner de prix afin de sortir de l'impasse.[296] Vers la même époque encouragé par le succès de *Mélanie*, la Harpe décida d'adapter *The London Merchant or the History of George Barnwell* de Lillo. La pièce sous ce même titre était terminée en décembre 1770. Sachant que »la vraisemblance de théâtre est blessée du moins pour nous, [puisque le protagoniste] un jeune homme honnête est conduit au plus horrible attentat par une femme publique

---

[292] *Voltaire's Correspondence*, LXXVIII, 115.
[293] Bibliothèque historique de la Ville de Paris, *Chansons politiques XVIIe et XVIIIe siècles*, f. 272.
[294] *Voltaire's Correspondence*, LXXXI, 171.
[295] *Ibid.*, 213—14.
[296] D'après Bachaumont, *Mémoires secrets*, V, 156.

qu'il ne connaît que de la veille,«[297] l'auteur ne prétendait pas faire jouer la pièce. Mais le souvenir du succès des lectures de *Mélanie* le conduisit à l'idée de lire *Barneveldt* dans les salons. Malheureusement *Barneveldt* n'approchait pas de *Mélanie* excepté peut-être par l'art du lecteur, qui n'empêcha pourtant pas les faiblesses de ce drame de se révéler. Aussi Condorcet écrivit-il à Turgot: »... j'ai entendu la pièce de M. de La Harpe: c'est une traduction du *Marchand de Londres* ... [elle] n'a point paru faire d'effet à la lecture.«[298] Il concède à cette pièce une certaine élégance et des beautés de détails.[298]

Si ses ouvrages n'y suffisaient pas, il restait toujours un moyen facile de nuire à La Harpe. On n'avait qu'à réveiller l'affaire des couplets; ce qui fut fait. Grimm rapporte qu'on avait »réveillé une ancienne aventure de la jeunesse de M. de La Harpe.«[299] Piron rappelle l'incarcération de La Harpe dans une épigramme citée par Bachaumont:

> Quoi, grand Dieu! La Harpe veut être
> Du doux Moncrif le successeur!...
> Voudriez-vous qu'on prît le Louvre pour Bicêtre?[300]

Une autre épigramme, en acrostiche, montre bien la haine dont La Harpe était l'objet et la réputation qu'il s'était créée:

> De mes heureux talents le nombre est innombrable,
> Et vous devez, lecteur, m'en croire sur ma foi,
> L'orgueil, vice en autrui, devient vertu dans moi;
> A tous les beaux esprit je suis inexorable;
> Haïr est un besoin pour mon cœur inhumain;
> Amitié, ton nom seul me glace & m'épouvante,
> Rarement l'on me plaît; jamais rien ne m'enchante,
> Prétendre à mon suffrage est inutile & vain.
> Et je flatte aujourd'hui pour mieux mordre demain.[301]

C'est aussi le moment où apparaît dans les rangs de ses adversaires un personnage dont l'inimitié contre La Harpe pourra rivaliser honorablement avec celle de Fréron. Simon-Nicolas-Henri Linguet, rédacteur du *Journal de politique et de littérature*, exaspéré par la critique que fit La Harpe en défense de Montesquieu, au *Mercure*,[302] de sa *Théorie des lois civiles*, fit serment d'envoyer à son censeur une épigramme tous les lundis, et Grimm en comptait déjà cinq en décembre 1770.[303]

Pour sa grande consolation, les philosophes maintenaient leur appui de La Harpe, ce qui lui valut en 1771 un succès unique — deux prix à l'Académie française: le prix d'éloquence pour l'*Eloge de Fénelon*[304] et le prix de poésie pour *Des Talens dans leurs rapports avec la société et le bonheur*.[304] Voltaire témoigna son enthousiasme à l'auteur couronné: »... vous êtes au beau milieu du temple de la gloire. Votre discours est si beau que le cardinal de Fleuri

---

[297] *Œuvres diverses*, II, 9.
[298] Charles Henry, *Correspondance inédite de Condorcet et de Turgot*, p. 28.
[299] *Correspondance littéraire*, IX, 246—47.
[300] *Mémoires secrets*, V, 202.
[301] *Ibid.*, XIX, 173.
[302] *Mercure*, octobre 1770, I, 121—139.
[303] *Correspondance littéraire*, IX, 198—99.
[304] *Les Régistres de l'Académie Françoise*, III, 296; le premier écrit fut publié chez Demonville en 1771 et le dernier chez la veuve Regnard la même année.

vous aurait persécuté, mais sourdement et poliment à son ordinaire... Ce fut un beau jour pour l'académie, pour la famille de cet homme unique, et surtout pour vous...«[305] Tandis que le patriarche exprimait son admiration pour les deux écrits, Grimm, à propos de l'ouvrage en vers, parlait de »la bêtise de notre aréopage français, qui ne rougit pas de décerner sa couronne à une aussi misérable pièce ... [il fallait] lui dire: 'Monsieur, votre poëme est mauvais; mais vous avez fait tant de belles choses, qu'il suffit de nous envoyer un feuillet blanc avec votre nom pour obtenir le prix.«[306] A cette vue se range Fréron, comme on s'y attendait; il ne voyait »dans le Poëme de M. *de la Harpe* aucun but, aucun ordre, aucune marche. On ne sçait ce qu'il a voulu dire; il n'effleure pas même la matière qu'il se propose de traiter.«[307]

L'*Eloge de Fénelon* lui valut beaucoup plus de notoriété, car on dénonça cet éloge à l'archevêque de Paris »comme contenant des propositions très-répréhensibles. Ce prélat a fait examiner cet ouvrage attentivement, & convaincu d'une foule de traits irréligieux dont il est rempli, il en a porté ses plaintes au conseil [d'Etat], dont est émané le 21 septembre un arrêt.«[308] Il s'agit du passage suivant, au commencement de la seconde partie, où il est question de l'enthousiasme religieux, et qu'on a considéré comme visant l'Eglise:

> L'enthousiasme de religion est le plus puissant de tous et le plus exalté. Comme il appartient tout entier à l'imagination, il est sans bornes comme elle. Il s'élance au-delà des temps et habite dans l'éternité. Il ajoute aux terreurs d'une ame craintive, et le solitaire vit immobile, l'œil attaché sur les menaces de l'autre vie et sur les profondeurs des enfers; il transporte une ame impétueuse, et l'ardent missionnaire vole aux extrémités du monde pour y porter les dogmes révélés, et y chercher le trépas; enfin donnant toujours à tous les caractères une nouvelle énergie, il dut embraser l'ame pure et tendre de Fénelon de l'amour de l'ordre, de la vérité et de la paix, réunis dans l'idée d'un Dieu.[309]

Ce que le panégyriste voyait dans Fénelon c'était un homme qui »est parmi les gens de lettres ce que Henri IV est parmi les rois.«[310]

> Je dirai, continue La Harpe, aux littérateurs, il [Fénelon] eut l'éloquence de l'ame et le naturel des anciens; aux ministres de l'église, il fut le père et le modèle de son peuple; aux controversistes, il fut tolérant, il fut docile; aux courtisans, il ne recherca point la faveur; il fut heureux dans la disgrace; aux instituteurs des rois, la nation attendait son bonheur du prince qu'il avait élevé; à tous les hommes, il fut vertueux, il fut aimé. Ses ouvrages furent des leçons données par un génie ami de l'humanité à l'héritier d'un grand empire.[311]

En comparant Bossuet à Fénelon, La Harpe trouve que:

> tous les deux eurent un génie supérieur... l'un avait plus de cette grandeur qui nous élève, de cette force qui nous terrasse; l'autre, plus de cette douceur qui nous pénètre et de ce charme qui nous

---

[305] *Voltaire's Correspondence*, LXXX, 32.
[306] *Correspondance littéraire*, IX, 387—388.
[307] *Année littéraire*, 1770, V, 272.
[308] *Mémoires secrets*, VI, 3—4.
[309] *Œuvres diverses*, IV, 93; ce texte y est inséré en note.
[310] *Ibid.*, 74.
[311] *Ibid.*, 74—75.

attache. L'un fut l'oracle du dogme, l'autre celui de la morale; mais il paraît que Bossuet, en faisant des conquêtes pour la foi, en foudroyant l'hérésie, n'était pas moins occupé de ses propres triomphes que de ceux du christianisme; il semble au contraire que Fénelon parlait de la vertu comme on parle de ce qu'on aime, en l'embellissant sans le vouloir, et s'oubliant toujours sans croire même faire un sacrifice.[312]

C'est surtout ces deux endroits cités qui causèrent le mécontentement du Conseil d'Etat, ainsi exprimé dans son arrêt:

Sa Majesté n'a pu voir sans mécontentement, que des discours destinés à célébrer les vertus d'un Archevêque, qui s'est distingué par son amour & par son zèle pour la religion, soient remplis de traits capables d'altérer le respect dû à la religion même: Que dans le premier [éloge, celui de La Harpe] l'auteur ne voit dans les vertus héroïques des Saints, qu'un pur enthousiasme, ouvrage de l'imagination; qu'il tente de les assimiler à l'aveuglement de l'erreur & aux emportements de l'hérésie; qu'il cherche à flétrir la réputation d'un Evêque admiré par ses talens, qu'il travestit son zèle pour la pureté du dogme en haine & en jalousie, et qu'il blâme en lui une conduite justifiée par le jugement du Souverain Pontife, & par l'approbation de l'Eglise universelle.[313]

Ainsi on supprima le discours, on en défendit l'impression et la vente sous »peine de cinq cents livres d'amende, et de telle autre peine qu'il appartiendra...[313] On réforma l'article VI des statuts de l'Académie: à l'avenir on ne recevra aucun [discours au concours] qui n'ait une approbation signée de deux Docteurs de la Faculté de Paris, et y residens actuellement.«[313] De surcroît l'Archevêque de Paris nomma

un comité de trois docteurs... *Le Fevre, Culture & Agnette.* Devant eux, précise Bachaumont, M. de la Harpe est obligé de comparoître... [il] donne les explications qu'on désire, & les signe. Au moyen de cette docilité, il y a apparence que cet événement n'aura d'autre suite que celle d'éloigner ce candidat de l'académie pour quelque temps.[314]

Fréron voyait dans cet éloge une espèce de thèse de maîtrise qui qualifie son auteur pour devenir membre de la secte philosophique:

Les Sages Modernes, depuis qu'ils sont réunis en corps, ont adopté... [une] admirable méthode par rapport à leurs élèves. Tout garçon Philosophe, s'il veut être reçu Maître, doit faire son *chef-d'œuvre,* c'est-à-dire composer quelque Livre, quelques pages ou du moins quelques phrases bien libres, bien hardies, bien scandaleuses contre la Religion. ...Quand M. *de la Harpe* n'auroit fait que les premières lignes de la seconde Partie de son éloge de *Fénelon,* il seroit bien sûr de parvenir à la Maîtrise.[315]

---

[312] *Ibid.,* 101—102.
[313] *Arrest de Conseil d'Etat,* 1—2, Paris, Imprimerie Royale, 1771.
[314] *Mémoires secrets,* VI, 5.
[315] *Année littéraire,* 1771, VI, 14—15.

Mais la condamnation la plus complète de l'ouvrage et de l'auteur c'est Diderot qui l'émet dans une lettre à Madame d'Epinay:

> ...il y a peu de ressort au fond de cette âme... M. de La Harpe a du nombre dans le style, de la clarté, de la pureté dans l'expression, de la hardiesse dans les idées, de la gravité, du jugement, de la force, de la sagesse; mais il n'est point éloquent et ne le sera jamais. C'est une tête froide; il a des pensées, il a de l'oreille, mais point d'entrailles, point d'âme. ...Son ton est partout celui de l'exorde...[316]

D'Alembert annonça la mauvaise nouvelle à Voltaire, et concéda que l'Académie était impuissante devant la coalition des archevêques de Paris et de Reims, qui sollicitaient cet arrêt royal.[317] »Je gémis et je me tais,« ajoute d'Alembert.[317] Voltaire gémissait aussi, mais en se plaignant à d'Argental: »Le soufflet donné à La Harpe et à notre académie, est tout chaud sur ma joue.[318] A celui qui reçut »le soufflet,« le patriarche offrait ses consolations qui devinrent bientôt des prophéties: »Je suis sûr que si vos succès vous donnent des ennemis, ils vous donneront des protecteurs. Tous ceux qui vous ont couronnés sont intéressés à affirmer votre couronne... ce petit ouvrage augmentera votre célébrité. Courage! il faut combattre.«[319] Il voulait, pour intervenir dans cette affaire, mais il dit à d'Alembert deux jours plus tard, qu'il croyait cette démarche inutile.[320] D'Argental soupçonnait, dans sa réponse à Voltaire, que certains académiciens étaient »auteurs de cette tracasserie afin d'exclure La Harpe qui seroit certainement le meilleur choix qu'on pût faire.«[321] Cette condamnation ne fit qu'augmenter l'appui des philosophes à La Harpe. Ils vinrent désormais à son aide dans toutes ses entreprises. D'autre part, ses ennemis commencèrent à voir en lui surtout le porte-parole servile de Voltaire.[322] Dans un article au *Mercure* sur la *Poésie lyrique*, La Harpe discutait de l'ode en particulier, critiquait la manière dont elle avait été pratiquée par Jean-Baptiste Rousseau, et contestait le droit de cet auteur à l'épithète »grand«. Une lettre au rédacteur de l'*Année littéraire* invita Fréron à rétracter les éloges qu'il avait prodigués à Rousseau, puisque La Harpe ne le croit pas un grand poète et que »le jugement de M. *de La Harpe* est infaillible.«[323] »Vous devez cette rétraction à tous vos lecteurs, à tous les gens de Lettres que votre jugement a séduits.«[324] Ce même article de La Harpe sur J.-B. Rousseau inspira une épigramme à Jean-Marie-Bernard Clément, qui y décriait Voltaire aussi bien que La Harpe — le premier parce qu'il louait le second.[325]

En effet, Voltaire avait écrit à La Harpe une longue lettre d'encouragements et de louanges, que celui-ci inséra dans le *Mercure* de mai.[326] »Vous

---

[316] Diderot, *Correspondance*, éd. Georges Roth, XI, 180—81.
[317] *Voltaire's Correspondence*, LXXX, 72.
[318] *Ibid.*, 75.
[319] *Ibid.*, 66.
[320] *Ibid.*, 67.
[321] *Ibid.*, 96.
[322] *Mémoires secrets*, V, 12.
[323] *Année littéraire*, 1772, III, 24.
[324] *Ibid.*, 27.
[325] *Mémoires secrets*, XXIV, 245.
[326] *Mercure*, mai 1772, pp. 122—131.

prêtez de belles aîles à ce mercure, disait-il ... qui devient, grâce à vos soins, un monument de goût, de rasion et de génie.«[327] Elle loue spécialement l'article de La Harpe, la *Poésie lyrique:* »Votre dissertation sur l'ode me paraît un des meilleurs ouvrages que nous aions.«[327] Voltaire y exprimait son contentement devant cette »guerre de nécessité ... que vous soutenez ... bien nôblement. Vous éclairez vos ennemis en triomphant d'eux,«[328] et concluait en exhortant le jeune disciple à ne pas se lasser »de combattre en faveur du bon goût; avancez hardiment dans cette épineuse carrière des Lettres où vous avez remporté plus d'une victoire en plus d'un genre.«[329] En Juin, La Harpe répondit par la même voie[330] dans une lettre où il trace les principes et les devoirs d'un critique. On y trouve, en effet, d'excellentes vues, trop hautes peut-être pour qu'un être humain puisse les suivre sans en dévier. La Harpe croyait »qu'un critique honnête ne devait jamais avoir d'autre but que d'instruire. S'il veut offenser & humilier, il est odieux; s'il veut flatter, il est insipide, s'il veut tromper, il est vil, s'il réunit ces trois vices, il est infâme.«[331] Il croit que le devoir du critique »n'est pas de contenter [l'auteur critiqué], mais de faire en sorte qu'il n'ait pas droit de se plaindre. Le public & la vérité méritent plus de respect que lui, & rien n'est si funeste que les encouragements donnés au mauvais goût.«[331] Quelle exellente règle de conduite que celle que le jeune critique recommande quand on parle »d'un homme connu pour votre ennemi. Gardez que personne loue plus franchement que vous tout ce qu'il aura de louable, & n'épuisez pas la critique sur ce qui sera répréhensible ... Vous seul n' avez pas le droit d'être le plus sévère de ses lecteurs.«[332]

Il serait bien à propos ici d'amplifier la conception de La Harpe du rôle du critique littéraire. Celui-ci joue un double rôle: il confirme »l'impression de la multitude quand elle n'écoute que celles de la raison« et la corrige quand elle s'égare. Il sert également de guide aux artistes.[333] La Harpe distingue deux sortes de critiques: ceux qui jugent le résultat des opérations de l'art, et ceux qui indiquent le moyen par lequel on obtient l'effet désiré. Ces derniers sont les plus importants pour lui.[334] De plus le critique a besoin des connaissances de spécialiste, que ne possèdent que ceux qui ont exercé leur talent dans un domaine particulier. En citant »l'Art poétique« de Boileau, La Harpe veut montrer »que ceux qui peuvent donner des modèles sont aussi ceux qui donnent les meilleures leçons.«[335] Cependant, lorsqu'il fait fonction de critique musical, il semble minimiser l'importance des connaissances techniques, et affirme que, »quiconque a des organes sensibles et quelque justesse dans l'esprit«, peut juger des effets d'une oeuvre d'art.[336] Son opinion était que la critique doit se fonder sur l'oeuvre concrète plutôt que sur les principes abstraits; que le sentiment aussi bien que la raison entrent dans le jugement littéraire; qu'il faut accentuer les

---

[327] *Voltaire's Correspondence*, LXXXI, 191.
[328] *Ibid.*, 195.
[329] *Ibid.*, 196.
[330] *Mercure*, juin 1772, pp. 132—142.
[331] *Voltaire's Correspondence*, LXXXII, 28.
[332] *Ibid.*, 29.
[333] *Lycée*, I, 2.
[334] *Ibid.*, V, 227—29.
[335] *Ibid.*, VI, 484.
[336] *Ibid.*, XII, 213.

beautés plutôt que les défauts. Pour expliquer sa méthode, essentiellement historique, il maintient que dans une comparaison des anciens et des modernes, dans le théâtre par exemple, le critique doit voir et souligner les différences qui existent entre les deux »dans les accessoires et les moyens.«[337] Parlant de Sophocle, La Harpe précise davantage sa méthode en discutant les pièces de celui qu'il considère comme le meilleur dramaturge grec. Notre critique essaie de replacer l'auteur grec dans le temps et le milieu que ses pièces peignent. Afin de pouvoir juger comme il faut »ne perdons pas de vue leurs [des Grecs] mœurs et leur religion, dit-il. Songeons que nous sommes pour un moment à Athènes.«[338] »La saine critique appartient au talent.«[339] Pour apprécier la juste valeur des anciens il faut les juger du point de vue des anciens. Que cette impartialité indulgente manquait la plupart du temps au critique illustre du *Mercure!*

La lettre continue à discuter la persécution qu'on avait suscitée contre lui. Il s'y montre vaniteux et trop indulgent pour ses propres excès, mais somme toute bien véridique en rendant compte de ses relations avec les principaux auteurs, amis et ennemis, de l'époque. Les emportements de ses ennemis, disait-il, et

> leurs excès n'ont servi qu'à intéresser en ma faveur ce public honnête & impartial qui s'indigne de la persécution & de l'injustice ...[vis-à-vis] d'un jeune homme qui n'opposait à la fureur de ses ennemis qu'une conduite irréprochable, le courage, le travail, & des ouvrages où les âmes bien nées aiment à retrouver leurs sentiments & leurs principes ...accueilli dès mes premiers pas par tout ce que la nation a de plus illustre dans tous les genres, honoré du suffrage public des principaux membres de l'académie & de la littérature, honoré surtout du vôtre & de vôtre amitié constante, je marche avec fermeté dans cette pénible route ou l'on me préparait tant d'écueils.[340]

On a déjà mentionné ses relations avec Choiseul. Il était bien reçu dans les salons. Grimm en a parlé,[341] aussi bien que Bachaumont,[342] ce qui se trouve confirmé également par Laure Abrantès.[343]

Voltaire ne manquait pas de suggérer ce qu'il croyait devoir être un travail utile pour son disciple. Ainsi écrivait-il, le 25 février 1772: »Je ne vois pas pourquoi vous ne vous chargeriez pas du roi de Prusse, en laissant aux militaires le soin de parler de ses campagnes, et en vous bornant à la partie littéraire.«[344] Il s'agit de la *Galerie universelle*, une collection de portraits et biographies qui commença sa publication à la fin de cette année-là.[345] Il y a un article anonyme sur Frédéric, mais La Harpe a fait seulement la notice sur Voltaire.

Au printemps, deux places se trouvaient disponibles à l'Académie française: celles de Duclos et de Bignon. Voltaire songeait de nouveau à ce qu'on y nomme La Harpe, et écrivit à Richelieu, comme nous avons vu plus

---

[337] *Lycée*, I, 259.
[338] *Ibid.*, 300.
[339] *Ibid.*, VI, 484.
[340] *Voltaire's Correspondence*, LXXXII, 30.
[341] *Correspondance littéraire*, X, 39.
[342] *Mémoires secrets*, VI, 202.
[343] *Histoire des salons de Paris*, I, 95, 145 et passim; IV, 119.
[344] *Voltaire's Corespondence*, LXXXI, 87.
[345] *Mercure*, septembre 1772, II, 168—70.

haut,[346] mais ce dernier gardait toujours rancune à La Harpe à cause de l'épigramme susmentionnée.[347] Cependant ces élections académiques ne furent pas sans profit pour La Harpe, car d'Alembert succéda à Duclos comme secrétaire de l'Académie. Et l'on sait déjà son parti pris pour La Harpe. Celui-ci se rendait bien compte de quelle utilité lui était l'appui de Voltaire pour devenir académicien. Aussi ne laissa-t-il passer aucune occasion de louer son protecteur. Il composa en 1772 une *Réponse d'Horace à Voltaire,* car le patriarche avait fait une *Epître à Horace.* Dans ce poème La Harpe flattai Voltaire et, pour être plus sûr de lui plaire, il s'y moquait de quelques ennemis communs, tels que Fréron et Linguet.[348] Le patriarche, content de ces galanteries, remercia La Harpe »d'avoir si bien saisi l'esprit de la cour d'Auguste … Il n'y a que vous … qui ayez pu écrire au nom d'Horace … Vous avez mis dans sa lettre la politesse, les grâces, l'urbanité de son siècle.«[349] Ni Grimm[350] ni Bachaumont[351] ne furent d'accord avec Voltaire sur ce point.

En 1772, l'Académie de Marseille proposait un éloge de Racine comme thème pour le prix d'éloquence. La Harpe composa dans ce but son *Eloge de Racine,* mais le travail y arriva après que le concours fut fermé, selon l'avis qui précède cet ouvrage imprimé.[352] Aucune couronne ne fut donnée, et l'on remit le prix pour l'année suivante, mais La Harpe décida de publier son discours. Il loue en Racine »l'écrivain le plus parfait qu'aient produit tous les siècles dans le plus difficile et le plus beau de tous les arts[353] … celui de tous les hommes à qui la nature avait donné le plus grand talent pour les vers.«[354] Il est entraîné, assez volontiers d'ailleurs, à faire un parallèle entre Corneille et Racine, au grand avantage de ce dernier: »… pour faire sentir tout ce que Racine n'a dû qu'à lui-même, et tout ce que nous ne devons qu'à Racine, ne suis-je pas forcé de rappeler tout ce qui a manqué à Corneille?«[355] Il apprécie chez Corneille le génie, qui lui fit faire »de la tragédie une école d'héroïsme et de vertu. Racine, plus profond dans la connaissance de l'art [fit de la tragédie] … l'histoire des passions et le tableau du cœur humain.«[356] On voyait dans cette dépréciation de Corneille un effort de la part de La Harpe pour conformer ses vues sur l'auteur de *Cinna* à celles exprimées par Voltaire dans son *Commentaire sur Corneille.* Pour Fréron, on ne trouvait dans cet *Eloge:*

> qu'un parallèle de *Corneille & de Racine,* où ce dernier est préféré sans cesse à son rival …[357] M. *de Voltaire* y est loué à toute outrance, et ses *Commentaires* sur *Corneille* y sont exaltés … L'*Eloge de Racine* ou plutôt la satire de *Corneille,* n'est qu'un extrait, une analyse, un résumé de ces mêmes *Commentaires* …[358]

---

[346] *Supra,* p. 69.
[347] *Supra,* p. 70.
[348] *Œuvres diverses,* III, 307.
[349] *Voltaire's Correspondence,* LXXXIII, 167.
[350] *Correspondance littéraire,* X, 93—94.
[351] *Mémoires secrets,* VI, 237.
[352] *Œuvres diverses,* IV, 114.
[353] *Ibid.,* 117.
[354] *Ibid.,* 133.
[355] *Ibid.,* 130.
[356] *Ibid.,* 121.
[357] *Année littéraire,* 1773, I, 19.
[358] *Ibid.,* 45.

Le jugement de Grimm, en principe moins sévère à l'égard de La Harpe s'accorde cette fois-ci avec celui de Fréron. Il voit dans cet »*Eloge de Racine* un plaidoyer contre Pierre Corneille, qu'il a attaqué dans toutes ses possessions...«[359] Bachaumont partage cet avis.[360] Comme La Harpe avait publié des notes avec cet *Eloge*, les critiques y trouvèrent presque autant de matières à censurer que dans l'*Eloge* même, surtout au sujet des idées de »force«[361] et de »génie«.[362] Bien entendu, Voltaire déclarait son admiration pour l'*Eloge* et pour les notes: »...votre éloge de Racine est presque aussi beau que celui de Fénelon, et vos notes sont au-dessus de l'un et de l'autre... [elles] sont si judicieuses, si pleines de goût, de finesse, de force et de chaleur, qu'elles pourront bien vous attirer encore des reproches.«[363]

Comme on devait s'y attendre, ses critiques au *Mercure* attirèrent à La Harpe de nouveaux ennemis, et l'on était amené parfois à résoudre des différends à coups de mains. Ainsi, au début de 1773, Billardon de Sauvigny, rédacteur du *Parnasse des Dames*, »a proposé au sieur de la Harpe de mettre l'épée à la main,«[364] selon Bachaumont, pour décider qui a le meilleur jugement littéraire. On en vint aux mains, mais la rixe n'eut pas de suites plus fâcheuses.[365]

Au printemps, Voltaire disait avoir entendu »que M^r De Laharpe a fait une Tragédie qui est le meilleur de tous ses ouvrages.«[366] En effet, Bachaumont racontait que La Harpe lisait, à la manière de *Mélanie et Barneveldt*, ses *Barmécides* dans les maisons particulières, et notamment au salon de Mme Du Barry, qui s'en extasiait en baillant.[367]

La Harpe avait écrit, disait Grimm en juin 1773, »un parallèle de Voltaire et de Rousseau, où ce dernier est fort maltraité... La Harpe a eu assez de clémence pour ne point publier... ce morceau; il s'est contenté de le lire dans plusieurs sociétés...«[368] Au mois d'août, cette année-là, l'Académie décerna à La Harpe le prix de poésie pour son *Ode sur la Navigation*.[369] Il semble en fait que ce morceau fut écrit et présenté à l'Académie l'année précédente, et »que M. d'Alembert... avoit parlé d'une pièce avec distinction, en exhortant l'auteur de la remettre au concours après l'avoir retouchée: tout le monde jugea qu'elle étoit de M. de la Harpe: c'est en effet lui qui a le prix cette année...«[370] On a déjà l'habitude de voir les opinions se diviser sur les productions de La Harpe: d'un côté les philosophes, Voltaire en tête,[371] les louent, tandis que les anti-philosophes, à la suite de Fréron,[372] les attaquent. Comme s'il voulait jeter de l'huile sur le feu, La Harpe avait écrit la satire

---

[359] *Correspondance littéraire*, X, 113.
[360] *Mémoires secrets*, VI, 242—43.
[361] *Œuvres diverses*, IV, 164.
[362] *Ibid.*, 198—202.
[363] *Voltaire's Corespondence*, LXXXIV, 46.
[364] *Mémoires secrets*, XXIV, 238.
[365] *Ibid.*, VI, 296.
[366] *Voltaire's Correspondence*, LXXXV, 16.
[367] *Mémoires secrets*, VII, 17—18.
[368] *Correspondance littéraire*, X, 252.
[369] *Les Registres de l'Académie Françoise*, III, 337.
[370] *Mémoires secrets*, XXIV, 282.
[371] *Voltaire's Correspondence*, LXXXV, 205 et LXXXVI, 3.
[372] *Année littéraire*, 1773, IV, 313—31 et V, 41—48.

intitulée *L'Ombre de Duclos*,[373] où l'auteur profite de l'occasion pour flatter le patriarche et pour attaquer quelques-uns des ennemis de son protecteur, notamment Clément, Fréron, Linguet et l'abbé Aubert.

Un compte rendu au *Mercure*[374] de la tragédie *Orphanis* de Blin de Sainmore provoqua une nouvelle rixe entre La Harpe et l'auteur de l'ouvrage critiqué. Celui-ci furieux, attaque dans la rue La Harpe en route pour un dîner; notre auteur »arriva à son dîner fort en désordre, selon le récit de Grimm, et si crotté que l'indulgence des jolies femmes et des gens de lettres, en le recevant, parut assez singulière à un étranger qui était invité du dîner.«[375] Ce même rapport affirme que la cause de cette animosité véhémente reposait dans l'assertion de Blin de Sainmore que son *Eloge de Racine* était meilleur que celui de La Harpe. Même ses amis trouvaient difficile de défendre cet article de critique exagérée, »rempli des personalités les plus offensentes.«[375 bis] D'Alembert également parlait du »terrible extrait que La Harpe vient de... faire [au sujet d'*Orphanis*] dans le mercure.«[376] Mais d'Alembert n'oublie pas de rappeler à Voltaire qu'il doit engager le contrôleur général à venir en aide à La Harpe, qui était toujours dans la gêne pécuniaire.[376] Voltaire ne s'estimait pas si influent que de pouvoir agir sur le fonctionnaire en question.[377] Mais c'est par l'intermédiaire et par l'influence du patriarche que La Harpe devint le correspondant littéraire du grand duc Paul de Russie, au prix d'une pension annuelle de 100 louis, disaient Daunou[378] et Colnet du Ravel.[379] En réalité, ce traitement pouvait bien être seulement de cinquante louis, car on a deux quittances pour l'année 1789, l'une sur 613 livres, datée du 21 février[380] et une autre sur 589 livres, datée du 13 octobre.[381] Dans le même dossier, à Nancy, il y a une autre quittance émise le 21 février 1785, ce qui indiquerait peut-être qu'on le payait de six mois en six mois, mais ce qui dérange cette hypothèse bien convenable c'est le fait qu'il s'agit dans la dernière quittance seulement de la somme de 368 livres.

Voltaire mentionne cette pension, sans en dire le montant bien sûr, à Catherine II: »...le prince votre fils ...vient de donner une pension à un jeune homme de mes amis nommé Mr de Laharpe qu'il ne connaît que par son mérite trop méconnu en France.«[382] Cette correspondance, dont on parlera plus loin, va de février 1774 jusqu'à 1791. Elle renseigne la cour de Saint Pétersbourg sur tout événement intéressant dans le domaine littéraire à Paris.

Grimm rapportait, en février 1774, une autre fonction de La Harpe, celle de rédacteur de la *Gazette de littérature*, journal qui remplaçait l'*Avant-*

---

[373] *Œuvres diverses*, III, 435—455.
[374] *Mercure*, février 1774, pp. 52—84.
[375] *Correspondance littéraire*, X, 371.
[375bis] *Ibid.*, 370.
[376] *Voltaire's Correspondence*, LXXXVII, 74.
[377] *Ibid.*, 82.
[378] *Vie de La Harpe*, p. XV.
[379] *Correspondance turque pour servir de supplément à la correspondance russe de J. F. Laharpe*, p. III.
[380] Bibliothèque publique de la Ville de Nancy, Ms L. 613—10.
[381] Christopher Todd, »La Harpe Quarrels with the Actors...« dans *Studies on Voltaire and the Eighteenth Century*, LIII, 279, n.
[382] *Voltaire's Correspondence*, LXXXIX, 168.

Coureur, mais ce fait n'est pas avéré.[383] L'accession de Louis XVI au trône, en mai 1774, inspira à La Harpe un poème adressé au roi, qui fut publié dans le *Mercure,*[384] aussi bien que dans le journal de Fréron.[385] Avec le peuple de France, l'auteur espère que le règne de Louis XVI sera marqué par des réformes nécessaires afin d'établir l'ordre et le bien-être:

> De l'Etat dans tes mains la fortune affermie
> Aura pour fondement l'ordre & l'économie.[386]

Il composa, pour le concours de poésie à l'Académie française cette meme année, *Conseils à un jeune poète,* mais on reporta la couronne à l'année suivante et on la décerna à l'écrit de La Harpe. Bachaumont voyait dans cette procédure une ruse de la part de d'Alembert pour assurer la victoire de La Harpe, en remettant le prix à l'année suivante car, selon une observation de Gresset, le rival de La Harpe, Robert-Louis Duruflé, l'aurait emporté si le secrétaire avait bien lu les vers de ce concurrent: »... d'Alembert voyant sa ruse démasquée & craignant que l'observation d'un poëte aussi prépondérant que M. Gresset ne produisît trop d'effet, prit une tournure plus adroite... de remettre le prix... pour mieux assurer le succès de M. de la Harpe.«[387]

Une situation bien embarrassante se développa à propos du concours de l'Académie de Marseille, qui proposait pour prix d'éloquence un éloge de La Fontaine. La Harpe fut persuadé de concourir, et on s'attendait à ce qu'il obtînt le prix. Dans cette conviction un protecteur anonyme, qui voulait faire un cadeau à La Harpe, envoya deux mille livres à l'Académie de Marseille pour ajouter au prix régulier de 300 livres. Bachaumont[388] et Métra attribuent ce don à Necker, car La Harpe fréquentait son salon où, au dire de Métra, »l'ouvrage... a été jugé si parfait par tous ses partisans, qu'on a décidé en dernier ressort qu'il était impossible qu'il ne rapporte pas le prix.«[389] Fréron devine mieux, semble-t-il, en disant qu'»un généreux Etranger« a ajouté à l'éclat de ce concours »en demandant la permission de joindre la somme de 2000 livres à la Médaille de 300 liv.,«[390] et le *Mercure* éclaircit l'affaire en déclarant que »L'Académie, pour témoigner sa reconnaissance envers le généreux Russe [le comte Chouvalov] qui a joint deux mille liv. à la médaille qui était destinée à l'Eloge de la Fontaine, a proposé pour sujet du prix de l'année prochaine, *Pierre le Grand ...*«[391] L'embarrassant de l'affaire fut que le discours de Chamfort l'emporta et que l'on donna à son

---

[383] *Correspondance littéraire,* X, 374. Voir aussi Garat, *Mémoires historiques sur la vie de M. Suard,* II, 234. En 1773 Panckoucke était devenu propriétaire de l'*Avant-Coureur,* du *Journal,* ou *Gazette de Littérature, des Sciences & des Arts* aussi bien que du *Journal de Politique* en 1774. (Cf. »Avis du Libraire«, *Journal de politique et de littérature,* 25 octobre 1774.) La Harpe n'en devint le rédacteur qu'à la fin de juillet 1776. (Voir A. Jovicevich, *Correspondance inédite de Jean-François de La Harpe,* pp. 29—31.)
[384] *Mercure,* juillet 1774, II, 5—9.
[385] *Année littéraire,* 1774, VII, 336—347.
[386] *Mercure,* juillet 1774, II, 8.
[387] *Mémoires secrets,* XXXI, 296—97.
[388] *Ibid.,* XXVII, 342—43.
[389] *Correspondance secrète,* I, 89.
[390] *Année littéraire,* 1774, VII, 4.
[391] *Mercure,* octobre 1774, I, 166.

auteur l'argent destiné à La Harpe. Et qui pis est, le discours imprimé de La Harpe «...malgré plusieurs détails agréables... a paru médiocre, au dire de Grimm, et c'est peut-être un des morceaux les moins soignés que M. de La Harpe nous ait donné depuis longtemps...«[392] Ce qui surprend, quand on fait la critique d'un écrit de La Harpe, c'est que le jugement de Fréron est essentiellement le même que celui de Grimm: »Ce Discours... peu approfondi... sans être précisément un mauvais ouvrage, on peut dire que c'est une production très-médiocre.«[393]

La Harpe voyait en La Fontaine

> un écrivain original et enchanteur, le premier de tous dans un genre d'ouvrage plus fait pour être goûté avec délices, que pour être admiré avec transport; à qui nul n'a ressemblé dans le talent de raconter; que nul n'égala jamais dans l'art de donner des grâces à la raison, et de la gaieté au bons sens; sublime dans sa naïveté et charmant dans sa négligence; ...un homme modeste qui a vécu sans éclat en produisant des chefs-d'œuvre, comme il vivait avec sagesse en se livrant dans ses écrits à toute la liberté de l'enjouement; qui n'a jamais rien prétendu, rien envié, rien affecté...[394]

Bachaumont mettait au compte de La Harpe une »satire manuscrite... modestement intitulée *Vers à deux de mes amis* ...MM. *Dorat,* l'abbé *Baudeau, Rochon, d'Arnaud, Aubert, Marin, Fréron, Clément,* mais sur-tout M. *Rigoley de Juvigny* sont ceux qu'il passe en revue & plaisante.«[395] Mais il n'y a aucune trace ailleurs de cette satire. Ce qui est certain c'est qu'à ce moment-là, décembre 1774, La Harpe travaillait à une pièce pour laquelle

> l'histoire de Russie [lui] a fourni un sujet de tragédie que l'on regarde ici, disait-il au grand duc, comme ce que j'ai fait de plus passable. C'est la disgrâce du prince Menzicof, et son exil en Sibérie avec sa femme et ses enfants. J'ai bâti une fable sur ce fond historique; car une histoire ne fait jamais une pièce. J'ai conservé fidèlement le caractère de mon héros, tel qu'il a été dans son ministère et dans sa disgrâce. Ce qu'il y a de plus heureux dans mon ouvrage, c'est que j'ai trouvé le moyen de mettre en projet dans la bouche de Menzicof tout ce que l'auguste mère de V. A. I. a réellement exécuté.[396]

Mais les Russes à Paris, la princesse Bariatinski et la comtesse Strogonof parmi d'autres, »ont paru un peu fâchés des changements que je me suis permis dans les faits historiques.«[397] C'est probablement cette désapprobation qui a empêché que l'on joue la pièce à Paris. La Harpe reprit alors sa pratique de la lecture de ses œuvres dramatiques dans les salons. Au nombre de ses auditeurs de choix figura la Reine, Marie-Antoinette,[398] qui favorisait La Harpe et dont la protection lui valut une pension, celle de Pierre-Laurent Buyrette de Belloy qui venait de décéder. Certains ont même prétendu que la reine le récompensait du plaisir qu'elle éprouva à entendre *Menzicoff,*[399]

---

[392] *Correspondance littéraire,* X, 483.
[393] *Année littéraire,* 1774, VII, 19.
[394] *Œuvres diverses,* IV, 203—204.
[395] *Mémoires secrets,* XXIX, 271.
[396] *Œuvres diverses,* X, 114—15.
[397] *Ibid.,* 117.
[398] La Harpe, *Œuvres diverses,* X, 124.
[399] *Mémoires secrets,* VIII, 13 et 46.

tandis que La Harpe insiste sur le fait qu'on la lui avait accordée avant cette lecture.[400] On avait surestimé le montant de la somme et La Harpe lui-même se trompait en croyant qu'il s'agissait de douze cents livres;[401] en réalité un certificat, signé par La Harpe en 1779, déclare »avoir obtenu du Roi une pension annuelle de mille livres sur les *Menus Plaisirs*, dont le Bon lui a été expédié le 9 mars 1775...«[402] On disait aussi que cette pension fut d'abord donnée à Delille dont le nom, par suite d'une absence de Paris, fut remplacé par celui de La Harpe.[403]

Comme de coutume, Voltaire exprima son plaisir pour la pension, qu'il considérait comme »un commencement de fortune,«[404] et demanda une copie de *Menzicoff*, qu'il reçut le 19 avril et dont il parut enthousiasmé: »J'ai eu du plaisir pour moi tout seul... la pièce est neuve, intéressante, fortement et élégamment écrite... c'est l'ouvrage d'un esprit supérieur et je vous remercie de tout mon coeur de me l'avoir fait connaître.«[405]

Cette année 1775 fut marquée pour La Harpe par des succès tout à fait exceptionnels. On lui décerna le prix d'éloquence pour l'*Eloge de Catinat*, le prix de poésie pour les *Conseils à un jeune poète* et l'accessit pour l'*Epître à Tasse*.[406] Un jeune officier, le comte de Guibert, appuyé des gens à la Cour, était son rival pour le prix d'éloquence et obtint le premier accessit, tandis qu'on décerna le prix à La Harpe qui avait l'appui des philosophes. En fait, il n'y avait là rien d'extraordinaire, si ce n'est la position de Mlle de Lespinasse: elle était pro-philosophe en principe, mais cette fois-ci, pour des raisons sentimentales, elle tenait pour Guibert, tandis que son soupirant d'Alembert tenait pour La Harpe, en tout cas contre Guibert. Malgré son parti pris, Mlle de Lespinasse, après une lecture des deux discours, disait: »Si on accordoit le prix à l'art d'écrire, à l'éloquence de style, à l'ouvrage le mieux fait, il faudroit je crois, couronner M. de La Harpe, mais si on le donnoit à l'éloquence de l'âme, à la force et à l'élévation du génie, à l'ouvrage qui produira le plus d'effet, il faudroit couronner M. de Guibert.«[407]

La Harpe louait en ce maréchal de France sous Louis XIV:

> un homme... [qui] forme seul avec tout son siècle un contraste frappant. ...Placé dans une époque et chez une nation où tout est entraîné par l'enthousiasme, lui seul, dans sa marche tranquille, est constamment guidé par la raison. Sur un théâtre où l'on se dispute les regards, où l'on brigue à l'envi la place la plus brillante, il attend qu'on l'appelle à la sienne, et la remplit en silence, sans songer à être regardé... il ne s'occupe que de la patrie, n'agit que pour elle, et n'en parle pas. Autour de lui tout [se] sacrifie plus ou moins à l'opinion, à la mode, à la cour; il ne connaît que le devoir, le bien public et sa propre estime... seul il semble pour ainsi dire éteindre sa gloire, étouffer sa renommée, et ne dissimule rien tant que ses succès et ses avantages, si ce n'est les fautes d'autrui.[408]

[400] *Œuvres diverses*, X, 108 et 115.
[401] *Ibid.*
[402] Archives nationales, Ms O¹ 679.
[403] Daunou, *Vie de La Harpe*, p. XVII.
[404] *Voltaire's Correspondence*, XC, 137.
[405] *Ibid.*, 178.
[406] *Les Registres de l'Académie Françoise*, III, 382.
[407] Eugène Asse, *Lettres de Mlle de Lespinasse*, p. 215.
[408] *Œuvres diverses*, IV, 245—46.

Il fait de Catinat un philosophe du dix-huitième siècle, qui condamne la guerre, par principe, comme »un crime public, une calamité des peuples, dont on ne se délivrait que par la victoire, et ce n'est qu'à ce titre qu'il estimait l'art de vaincre.«[409] Comme les philosophes, on accusait Catinat d'être athée,[410] et l'*Eloge* se termine sur une profession de déisme:

> ...quand le sage contemple l'ordre et le mouvement de l'univers, quand il voit ce faible globe emporté dans l'espace infini, retrouver à l'instant marqué l'astre qui lui rend la lumière et la fécondité, alors le sage admire, il reconnaît l'intelligence, et prononce le nom de Dieu au fond de son âme; il se retrouve sous la main d'un protecteur, et sous le regard d'un juge, et marche tranquille et rassuré dans la carrière de la vie.[411]

Le discours lui-même n'a pas convaincu que l'Académie fût équitable dans sa décision. »M. de La Harpe a le prix. M. de Guibert sera loué, complimenté, disait Concorcet... J'ai peur que le public ne juge autrement que l'Académie.«[412] Grimm affirme aussi que, malgré le jugement de l'Académie, »il s'en faut bien qu'il ait décidé tous les suffrages en faveur de M. de La Harpe.«[413] Bachaumont se joint à ceux qui doutent des procédés de l'Académie: »Tant de victoires seroient sans doute bien glorieuses, si elles étoient dues au seul mérite, si le public avoit confirmé par ses suffrages ceux de l'académie...«[414] Fréron trouvait le discours »très-médiocre, & sur-tout très-mal écrit[415] ...fastidieux à lire & même à critiquer.«[416] L'article se termine par une épigramme violemment satirique où l'on assure que le seul remède pour la renommée de Catinat, ternie par l'éloge de La Harpe, serait que celui-ci compose une satire contre le maréchal.[417]

Après avoir lu Guibert, Voltaire était d'avis qu'il aurait fallu donner deux prix.[418] Il félicitait La Harpe pour son double succès. »Vous marchez au Temple de la gloire sur le dos et sur le ventre des Fréron et des Clemen...«[419] Dans une lettre à Chouvalov, La Harpe exprime sa conviction que l'Académie a été impartiale et qu'elle a couronné le meilleur discours: »...il y a toujours un certain nombre de gens qui prétendent que l'académie s'est arrangée pour me donner tous les prix... Si vous me demandez ce que je pense, je vous dirai franchement, et croyant être hors de tout intérêt que l'auteur [Guibert] s'est d'abord mépris entièrement sur le genre de l'ouvrage...«[420] Il continue, décrivant avec satisfaction la session publique dans laquelle on annonça les prix: »L'Eloge de Catinat a été applaudi avec transport; on s'accorde assez généralement à le regarder comme le meilleur

---

[409] *Ibid.*, 265.
[410] *Ibid.*, 288.
[411] *Ibid.*, 305.
[412] Charles Henry, *Correspondance inédite de Condorcet et de Turgot*, p. 233.
[413] *Correspondance littéraire*, XI, 110.
[414] *Mémoires secrets*, XXXI, 297.
[415] *Année littéraire*, 1775, V, 4.
[416] *Ibid.*, 18.
[417] *Ibid.*, 22.
[418] *Voltaire's Correspondence*, XCII, 40.
[419] *Ibid.*, XCI, 167.
[420] *Œuvres diverses*, X, 218.

de mes ouvrages en ce genre; il y a même des moments où l'on a versé des larmes.«[421] Les deux poèmes couronnés n'eurent pas meilleure réception auprès du public. Fréron raille la pièce sans merci en feignant d'être enchanté de la poésie de La Harpe: »Depuis long-temps je n'ai rien lû de si merveilleux que ses *Conseils à un Jeune Poëte. Les beautés y sont semées avec une telle profusion, qu'il faut ... s'arrêter & méditer sur chaque mot ... cette pièce ... mérite que je la rapporte toute entière, comme une des plus belles productions du 18e siècle.*«[422] Grimm trouvait cette pièce »froide«, d'un fond »triste« et »pauvre.«[423]

La Harpe lui-même se rendait compte de l'inimitié que ses succès académiques avaient provoquée: »... voilà tous les poëtes au moins aussi piqués contre moi, disait-il à Chouvalov, pour ce prix de vers que les gens du monde pour la prose; et pour ne pas me brouiller en prose et en vers avec le monde entier, j'ai bien solennellement promis que je n'entrerai plus dans la lice.«[424]

Parmi les ennemis de La Harpe, brillait Linguet avec un article dans le journal dont il était alors l'un des rédacteurs. Il y parle des regrets que l'Académie avait de ne pas avoir deux prix à donner; du cadeau qu'elle a fait à La Harpe, car il explique le mot »donner« comme synonyme de »faire un cadeau«: *»L'Académie a trouvé de si grandes beautés dans le discours de M. G. qu'elle a regretté de n'avoir qu'un prix à donner.* Dès que les prix de l'Académie sont des *dons,* il est plus flatteur de la forcer à des regrets, que d'être l'objet de sa libéralité.«[425] Il était impossible pour La Harpe de passer sous silence cette attaque. Ainsi écrivit-il à Lacombe une longue lettre, qu'il publia dans le *Mercure,*[426] et dans laquelle il justifie les concours académiques, »faits pour exciter l'émulation & encourager le talent par des récompenses ... [et pour] contribuer au maintien du goût.«[427] Il reproche à Linguet de faux raisonnements, de la mauvaise foi; il se voit forcé

> de faire voir au Public quelle idée il doit avoir d'un homme qui osant lui dicter ses jugemens trois fois par mois [dans les trois numéros du journal susmentionné], le trompe, ou se trompe lui-même; sur-tout tronque des passages pour les obscurcir; n'entend pas, ou feint de ne pas entendre ce qui est clair; ne fait pas une seule remarque où il n'ait tort de plusieurs manières; & n'écrit pas en français en dissertant sur l'art d'écrire.[428]

Linguet continua la polémique en accusant La Harpe d'excessive vanité, le défiant de concourir pour le prix de l'Académie de Toulouse, où La Harpe ne sera favorisé par aucune clique.[429] La Harpe rejette le défi dans une réponse dédaigneuse dans le *Mercure.*[430]

---

[421] *Œuvres diverses,* X, 218.
[422] *Année littéraire,* 1775, V, 146.
[423] *Correspondance littéraire,* XI, 116.
[424] *Œuvres diverses,* X, 209.
[425] *Journal de politique et de littérature,* 25 septembre 1775, III, 110.
[426] *Mercure,* octobre 1775, II, 131—153.
[427] *Ibid.,* 132.
[428] *Ibid.,* 152—53.
[429] *Journal de politique et de littérature,* 25 octobre 1775, III, 257.
[430] *Mercure,* novembre 1775, pp. 192—209.

Pendant qu'on discutait les lauriers académiques de La Harpe, celui-ci essuya une autre tracasserie devant ses adversaires. Au mois d'août 1775, il avait publié et signé un extrait de la *Diatribe à l'Auteur des Ephémérides* [l'abbé Beaudeau], que Voltaire avait écrit, sans l'avouer, en défense des économistes. La Harpe louait »cette petite brochure ... d'un homme célèbre qui étend ses regards sur tous les objets, qui les éclaire par la netteté de ses idées, & les embellit des grâces de son imagination ... l'utilité, encore combattue, des opérations bienfaisantes d'un Gouvernement éclairé, est l'objet de cette petite Feuille ... On [y] trouve d'abord un tableau vif & rapide de notre monarchie dans les temps de misère & d'ignorance.«[431] Voltaire avait inclus dans ce morceau, selon sa coutume, des attaques contre l'Eglise, et Séguier saisit l'occasion pour prononcer un discours au parlement de Paris suggérant que les magistrats et le clergé s'unissent pour défendre le trône et l'autel. Ceci inspira au Parlement l'arrêt suivant:

> La Cour enjoint à de La Harpe, Auteur de l'article sus-mentionné, à Louvel, Censeur [du *Mercure*], et à la Combe, Imprimeur, d'être plus circonspects à l'avenir; leur fait défenses de plus à l'avenir insérer dans ledit *Mercure*, approuver, ni imprimer aucunes reflexions et aucuns extraits d'ouvrages qui pourroient attaquer la Religion, le Gouvernement et la mémoire de nos Rois. Ordonne que le présent Arrêt sera imprimé et affiché ...[432]

Bachaumont soupçonnait que Séguier demanda exprès cet arrêt pour empêcher l'élection de La Harpe à l'Académie et qu'il faillit réussir:

> Il paroît que le requistoire de M. Séguier est une manœuvre sourde, du parti anti-encyclopédiste, dont s'est rangé cet avocat-général, pour exclure le Sr. de la Harpe de l'académie, & les partisans de ce dernier craignent fort qu'il n'ait réussi; car lorsque le roi a été instruit de l'injonction du parlement envers cet acolyte de l'entrepreneur du *Mercure*, S. M. a dit: *ce n'est pas le moyen d'entrer à l'académie*.[433]

Voltaire offrait ses consolations à La Harpe disant que tous les grands hommes au cours de l'histoire ont souffert à cause de la jalousie de leurs détracteurs; que les détracteurs de La Harpe »n'approchent pas de la bonne compagnie« de ses amis et protecteurs.[434] »Vous aurez encore quelques malheureux contradicteurs, jusqu'à ce que vous donniez vous-même les prix que vous avez tant de fois remportés. Heureusement votre courage est égal à votre génie.«[435] Le patriarche s'attend à ce que les succès au théâtre de *Menzicoff* et des *Barmécides* vengent pleinement son disciple.[436]

---

[431] *Ibid.*, août 1775, p. 59.
[432] *Arrest de la Cour du Parlement — Extrait des Régistres Du Parlement*, Du sept septembre mil sept cent soixante quinze; voir à ce sujet aussi *Mémoires secrets*, VIII, 183.
[433] *Mémoires secrets*, VIII, 191.
[434] *Voltaire's Correspondence*, XCII, 77.
[435] *Ibid.*, 76—77.
[436] *Ibid.*, 77.

Le 10 novembre 1775, *Menzicoff*, dont la reine avait entendu la lecture l'hiver précédent,[437] fut représenté à la cour de Fontainebleau. La »pièce [y] a été accueillie avec beaucoup d'applaudissemens & a fait verser beaucoup de larmes,« selon le *Mercure*.[438] Mais le jugement de Bachaumont semble plus près de la vérité quand il dit qu'il y avait toute la pompe de la cour

> avec une grande affluence de spectateurs illustres, d'étrangers de distinction, & sur-tout de seigneurs Russes, qu'il [*Menzicoff*] intéressoit plus particulièrement... [les] acteurs... ont joué avec un zèle digne du lieu. Ces accessoires n'ont pas empêché la pièce de paroître mauvaise aux gens les plus difficiles, médiocre aux spectateurs indulgents, & d'un noir épouvantable à tout le monde.[439]

Grimm affirme que les Russes ont été mécontents de ce manque de fidélité historique, et que le prince Bariatinski s'est plaint à Vergennes.

> On se plaint qu'ayant choisi un événement dont la mémoire est encore si récente et si connue, le poëte n'ait pas été plus fidèle à l'histoire et n'ait respecté ni le caractère de son héros, ni les mœurs du siècle, ni le costume du pays. M. le prince Bariatinski a jugé même que M. de La Harpe avait passé sur ce point les bornes du respect dont la poésie, malgré ses licences, ne saurait se dispenser. Il en a fait ses plaintes à M. de Vergennes, et on lui a promis que la pièce ne serait pas jouée qu'avec les corrections et les changements qu'il exigérait de l'auteur...[440]

Bachaumont mentionnait les mêmes problèmes.[441] C'est ce qui explique pourquoi la pièce ne fut pas jouée à Paris et qu'elle attendit sa publication jusqu'en 1781.

On voit donc, à la suite de ce parcours biographique qui nous a conduit jusqu'à la maturité de notre auteur, combien celui-ci, à travers ses discours, ses éloges, ses pièces de théâtre, ses comptes rendus de critique, a su donner des gages à ses amis philosophes. C'est plus exactement à une sorte de philosophie moyenne, sans audaces excessives ni religieuses ni sociales, qu'il se rallie. Etre philosophe, comme il l'entendait, signifiait tout d'abord d'un côté: critiquer la religion, condamner la vie monastique, proclamer l'utilité sociale de la morale universelle, et de l'autre: recommander la monarchie bénévole, sinon éclairée, où le rôle civilisateur de la philosophie est d'enseigner à tout le monde la vérité en l'éclairant sur le bien possible et le mal nécessaire. Bref, il faut détromper l'homme en l'instruisant à être tolérant, paisible et docile, sachant ses droits et ses devoirs.[442] En partageant

---

[437] *Supra*, p. 81.
[438] *Mercure*, décembre 1775, p. 153.
[439] *Mémoires secrets*, VIII, 250.
[440] *Correspondance littéraire*, XI, 142.
[441] *Mémoires secrets*, VIII, 272.
[442] Rousseau voyait le problème de la même manière, quand, dans son *Discours sur les sciences et les arts*, il recommandait, pour rendre les peuples heureux, d'»engager les hommes à bien faire de leur bon gré« en les instruisant »de leurs devoirs«, *Œuvres complètes de Rousseau*, III, 30, Paris, Pléiade, 1965.

ces idées avec ses contemporains, La Harpe reflète l'optimisme de sa génération, qui croit en un humanitarisme plutôt vague, dont la sensibilité sera
le mobile principal et la bienfaisance le résultat le plus remarquable. Pour
exposer ses vues à un public étendu quoi de mieux à faire que de mettre un
journal tel que le *Mercure* au service de cette propagande. A l'intention
du public raffiné, il restait toujours le théâtre, les salons et la lice académique.
Pour ses partis pris philosophes, La Harpe avait essuyé des déboires avec les
autorités. Il est normal donc qu'on s'attende à ce que ce groupe fasse tout
son possible pour le faire académicien en récompense de ses efforts pour
la cause de la philosophie.

Apogée d'une carrière littéraire -
Académie et professorat

CHAPITRE III

Apogée d'une carrière littéraire - Académie et professorat

> »Qu'il est rare... que la culture des lettres soit aussi paisible qu'elle est honorable! Qu'il est difficile d'illustrer sa vie sans la troubler...!« La Harpe, *Œuvres diverses*, V, 82.

Au commencement de l'année 1776, l'espoir d'élire La Harpe à l'Académie se réveillait chez ses amis et protecteurs. On songeait à le nommer à la place laissée vacante par la mort du duc de Saint-Aignan qui décéda le 22 janvier 1776. Cependant, on se rendit compte bien vite que les chances de réussir n'étaient pas encourageantes. En toute probabilité le roi s'y opposerait et les philosophes envisageaient de persuader Turgot à poser sa candidature C'est à cette fin que Condorcet lui écrivit à la fin de janvier:

> M. de Malesherbes doit, après avoir vu M. de Maurepas, parler au roi de M. de La Harpe. Si le roi approuve ce vœu des gens de lettres, il me paraît tout simple de les laisser faire; mais s'il ne l'approuvait pas, alors vous rendriez vraiment service à l'Académie en rentrant dans les vues de M. de Saint-Lambert... qui a pour vous une vraie passion...[1]

Selon cette même missive on voulait faire un choix conforme aux vues des philosophes, puisque, si La Harpe semblait éliminé, Turgot était préféré, à cause de ses édits économiques, à Colardeau »qui fait bien des vers, mais n'a d'autre existence morale que celle d'ami de mademoiselle Verrière, et d'être un bon enfant...«[2] Turgot ne se laissa pas persuader. En exprimant sa gratitude envers Saint-Lambert, il croyait qu'il fallait »tâcher de faire nommer La Harpe,« et si cela n'était pas faisable, »pourquoi l'Académie ne prendrait-elle pas l'abbé [Jean-Jacques] Barthélemy,« se demandait-il?[3]

Voltaire de son côté disait à La Harpe qu'il »faut absolument que cette fois-ci vous remplissiez le quarantième fauteuil.«[4] C'était expéditif pour le »tripot« 'et utile et prestigieux pour le candidat: »Notre tripot... s'est fait une espèce de loi de remplacer de simples ducs et pairs de la cour par des

---

[1] Charles Henry, *Correspondance inédite de Condorcet et de Turgot*, pp. 265—66.
[2] *Ibid.*, p. 266.
[3] *Ibid.*, p. 267.
[4] *Voltaire's Correspondence*, XCIII, 109.

ducs et pairs de la littérature. Nous avons besoin de vous.«[4] Entre temps on avait convaincu le patriarche »que Mosieur Turgot ne veut pas être des nôtres et que Mr De La Harpe ne peut en être.«[5] Le fait que les amis de La Harpe abandonnèrent tout effort pour son élection cette fois-ci indique que l'on considérait l'opposition à son élection comme insurmontable et l'on nomma Charles-Pierre Colardeau au fauteuil de Saint-Aignan.

Mais Colardeau expira le 7 avril, avant sa réception, en préparant son discours. Cela provoqua une nouvelle tentative pour faire élire La Harpe. D'Alembert employa toute sa dextérité à persuader Mlle de Lespinasse de passer outre au grief qu'elle avait contre La Harpe depuis l'*Eloge de Catinat* où il vainquit Guibert pour le prix d'éloquence de l'Académie française. »Une seule fois, au dire de Lucien Brunel, Mlle de Lespinasse et son ami [d'Alembert] travaillèrent en commun au succès d'un candidat vraiment et absolument digne à leurs yeux des suffrages qu'ils quêtaient pour lui.«[6] Bachaumont croyait aussi que c'était grâce à Mlle de Lespinasse, dont La Harpe était »un des nourrissons,« que celui-ci devint membre de l'Académie, juste avant la mort de cette femme.[7] Il fallait des efforts supplémentaires, selon cette même source, pour vaincre l'opposition du roi, qu' »on avoit pressenti... & on l'avoit disposé plus favorablement pour le candidat.«[8] Il fut élu le treize mai,[9] et Voltaire exprimait sa grande satisfaction disant que:

> ...il n'y avait que votre promotion... qui pût me consoler de la perte que tous les vrais philosophes, et tous les bons citoyens, viennent de faire... vous rendrez [cette place] plus considérable qu'elle ne l'est par elle même: tant vaut l'homme, tant vaut l'académie.[10] ...Nous avions besoin d'un homme tel que vous. Votre nomination fera taire la racaille des petits auteurs; ils doivent être confondus, et rentrer dans le néant.[11]

La réception eut lieu le 20 juin, et cette cérémonie auguste fut transformée en une démonstration contre le nouveau membre. Suivant la coutume, il prononça son *Discours de réception*, où il parla du rôle d'un homme de lettres, »celui dont la profession principale est de cultiver sa raison pour ajouter à celle des autres.«[12] Ensuite, il fit les éloges de ses prédécesseurs, Colardeau et Saint-Aignan, rendit hommage à Louis XIV, exprima ses vœux, d'une façon élogieuse, pour que Voltaire revienne dans la capitale. Cependant, on ne remarqua pas tellement son *Discours*, quoique bien écrit, mais plutôt la réponse de Marmontel, où ce dernier mettait l'accent sur la douceur du caractère de Colardeau, ce que l'auditoire comprit comme un contraste établi avec le caractère âpre et irascible de La Harpe. Parlant de Colardeau, Marmontel disait:

> Il ne sentoit point pour la gloire cette passion fougueuse, inquiète & jalouse, qui ne souffre point de partage; mais il vouloit jouir

[4] *Voltaire's Correspondence*, XCIII, 109.
[5] *Ibid.*, 131.
[6] *Les Philosophes de l'Académie française au XVIIIe siècle*, p. 278.
[7] *Mémoires secrets*, IX, 120—21.
[8] *Ibid.*, 110.
[9] *Les Registres de l'Académie Françoise*, III, 394; aussi *Mémoires secrets*, IX, 110.
[10] *Voltaire's Correspondence*, XCIV, 105.
[11] *Ibid.*, 106.
[12] *Œuvres diverses*, V, 72; son *Discours* y est imprimé, V, 69—89.

en paix des faveurs qu'elle lui accordoit. La critique, disoit-il, me
fait tant de mal, que je n'aurais jamais la cruauté de l'exercer
contre personne. *Voilà, Monsieur, dans un Homme de Lettres un
caractère intéressant.*[13]

C'est ici qu'on se mit à applaudir tumultueusement et longuement. On a vu
dans ces procédés de Marmontel l'intention de persifler La Harpe; Grimm
notamment, qui donne une description en six pages de cette séance.[14]

> Quelque opposés que fussent les caractères de M. Colardeau et de
> son successeur, disait Grimm, [Marmontel] a prétendu les mettre
> en parallèle et les louer l'un et l'autre... S'il n'a point eu d'autre
> projet que celui de louer, il faut convenir qu'il n'y a pas mis toute
> l'adresse imaginable...[15]

Quoique ce fût peu vraisemblable, Métra, lui aussi, y voyait un persiflage
voulu: »M. Marmontel a enveloppé le miel de ses éloges d'un persiflage si
amer, sur son orgueil [de La Harpe], son ambition, ses critiques...«[16]

Condorcet fut déçu du *Discours* de La Harpe, qui était »agréablement
tourné, mais qui manquait de physionomie.«[17] Fréron consacre plus de trente
pages[18] à cette réception et trouve le *Discours* sans règles, sans principes et
sans discernement.[19] La Harpe lui-même n'a pas vu malice dans le discours
de Marmontel, car il est resté son ami, ce qui n'aurait pas été le cas, s'il avait
trouvé un dessein voulu de le persifler. Après les discours, La Harpe lut
à la séance sa traduction »du septième livre de la *Pharsale*...[où] il y a
sûrement... de très-belles choses et des vers superbes,« disait Grimm.[20] Ces
succès n'augmentèrent nullement sa popularité. Au contraire, le nombre d'épigrammes contre La Harpe semble s'accroître. Ainsi, entre le 13 mai et le
3 juillet 1776, Bachaumont rapporte quatre épigrammes contre le nouvel académicien,[21] où même le scandale de sa prétendue incarcération à Bicêtre est
ressuscité.[22] L'attaque la plus violente fut faite par Linguet dans le journal
qu'il rédigeait alors, où les injures étaient dirigées contre l'Académie aussi
bien que contre La Harpe. Linguet voyait dans cette élection le travail d'une
coterie, d'une faction; pour triompher, il fallait être de l'avis du groupe:

> ...cette Compagnie ne doit... être qu'un bataillon d'*amis*[23]...
> *Frappez et l'on vous ouvrira,* dit un Oracle sacré. M. *de la Harpe*
> a pratiqué l'Evangile. Il a frappé constamment à la porte de
> l'Académie, sans que les rebuts l'aient lassé: elle s'est enfin ouverte.
> Il est vrai qu'il était depuis long-temps d'intelligence avec les
> Portiers.[24]

---

[13] Marmontel, *Réponse de M. Marmontel... au Discours de M. de La Harpe,* p. 28,
Paris Demonville, 1776.
[14] *Correspondance littéraire,* XI, 267—73.
[15] *Ibid.,* 272.
[16] *Correspondance secrète,* III, 133.
[17] Charles Henry, *Correspondance inédite de Condorcet et de Turgot,* p. 284.
[18] *Année littéraire,* 1776, II, 73—107.
[19] *Ibid.,* 99.
[20] *Correspondance littéraire,* XI, 273.
[21] *Mémoires secrets,* IX, 108—9; 144; 145—46 et 152.
[22] *Ibid.,* 108—109.
[23] *Journal de politique et de littérature,* 25 juillet 1776, II, 406.
[24] *Ibid.,* 404.

Cet article fit perdre à Linguet le poste de rédacteur du journal, et le propriétaire Panckoucke l'offrit à La Harpe, avec un salaire, disaient Bachaumont[25]
et Daunou,[26] de six mille livres. La Harpe abandonna le projet qu'il avait de
publier un journal, donna sa démission au *Mercure*, et malgré l'embarras
dont il parle dans une lettre à Dureau de la Malle, il accepta »cette besogne
qui etait sûre et bien payée et qui me coûterait moins de peine qu'un nouveau
journal à établir.«[27] Après cette démission, le propriétaire du *Mercure* voulait
minimiser la part qu'avait La Harpe dans la rédaction de ce journal, en disant
qu'il n'avait fait que peu des articles signés par lui,[28] mais on sait qu'il ne
signait pas tous ses articles.

Voltaire se montra satisfait de la décision de La Harpe de rédiger le
journal de Panckoucke: »Courage, courage, mon cher ami... vous allez de
victoire en victoire...... Le journal littéraire... vous donnera gloire et
profit...,«[29] tandis que Bachaumont ne »pouvoit croire que le nouvel académicien étant la cause ou le prétexte de la disgrace de Me. Linguet, eût l'infamie
de s'enrichir de ses dépouilles au même instant.«[30] La Harpe de son côté
défendait sa décision en disant que c'était »une vengeance... noble que d'honorer par la critique honnête & vraie un Ouvrage [le *Journal de politique et
de littérature*] qu'il [Linguet] avait déshonoré par la satyre & le mensonge.«[31]

La querelle avec *l'Année littéraire* se ralluma lorsque, sous prétexte
d'éclaircir un point de grammaire, La Harpe cita une épigramme contre
Fréron:

> Un jour au pied de l'Hélicon
> Un serpent mordit *Jean***
> Savez-vous ce *qu'il* arriva?
> Ce fut le serpent qui creva.[32]

La Harpe trouvait ce »ce qu'il« mauvais usage, il fallait dire »ce qui«. Le fils
de Fréron, Louis-Marie-Stanislas, se sentant offensé répondit en publiant deux
lettres de la Harpe: l'une écrite à Fréron en 1761 pour nier la paternité d'une
satire, *La Wasprie*,[33] l'autre écrite à Lebrun, auteur de cette satire, au sujet
de Fréron, le père, où La Harpe dit qu'on l'assurait que Fréron était honnête
et aimable en société, capable de rendre service aux gens de mérite et de
sentir le mérite;[34] que de tels traits empêcheraient La Harpe d'être son
ennemi.[35] Mais que »malheureusement, se lamentait-il, on ne dit pas toujours
la vérite.«[35bis] Cette idée de ne pas dire sa pensée en société ou en public provoqua le commentaire suivant de Fréron fils:

---

[25] *Mémoires secrets*, XII, 193.
[26] *Vie de La Harpe*, p. XVIII.
[27] A. Jovicevich, *Correspondance inédite...*, p. 30; publiée aussi par J. Delort, *Mes
voyages aux environs de Paris*, I, 172.
[28] *Mercure*, octobre 1776, II, 188.
[29] *Voltaire's Correspondence*, XCV, 23 et 48.
[30] *Mémoires secrets*, IX, 206.
[31] *Journal de politique et de littérature*, 25 novembre 1776, III, 454.
[32] *Ibid.*, 5 octobre 1776, III, 202.
[33] *Année littéraire*, 1776, VI, 273—74.
[34] *Ibid.*, 275.
[35] *Ibid.*, 276.
[35bis] *Ibid.*, 277.

> Je vous proteste bien, Monsieur, que mon père, dans ses plus secrets entretiens, ne m'a jamais parlé de *Gustave*, de *Timoléon*, de *Pharamond*, de *Mélanie*, de l'*Ode sur la navigation*, *des talens dans leur rapport avec la société*, & sur-tout des *Conseils à un Jeune Poëte*, que comme il en a parlé dans ses Feuilles ... comme d'autant de rapsodies qui étoient les preuves les plus incontestables de la médiocrité de l'auteur, & du mauvais goût, ou de l'esprit de parti de ceux qui y applaudissoient.[36]

Fâché particulièrement parce que Fréron avait dit qu'il soupçonnait La Harpe d'être l'auteur de *La Wasprie*; qu'on y trouvait »l'ame & le génie de M. *de la Harpe*,«[37] il répondit par un long article dont le trait saillant n'est pas la modestie. Il se défendit que le public ait pu y reconnaître son âme et son génie; que c'était plutôt »dans *Mélanie*, dans l'Eloge de *Fénelon*, dans celui de *Catinat*, de *Racine*, de *la Fontaine*, qu'on a pû en reconnoître l'empreinte; c'est-là que j'ai parlé à toutes les ames honnêtes & sensibles un langage dont il n'est pas donné à mes ennemis d'approcher jamais.«[38] De plus il y parla d'un dîner, une quinzaine d'années auparavant, où il se disputa avec Fréron,[39] disant que la correspondance d'alors prouvait bonne foi, car l'attitude de Fréron vis-à-vis de lui avait bien changé depuis.[40] Il s'y défendit de l'accusation d'excessive vanité dans l'exercice du métier de critique, en soulignant qu'il n'avait défendu ses propres ouvrages que deux fois.[41] La plus grande partie de l'article était consacrée à l'explication et à la justification de son travail en tant que critique littéraire. Il s'y pique d'équité et de justesse, défiant ses détracteurs de lui dire: »... quel homme d'un talent véritable ai-je offensé par une censure amère ou injuste? quel bon ouvrage m'est-il arrivé de dénigrer? quelle mauvaise production ai-je exaltée?«[42] Comme preuve particulière de cette équité, envers un poète ennemi, il citait le cas de Gilbert, qui avait raillé La Harpe dans un écrit intitulé *Le Dix-huitième siècle*,[43] et dont La Harpe disait qu'il avait »beaucoup de talent pour la versification, malgré les inégalités du style.«[44] D'accord avec Stuart L. Johnston,[45] nous croyons que l'article de l'*Année littéraire* lui a servi de prétexte pour décharger sa bile et soulager ainsi son amour-propre blessé au cours de la cérémonie de réception à l'Académie, qui a dû lui montrer que ses ennemis étaient beaucoup plus nombreux qu'il ne le pensait.

L'excès d'estime de soi et quelque arrogance n'étaient pas les seules erreurs de son article. Il en commit une autre. Il parlait des efforts de Dorat, sans le nommer, pour le réconcilier avec Fréron, ce qui amena Dorat à répondre »qu'il n'y a pas un mot de vrai dans tout ce qu'il avance.«[46] De plus,

---

[36] *Ibid.*, 278.
[37] *Ibid.*, 273.
[38] *Journal de politique et de littérature*, 25 novembre 1776, III, 445.
[39] *Supra*, p. 20.
[40] *Journal de politique et de littérature*, 25 novembre 1776, III, 448.
[41] *Ibid.*, p. 450; c'était la défense des *Douze Césars*, dans le *Mercure*, février 1771, pp. 124—134; et l'*Eloge de Catinat* et *Conseils à un jeune poète*, également dans le *Mercure*, octobre 1775, pp. 131—153.
[42] *Ibid.*, p. 452.
[43] Amsterdam, 1776, de 19 pages.
[44] *Journal de politique et de littérature*, 25 septembre 1776, III, 154.
[45] *Jean-François de La Harpe, The Man — the Critic*, p. 170.
[46] *Année littéraire*, 1776, VI, 261.

Dorat le qualifia de »malin,« d'»ingrat« et de »*Matamor* littéraire,«[47] et termina sa lettre en disant: »On se moque d'un nain qui se piète pour se grandir, & quand il importune, une chiquenaude en débarasse.«[48] Cette lutte entre les deux auteurs ne manquait pas de prétextes pour continuer. En décembre 1776, fut joué *Le Malade imaginaire*, comédie de Dorat, et La Harpe en rendit compte disant que »Cette Pièce n'a eu aucun succès.«[49] Cependant, la pièce, qui avait été retouchée rapidement, fut mieux reçue lors des représentations suivantes. La Harpe ne croyait pas qu'elle ait pu être remaniée pour satisfaire le public, et »dans ce cas *le plus heureux changement que fasse l'Auteur*, (comme on l'a dit) *est celui du Parterre.*«[50] Dorat retourna le compliment dans l' »Avant-Propos« de la pièce imprimée en appelant La Harpe détracteur à gages.[51] Celui-ci revint sur le sujet en disant qu'il voulait terminer la polémique, et s'obstina à parler sévèrement de l'auteur et de la pièce.[52] Cet échange d'injures nécessita, au dire de Grimm, dans »une séance particulière de l'Académie, [une admonestation à La Harpe] sur l'aigreur, la dureté et le mauvais ton qui régnaient trop souvent dans son journal, et qui l'exposaient à des affronts où la dignité de tout les corps se trouvait compromise.«[53] Mais cette admonestation n'arrêta pas La Harpe dans ses propos sur Dorat,[54] qui devint le rédacteur du *Journal des dames* au début de 1777.[55]

Ces querelles faisaient connaître de plus en plus au public l'excessif amour-propre et la vanité de La Harpe et on le détestait davantage chaque jour. Métra disait que »même les censeurs ont un ordre de la Cour de laisser passer tout ce qu'on pourra dire de plus fort contre lui. Si cela est, nous allons voir beau jeu, car à l'exception du parti auquel il tient & auquel même il déplaît en général, M. de La Harpe a l'avantage d'être détesté de tout le monde.«[56] Métra rapportait aussi les railleries contre le manque de courage physique de La Harpe, que l'on battait, disait Métra, quand on en avait envie.[57]

La Harpe avait fait publier une traduction en vers de la *Lusiade de Camoëns* en deux volumes.[58] Ne connaissant pas le portugais, La Harpe se servit »d'une version littérale du texte Portugais ... et le nouveau Traducteur s'est proposé d'animer du feu de la Poësie cette version scrupuleusement fidelle. Il ne s'est permis d'autre liberté que celle de resserrer quelques endroits un peu longs, mais rarement ...«[59] On ne lui fit pas seulement grief du manque d'exactitude, par rapport à l'original, mais le journal de Fréron, qui trouvait »assez plaisant qu'on veuille servir d'interprète aux autres,

---

[47] *Année littéraire*, 1776, VI, 263 et 265.
[48] *Ibid.*, 265—66.
[49] *Journal de politique et de littérature*, 15 décembre 1776, III, 535.
[50] *Ibid.*, 589.
[51] *Le Malheureux imaginaire*, Paris, Delalain, 1777, p. IV.
[52] *Journal de politique et de littérature*, 25 janvier 1777, I, 133—155.
[53] *Correspondance littéraire*, XI, 409; voir aussi sur ce sujet, *Mémoires secrets*, où l'on parle des menaces de Dorat contre La Harpe, qui est obligé »à se tenir close & couverte, & à ne sortir qu'en voiture,« X, 26.
[54] *Journal de politique et de littérature*, 5 et 25 mars 1777, I, 327—32; 424—32.
[55] Hatin, *Bibliographie de la presse périodique française*, p. 50.
[56] *Correspondance secrète*, IV, 82.
[57] *Ibid.*, 53.
[58] *La Lusiade de Louis de Camoëns poëme héroïque en dix chants, nouvellement traduit du portugais*, Paris, Nyon, 1776.
[59] *Ibid.*, »Avertissement,« pp. I et II.

lorsqu'on a besoin soi-même du secours d'un truchement,«[60] lui reproche d'avoir »omis des strophes entières.«[61] Il s'agit, dit ce même article, d'»une traduction... qui ne présente que les débris d'un texte...«[62] Pire encore, on accuse La Harpe de s'être approprié les notes explicatives de Duperron de Castera.[63] La Harpe eut le courage d'admettre ce prêt,[64] et le justifiait en se croyant quitte envers Duperron de Castera par la mention de son nom.[64] Il croyait en outre que, si un auteur se sert des œuvres d'un autre auteur, cela ne veut pas dire qu'il manque de génie, comme certains l'ont dit pour Voltaire et Racine.[65] Car il faut du génie pour »faire passer« les beautés d'une langue dans une autre.[66] L'imitation n'exclut donc pas l'originalité puisque dans un travail d'imitation on met le cachet de son talent: »Tout homme supérieur reçoit de la nature un caractère d'esprit plus ou moins marqué, et c'est cela même qui fait sa supériorité: c'est dans ce caractère qu'il faut d'abord chercher celui de ses ouvrages.«[67]

La diffusion du *Journal de politique et de littérature* inquiétait son propriétaire. Bachaumont disait Panckoucke »fort mécontent de monsieur de la Harpe, [dont] le nom... non seulement ne lui a pas procuré de nouveaux souscripteurs, mais occasionne des désertions considérables, qu'on dit se monter déjà à 1500, depuis que Me Linguet a quitté« ce journal,[68] ce que Panckoucke nia beaucoup plus tard.[69] On pensait qu'une lettre louangeuse de Voltaire pourrait remédier à la situation, et Condorcet se chargea de la lui demander.[70] Le patriarche s'y hâta, répondant qu'il était fâché de voir que »dans le journal de politique et de Littérature, la politique tient tant de place et la Littérature si peu.«[71] Il aurait préféré que ce soit le contraire: »Les dissertations de Mr De Laharpe n'ont à mon gré qu'un seul défaut, c'est d'être trop courtes. Je trouve chez lui une chose bien rare, c'est qu'il a toujours raison... [parce] qu'il a un goût sûr.«[72] Il y loue le style de La Harpe, le compare à celui de Racine, et trouve que Chamfort aussi s'en approche.[73] La lettre ne fut pas publiée »par pure modestie,«[74] disait Condorcet, qui exprimait ainsi son avis sur les articles de La Harpe:

> Ce journal a un succès fort au dessous de son mérite. On trouve que M. de Laharpe parle de lui trop longuement et trop souvent, qu'il juge trop durement ses ennemis, qu'il loue trop Certains gens. Le public n'est indulgent que pour les Linguet, il juge les gens de mérite avec rigueur.[74]

---

[60] *Année littéraire*, 1776, V, 5.
[61] *Ibid.*, 9.
[62] *Ibid.*, 17.
[63] *Ibid.*, 26—31.
[64] *Journal de politique et de littérature*, 5 décembre 1776, III, 491.
[65] *Lycée*, V, 204—205.
[66] *Œuvres diverses*, IV, 179.
[67] *Lycée*, VI, 74.
[68] *Mémoires secrets*, IX, 273.
[69] *Mercure*, 5 octobre 1778, p. 72.
[70] *Voltaire's Correspondence*, XCV, 203.
[71] *Ibid.*, 227.
[72] *Ibid.*, 227—28.
[73] *Ibid.*, 228.
[74] *Ibid.*, XCVI, 6.

Mais Panckoucke s'avisa de porter remède à la situation en priant Voltaire d'y contribuer de quelques articles, ce que le patriarche accepta, sous condition qu'on garde son anonymat. Cependant, il considérait que le problème de la vente du journal ne tenait pas au remplacement de Linguet par La Harpe, car ce n'était pas une question de popularité personnelle, mais »la véritable raison qui fait que vous vendez moins votre très bon journal, c'est que vous avez 40 ou 50 concurrents.«[75] Le patriarche y fit le compte rendu du *Tristram Shandy*.[76] »Tout ce qu'on demande, disait-il en insistant sur l'anonymat, c'est d'être entièrement ignoré et que m. de la Harpe soit content de ce travail qui n'est entrepris que pour le soulager...«[77] On se contenta de dire que le compte rendu de *Tristram Shandy* était »d'une main très-illustre que personne ne méconnoîtra,«[78] et que l'article du 5 mai sur *De l'Homme* »est de la même personne qui a bien voulu nous envoyer celui de *Tristram Shandi*...;«[79] qu'on marquera »désormais d'une* tous ceux dont il nous fera présent.«[79] Mais on expliquait que les articles des 15 et 25 mai étaient »de M. de V**.«[80] Le patriarche protesta auprès de La Harpe contre »l'indiscrétion de Panckoucke avec son V**... [qui] me fait une peine mortelle... Je vous prie... de lui dire bien résolument qu'il ne mette jamais rien sous mon nom..., il m'a... beaucoup plus exposé qu'il ne pense...«[81] On marqua les deux articles suivants d'un astérisque.[82] Cependant, le problème de diffusion se posait toujours en 1777, car Métra disait en novembre de cette année-là: »Le Libraire, chargé du Journal de l'inestimable M. de la Harpe, vient de porter ses plaintes à notre bureau des postes, sur le peu d'exactitude avec laquelle s'en fait la distribution dans les provinces.«[83] Même difficulté de vente existait en 1778 malgré la coopération de Voltaire: »Je suis toujours bien content du journal de M^r De Laharpe, disait Voltaire à Panckoucke, mais fort mécontent de ce fou de public.«[84]

A cette époque, la musique relevait aussi du domaine d'un critique littéraire, et La Harpe, en tant que tel, s'immisça dans la querelle sur les mérites de la musique des opéras de Gluck et de ceux de Piccini.[85] Cette controverse passionna la plupart des gens de lettres à Paris et occupa une grande partie de l'année 1777. Marmontel, qui avait écrit les paroles pour l'opéra de Piccini, *Roland*, se fit champion des Piccinistes, tandis que les chefs de la faction Gluckiste étaient Arnaud et Suard. La Harpe admettait son manque de compétence en la matière et une indifférence égale pour l'un et l'autre musicien.[86] Ses devoirs professionnels l'ont forcé, disait-il, à prendre parti dans cette guerre: »...Marmontel et moi, nous sommes les seuls [parmi les partisans

---

[75] *Voltaire's Correspondence*, XCVI, 71.
[76] *Journal de politique et de littérature*, 25 avril 1777, I, 568—70.
[77] *Voltaire's Correspondence*, XCVI, 71.
[78] *Journal de politique et de littérature*, 25 avril 1777, I, 568.
[79] *Ibid.*, 5 mai 1777, II, 38.
[80] *Ibid.*, II, 85 et 133.
[81] *Voltaire's Correspondence*, XCVI, 197.
[82] *Journal de politique et de littérature*, 25 juin et 5 juillet 1777, II, 254 et 308.
[83] *Correspondance secrète*, V, 288.
[84] *Voltaire's Correspondence*, XCVIII, 18.
[85] Voir sur ce sujet Gustave Desnoiresterres, *La musique française au XVIIIe siècle, Gluck et Piccini*, Paris Didier, 1872.
[86] *Lycée*, XII, 176.

de Piccini] qui aient écrit, lui, par intérêt pour son musicien, moi, comme obligé de rendre compte des spectacles dans le *Journal de Littérature*.«[87]

Du côté de La Harpe, cette querelle commença, comme presque toutes les querelles, d'une manière innocente. Il décerne, en effet, dans un article du 5 décembre 1776, de grandes louanges à la musique de Gluck qu'il appelle novateur dans la partie instrumentale, réformateur de la durée des représentations, trouvant »de grands effets d'harmonie« dans ses opéras: »Gluck a saisi, disait-il, le véritable système du Drame Lyrique ... Il a fait un usage très-nouveau & très-heureux de la partie instrumentale ... [qui était auparavant] accessoire ...«[88] Ceux qui sont habitués à la musique italienne, continue cet article, les connaisseurs de Piccini et de Sachini »désireroient dans M. *Gluck* une Musique plus riche, plus variée & plus mélodieuse; ils trouvent dans plusieurs de ses airs une simplicité trop nue, des motifs trop peu prononcés.«[88] Même ton laudatif lors de la reprise d'*Iphigénie en Aulide:* »On ne peut nier, avoue-t-il, que depuis trois ans M. le Chevalier Gluck n'ait occupé à peu-près seul notre Scène Lyrique. Rien n'a pu se soutenir auprès de lui dans le genre du grand Opéra ...«[89] Et un peu plus tard, à l'occasion de la dernière reprise d'*Iphigénie*, il réitère: »M. Gluk aura la gloire d'avoir trouvé le premier le vrai système du Drame Lyrique; & que de beautés de tous les genres étincellent dans son *Iphigénie!*«[90] Mais, poursuivant ses remarques, il reproche à Gluck le manque de mélodie, par comparaison avec les compositeurs italiens dont les »airs séparés de l'accompagnement sont encore d'une grande beauté.«[90] Gluck essayait de réparer, disait La Harpe, autant qu'il était possible »ce défaut de chant par sa profonde connaissance de l'harmonie ...,«[90] et il termina cet article en remarquant que le duo d'Achille et d'Agamemnon était »d'un genre de récitatif dont l'oreille est au moins étonnée ...«[90]

Ces remarques provoquèrent, trois jours plus tard, une réponse en une lettre signée »Anonyme de Vaugirard,« qui relevait, disait Desnoiresterres, »ces hérésies avec un esprit, une habileté d'argumentation, une urbanité mêlée d'impertinence dont le succès fut général.«[91] La critique de La Harpe au sujet du duo d'Achille et d'Agamemnon, si on l'apliquait, aboutirait, selon cette lettre anonyme, à la proscription »des trois quarts des duo de tous les Opéra du monde ... d'un trait de plume.«[92] Et elle concluait en somme que les »objections [de La Harpe] ne méritent d'être relevées, que parce qu'elles sont adoptées par un homme de lettres d'un mérite distingué. Tout ce qu'on entend dire dans le monde sur la Musique dramatique prouve bien que le public n'a pas encore les élémens de la poëtique musicale. Le moment de la faire est venu.«[93]

La Harpe ne pouvait pas s'empêcher de répondre. Il loua *Alceste* de Gluck, insistant sur ce qu'il avait déjà loué, à plusieurs reprises, la musique de ce compositeur: »J'avais rapporté en même-temps quelques-unes des objections que lui font tous les jours ceux qui même en lui rendant justice sur ces beautés ne trouvent pas qu'il soit exempt de défauts, ni sur-tout qu'il ait réuni tous

---

[87] *Œuvres diverses*, X, 482.
[88] *Journal de politique et de littérature*, 5 décembre 1776, III, 490.
[89] *Ibid.*, 25 février 1777, I, 279.
[90] *Ibid.*, 5 mars 1777, I, 326.
[91] *La musique française au XVIIIe siècle, Gluck et Piccini*, p. 150.
[92] *Journal de Paris*, 8 mars 1777, p. 2.
[93] *Ibid.*, pp. 2—3.

les mérites.«[94] Il s'indignait de l'intolérance de l'»Anonyme, [qui] m'a répondu dans le Journal de Paris, par une Lettre où il me traite avec une très-grande politesse, & mes Observations avec un très-grand mépris.«[95] De plus, il reprochait à l'»Anonyme« d'avoir tronqué son texte en le citant et de lui avoir fait dire ce qu'il n'avait pas voulu dire. Dans sa réponse du 28 mars l'»Anonyme« se moquait subtilement de l'excessive colère de La Harpe.

> Malgré le désir que j'ai eu d'être honnête autant que juste, malgré les ménagemens que j'ai mis à ma critique, je vois que j'ai blessé un homme d'un mérite supérieur, en croyant le traiter avec distinction... l'amour-propre d'un Auteur critiqué a un tact sur les convenances tout autrement délicat que les idées que s'en forme le Critique.[96]

On prétendait défendre, dans cette lettre anonyme, les principes d'un art intéressant, menacés par des méprises d'un homme qui a une réputation: »Qu'il lui [à La Harpe] soit donc échappé quelques méprises en parlant d'Opéra, cela ne compromettra point sa réputation; mais si ces méprises attaquent les vrais principes d'un Art intéressant, & si sa réputation même peut donner quelque poids à ses méprises, il est important de les relever.«[97] Trois autres lettres suivirent.[98] Dans la missive du 7 avril, l'»Anonyme« se disait persuadé par son oncle de cesser cette polémique comme insensée, étant donné que La Harpe louait en effet plusieurs aspects de la musique de Gluck, et puisque les lettres de l'»Anonyme« ne le feront pas changer d'avis sur les points qu'il ne trouvait pas bons.

Chose très curieuse, les deux protagonistes regrettaient de servir d'instruments à la discorde que cette guerre introduisait dans le monde et même parmi ceux qui étaient étroitement liés.

> Vous allez voir pour des chansons, disait l'»Anonyme«, les amis se refroidir, les sociétés se diviser, les haines s'allumer. Le public y gagnera peut-être, car les querelles l'amusent, & tout ce qui porte son attention & excite sa curiosité sur un objet, sert à l'éclairer; mais les acteurs de ces querelles y perdront la décence, la paix & le fruit qu'ils auroient pu retirer de leur union.[99]

La Harpe, de son côté, exprimait sa désapprobation de cet antagonisme établi même entre amis intimes.

> J'ai fort désapprouvé, je l'avoue, les invectives journalières que tous deux [Arnaud et Suard] y faisaient insérer contre un de leurs confrères, et il n'en a pas fallu davantage pour me brouiller avec tous les deux, ce qui m'a fait d'autant plus de peine qu'ils m'avaient donné jusque-là toute sorte de marques d'amitié. Mais ils n'ont pu me pardonner d'avoir pris le parti de Marmontel avec qui je n'étais point lié... Il a fallu toute l'intolérance de leur despotisme pour me forcer à m'éloigner d'eux, après avoir vécu longtemps dans leur société que j'aimais, et dont je n'avais qu'à me louer.[100]

---

[94] *Journal de politique et de littérature*, 25 mars 1777, I, 420—21.
[95] *Ibid.*, 421.
[96] *Journal de Paris*, 28 mars 1777, p. 2.
[97] *Ibid.*, 3.
[98] *Ibid.*, 29 mars, pp. 2—4; 5 avril, pp. 1—3; 7 avril, pp. 1—3.
[99] *Ibid.*, 7 avril 1777, p. 2.
[100] *Œuvres diverses* X, 482.

Mais les passions étaient trop échauffées et la lutte, malgré l'accalmie du moment, allait reprendre au mois d'octobre. La Harpe rendant compte d'*Armide*, nouvel opéra de Gluck, le censura sévèrement en répétant encore une fois des observations critiques sur la musique de ce compositeur. Il trouvait »l'effet de cette première représentation [d'*Armide*]... très-médiocre.«[101] Il reprochait à l'ouvrage de Gluck le manque de mélodie et de chant, aussi bien que la surabondance de récitatifs: »Le rôle d'Armide est presque d'un bout à l'autre une criaillerie monotone & fatiguante. Le Musicien en a fait une Médée, & a oublié qu'Armide est une Enchanteresse & non pas une Sorcière.«[102] Par contre il louait *Orphée* qui témoigne du génie du compositeur, mais voulait regarder cet opéra comme une exception: »M. Gluk est, sans doute, un homme de génie, puisqu'il a fait *Orphée*, & dans ses autres Opéras, plusieurs morceaux dignes de son *Orphée*.«[103] La Harpe assurait que l'opéra italien manquait d'unité; que l'opéra français souffrait de l'excès de ballet, défauts que Gluck avait corrigés.[103] Mais Gluck se propose, à ce que pense La Harpe, de proscrire le chant comme contraire à la nature du dialogue, à la marche des scènes et à l'ensemble de l'action. Notre critique conclut son article en disant à Gluck:

> Je me tiens à votre *Orphée*. Il vous a plû depuis ce temps de ne plus faire de chant, que le moins que vous avez pu. Vous avez laissé là ce plan vraiment lyrique d'un Drame coupé par des airs, que vous nous avez enseigné vous même. Vous êtes revenu à *Armide* qui est un fort beau Poëme, & un mauvais Opéra, pour établir le règne de votre *Mélopée*, soutenue de vos Chœurs & de votre Orchestre. J'admire vos Chœurs, les ressources de votre harmonie. Je voudrois que votre *Mélopée* fût plus prosodique & plus adaptée à la phrase Françoise; qu'elle fût moins hachée & moins bruyante, & sur-tout je voudrois des airs. Car j'aime la Musique que l'on chante & les vers qu'on retient.[104]

Malgré ses vues si contraires à celles des amis de Gluck, La Harpe espère »qu'ils pardonneront à mon ignorance, & qu'ils se contenteront de me regarder comme un errant... dont l'hérésie n'est pas dangereuse.«[105] En effet, ajoute-t-il, »de quelque manière qu'on s'y prenne pour me combattre, je suis bien sûr qu'on ne m'engagera pas dans une guerre, & que ceux à qui il prendrait envie de la faire, la feront tout seuls.«[106] Pourtant le cessez-le-feu dépend autant, sinon plus, de l'ennemi. Gluck, très fâché, ne voulut pas passer outre à cette critique, mais répondit par une lettre sarcastique: »... j'ai été confondu en voyant que vous... aviez plus appris sur mon Art en quelques heures de réflexion, que moi après l'avoir pratiqué pendant quarante ans. Vous me prouvez, Monsieur, qu'il suffit d'être homme de Lettres pour parler de tout.«[107] Il prétend être d'accord avec La Harpe sur le mérite d'*Orphée*, et s'excuse auprès du

---

[101] *Journal de politique et de littérature*, 5 octobre 1777, III, 163.
[102] *Ibid.*, 165.
[103] *Ibid.*, 166.
[104] *Ibid.*, 169—70.
[105] *Ibid.*, 170.
[106] *Ibid.*, 166.
[107] *Journal de Paris*, 12 octobre 1777, p. 2.

> Dieu du goût [La Harpe] d'avoir *assourdi* mes Auditeurs par mes autres *Opéra*; le nombre de leurs représentations, & les applau-dissemens que le Public a bien voulu leur donner, ne m'empêchent pas de voir qu'ils sont pitoyables; j'en suis si convaincu que je veux les refaire de nouveau; & comme je vois que vous êtes pour la musique tendre, je veux mettre dans la bouche d'Achille furieux, un chant si touchant & si doux, que tous les Spectateurs en seront attendris jusqu'aux larmes.[108]

Gluck ne se contenta pas de cette réplique. Il écrivit une autre lettre où il appelait l'»Anonyme de Vaugirard« à son secours. Il conteste le succès des journalistes quand ils écrivent sur ces matières,

> car si je dois juger par l'accueil que le Public a eu la bonté de faire à mes ouvrages, ce Public ne tient pas un grand compte de leurs frases(sic) [des journalistes] & de leur opinion. Mais que pensez-vous, Monsieur, de la nouvelle sortie qu'un d'eux, M. de la Harpe, vient de faire contre moi? C'est un plaisant docteur que ce M. de la Harpe; il parle de la musique d'une manière à faire hausser les épaules à tous les enfans de chœur de l'Europe, & et il dit *je veux*, & il dit *ma doctrine*. . . . Est-ce que vous ne lui dites pas un petit mot, Monsieur, vous qui m'avez défendu contre lui avec un avantage si grand?[109]

Enfin, le compositeur allemand voulait que son défenseur montre comment »parmi les Gens de lettres en France il y en a qui en parlant des Arts, savent du moins ce qu'ils disent.«[110]

Malgré la décision annoncée de ne pas continuer la querelle, La Harpe ne put se tenir de répondre. Il se prononça cette fois-ci de la manière la plus dédaigneuse sur la musique de Gluck, imaginant ses jugements généralement approuvés par tous les musiciens aussi bien que par tous les amateurs de Paris:

> . . . vous faites entendre à des François accoutumés à la perfection des airs de danse de Rameau, vos petites chansons de guinguette, comme si pour être naturel, agréable & guai, il fallait être plat & commun . . .[111] Je suppose que mes observations [au lieu de faire hausser les épaules] ayent été généralement approuvées de tous les Musiciens et de tous les Amateurs.[112]

Cependant, l'»Anonyme« répondit à l'appel de Gluck, et, sous une forme polie, il examina chaque mot du compte rendu d'*Armide*, argumentant que La Harpe confondait les termes élémentaires de l'art qu'il discutait, tels que le chant et la mélodie, l'air et le chant mesuré, l'harmonie et l'accompagne-ment, qu'il confondait avec toute musique d'orchestre.[113] De plus, il l'accuse d'avoir fait son compte rendu d'*Armide* sans avoir vu cet opéra. Si La Harpe annonçait seulement cet opéra, pense l'»Anonyme«,

> ses Lecteurs le dispenseroient de leur dire ce qu'il pense. On n'est jamais obligé, insiste l'»Anonyme«, de juger ce qu'on n'entend

[108] *Journal de Paris*, 12 octobre 1777, p. 2.
[109] *Ibid.*, 21 octobre 1777, pp. 2—3.
[110] *Ibid.*, p. 3.
[111] *Journal de politique et de littérature*, 25 octobre 1777, III, 260.
[112] *Ibid.*, 264.
[113] *Journal de Paris*, 24 octobre 1777, p. 2.

pas...[114] Un homme de Lettres d'un talent aussi distingué peut bien, sans compromettre sa réputation, se tromper sur la mélodie & le chant mesuré; mais il ne lui est pas permis de se tromper sur ce qu'on doit à la vérité & au génie; M. de la Harpe s'en est trop écarté dans l'annonce d'*Armide*, & quand on sait qu'il a rendu compte de la première Représentation sans l'avoir vue, il est difficile de croire que ce soit l'amour pur de l'Art qui a conduit sa plume.[115]

Il n'était plus possible pour La Harpe d'abandonner la lutte après une pareille attaque. Il écrivit une réponse mesurée et logique, appuyée sur les précisions que lui offrait le *Dictionnaire de musique* de Rousseau, plaidant pour la tolérance et proclamant une fois de plus que la dispute, quant à lui, était close.

Je crois avoir conduit la question au point ou il serait inutile d'écrire davantage, & où elle ne peut plus être décidée que par le tems & le témoignage du Public. ...Je souhaite, en finissant que cette dispute, qui n'a pour objet que le progrès des Arts & la perfection de nos plaisirs, ne devienne pas de plus en plus une affaire de parti, un signal de guerre, & un sujet de scandale parmi ceux qui cultivent les lettres, & qui aiment les beaux Arts; que ceux qui admirent tout dans Gluk ne regardent pas comme des ennemis ceux qui préfèrent une autre Musique, ...se tolèrent & se pardonnent comme ceux qui ne pensent pas de même en Métaphysique & en Chymie.[116]

L'»Anonyme de Vaugirard« voulait avoir le dernier mot dans cette lutte, et mettre les rieurs de son côté,[117] ce qui n'était pas trop difficile avec La Harpe, qui s'était fait une foule d'ennemis. Cependant, notre critique essayait d'être aussi impartial que possible dans cette querelle et regrettait sincèrement la brouillerie avec ses amis intimes et la division des académiciens à ce sujet. Aussi ne voulait-il pas qu'on écrivit à propos de cette dispute sous l'anonymat dans son journal: »...comme cette querelle de musique m'a déjà attiré des tracasseries et que je suis intimement lié avec ceux dont vous attaquez l'opinion,« disait-il à la fin de septembre 1777 à Ginguené, »je vous prie ... pour l'acquit de ma conscience de mettre votre nom au bas de votre lettre.«[118] Au grand duc de Russie, il avoua également qu'il voyait »avec un vrai chagrin que cette misérable querelle sur la musique a divisé l'académie où régnaient jusque-là l'union et la paix.«[119] Son impartialité se manifeste encore mieux dans le compte rendu de *Roland* de Piccini, au début de 1778. Il y admet qu'on trouve de la beauté dans les deux genres de musique et qu'il faut encourager la diversitè plutôt que la supprimer.

Je suis loin d'ailleurs de conclure rien du grand succès de *Roland*, contre la musique de Gluck. Je laisse cette logique à l'esprit de parti. Je conclus seulement qu'une musique toute différente de la sienne peut être excellente, et faire *sur le Théâtre*, un très-grand

---

[114] *Ibid.*, 23 octobre 1777, p. 5; cet article continue dans les numéros des 24, pp. 2—5; 25, pp. 2—5 et 26 octobre pp. 3—5.

[115] *Ibid.*, 25 octobre 1777, p. 4.

[116] *Journal de politique et de littérature*, 5 novembre 1777, III, 310.

[117] Desnoiresterres, *La musique française au XVIII* siècle, pp. 213—14.

[118] A. Jovicevich, »Thirteen Additional Letters of La Harpe,« dans *Studies on Voltaire and the Eighteenth Century*, LXVII, 218.

[119] *Œuvres diverses*, X, 481.

plaisir. ... Plus il y aura d'Artistes dont la manière sera différente, plus nous devons espérer de jouissances diverses. Si nous réunissons sur notre Théâtre l'harmonie Allemande, la mélodie Italienne, et la danse Françoise, tant mieux pour nous. Jouissons de tout, et n'excluons rien.[120]

L'idée de Bachaumont, énoncée en octobre 1779, que La Harpe devint partisan de Piccini, parce que Suard, [l'Anonyme de Vaugirard], avait découvert qu'il avait une affaire avec Amélie Suard,[121] ne tient pas debout, comme le prouve leur correspondace peu après cette date.[122]

En 1777, les *Œuvres de La Harpe revues et corrigées par l'auteur*, en trois volumes, parurent à Yverdon, en Suisse. Voltaire en parlait déjà en 1776: »Je crois qu'on fait actuellement à Lausanne un recueil de tout ce qu'on a pu rassembler de vos ouvrages. Ce sera un livre qui me sera cher et que je lirai bien souvent.«[123] Cette édition contenait des morceaux qui attaquent le clergé, tel le *Camaldule*, et c'est une des raisons de la prédilection du patriarche. Quant à La Harpe lui-même, il voulait être certain qu'on ne réimprimerait pas »ses essais de jeunesse,« *Timoléon* en particulier: »Tout ce que j'ose vous demander, messieurs,« disait-il à ses éditeurs,

c'est de ne pas me traiter, comme les éditeurs traitent les écrivains morts, dont ils ne manquent pas de réimprimer toutes les sottises comme si ce n'est pas assez d'avoir tort une fois. ... Je vous demande grace pour quelques essais de jeunesse que je travaille tous les jours à faire oublier. ... Ne réimprimez point *Timoléon* ... un sujet mal choisi, qui n'était point fait pour la scène française ...[124]

Les vœux que, lors de sa réception à l'Académie, La Harpe avait formulés pour le retour de Voltaire à Paris, se réalisèrent en février 1778. On sait le caractère triomphal que prit ce retour. L'assiduité de La Harpe auprès du grand homme, dont il se croyait le favori, fut remarquée. Il improvisa un poème en l'honneur du patriarche, lors de la visite à Voltaire de la duchesse de Lauzun, de la comtesse de Boufflers et de Mme de Villette.[125] A en croire Bachaumont, La Harpe nuisait même à Voltaire en lui lisant ses compositions, qui, au lieu d'égayer le malade, le fatiguèrent à tel point que le docteur Tronchin défendit »qu'on le laissât parler à personne.«[126] Ces lectures provoquèrent, disait Métra, des commentaires peu flatteurs pour La Harpe. Ainsi, une lecture de sa traduction de la *Pharsale*, dont Bachaumont parlait aussi, fait dire à l'auteur de la *Correspondance secrète* qu'on devrait demander la croix de Saint Louis pour Voltaire, qui en écoutait la lecture en crachant du sang: »*Eh oui, dit-il, la croix de St. Louis, pour ce pauvre Voltaire qui perd son sang & qui soutient avec tant de courage cette cruelle bataille de Pharsale.*«[127] Une raison plus sérieuse de déception pour La Harpe

[120] *Journal de politique et de littérature*, 5 février 1778, I, 175.
[121] *Mémoires secrets*, XIV, 208.
[122] A. Jovicevich, »Thirteen Additional Letters of La Harpe,« *Studies on Voltaire ...*, LXVII, 212—13 et 220—21.
[123] *Voltaire's Correspondence*, XCIV, 106.
[124] *Œuvres de La Harpe ...*, »Avis aux Editeurs,« pp. III—IV.
[125] *Œuvres diverses*, XI, 33—34.
[126] *Mémoires secrets*, XI, 132.
[127] *Correspondance secrète*, VI, 300.

furent les commentaires de Voltaire sur les *Barmécides,* lorsqu'il les lisait au grand homme, si toutefois les choses se sont passées comme l'allègue Métra.[128] On l'a vu plus haut, Voltaire avait espéré beaucoup que cette pièce réussisse. Il l'attendait, disait-il, »comme on attend du vin de Champagne dans un pays où l'on ne boit que du vin de Brie.«[129]

La Harpe lisait sa pièce depuis quelque temps, mais il n'en avait pas envoyé de copie à Voltaire. On dit que, cette fois-ci, Voltaire insista pour que La Harpe la lui lût. Après avoir allégué l'état du patriarche, trop faible pour »supporter de fortes sensations . . . le *Fameux critique* fut décidé à obéir: le malin hermite écoutoit avec attention: tantôt il bailloit, & tantôt il souriot. Quand l'écrivain tragique eut fini de lire: *Cette pièce,* dit-il, *est un Roman invraisemblable où il se trouve quelques beaux vers déplacés.*«[130]

Aucun aveu personnel ne permet de conclure que La Harpe fut mécontent de la manière dont Voltaire le reçut. Il se dégage même de l'enthousiasme de ses lettres au grand duc.

> Je ne l'avais point vu depuis dix ans, disait La Harpe, et je ne l'ai trouvé ni changé ni vieilli. Lui-même nous a lu le cinquième acte de sa tragédie [*Irène*]; il est encore tout plein de vie; son esprit, sa mémoire, n'ont rien perdu. . . . On ne sait pas encore quelle espèce de triomphe on lui décernera; pour moi, je voudrais qu'il fût couronné sur le théâtre. Peut-on accumuler trop d'honneurs et de jouissances sur les derniers jours d'un grand homme qui a tant de fois charmé la nation?[131]

Malheureusement, ce séjour tumultueux dans la capitale abrégea la vie de Voltaire. Il y décéda le 30 mai 1778. Le gouvernement défendit toute mention en public de son nom et de ses œuvres. En juillet, La Harpe rendait compte d'une représentation de *Bajazet,* qui le conduisit à dire, par inattention ou par oubli probablement, que Voltaire avait entrepris de traiter un thème semblable, et qu'il échoua dans *Zulime.* Voltaire regardait avec admiration le rôle d'Acomat, disait La Harpe dans cet article,

> mais en même temps il voyoit avec la sévérité d'un Maître de l'art, tous les défauts de la pièce. . . . Il observoit que le dénouement de Bajazet est froid, malgré les meurtres qui se multiplient. Ce furent toutes ses raisons qui l'enhardirent vers l'an 1740 à traiter dans *Zulime* un sujet à-peu-près semblable à celui de Bajazet. Mais jamais tentative ne fut plus malheureuse. Il y a dans le rôle de Zulime quelques traits de passion; mais d'ailleurs la pièce manque à la fois par l'intrigue qui est froide & embrouillée, & par le style qui n'est pas celui de Voltaire. . . . C'est donc une terrible entreprise que de refaire une pièce de Racine même quand Racine n'a pas très-bien fait![132]

Il n'y a aucune erreur intrinsèque dans ces observations, ce qui est condamnable c'est le moment où elles furent prononcées. Les ennemis nom-

---

[128] *Ibid.,* 143.
[129] *Voltaire's Correspondence,* LXXXIII, 52.
[130] *Correspondance secrète,* VI, 143.
[131] *Œuvres diverses,* XI, 15.
[132] *Mercure,* 5 juillet 1778, pp. 67—68; ce journal avait fusionné avec le *Journal de politique et de littérature* en juin, voir la note, *Mercure,* juin 1778, pp. 3—5.

breux de La Harpe n'attendaient qu'une faute pareille pour se déchaîner contre lui. Ainsi le marquis de Villevieille écrivit, et publia, une lettre à Panckoucke, où il protestait contre la critique dure et amère de la pièce de Voltaire. Mais c'était surtout la forme et la manière de cette lettre qui devaient blesser celui qui en était le but. L'épistolier prétendait ne pas connaître l'auteur de l'article en question, mais disait que certainement un tel article ne pouvait pas sortir de la plume de quelqu'un qui était endetté envers le patriarche, et reprochait à Panckoucke et à La Harpe de ne pas avoir empêché qu'il paraisse dans leur journal. Dans chaque paragraphe pourtant on pouvait clairement relever des données biographiques désignant La Harpe: »Votre Rédacteur [de cet article]... n'a pas sans doute les mêmes raisons [que l'auteur de cette lettre] de regretter ce grand homme; il n'a pas été reçu avec la même bonté [que l'épistolier] dans le Château de Ferney, il n'y a point passé des années entières; M. de Voltaire lui est indifférent, & il ne doit rien à sa mémoire.«[133] Et si l'on allait croire qu'il n'y a jamais eu de tentative plus malheureuse pour développer un sujet déjà traité par un prédécesseur, »cela n'est point exact«, disait cette lettre; »j'ai ouï dire que le Gustave qu'un jeune homme a voulu substituer au Gustave de Piron, avoit été plus mal reçu que Zulime; que Pharamond, Timoléon, avoient eu moins de succès que Zulime. Il y a donc eu des tentatives plus malheureuses?«[134] Pourquoi l'auteur de l'article du *Mercure* parlait-il de *Zulime*, quand on avait joué *Bajazet*, et ne parlait-il pas de *Tancrède* que l'on avait joué aussi, demande l'épistolier. Le critique de Voltaire »n'ayant jamais loué M. de Voltaire pendant sa vie, n'ayant point fait profession d'être son admirateur & son ami... ne lui devoit aucun ménagement,«[135] mais Panckoucke et La Harpe sont à blâmer d'avoir laissé imprimer cet article, même s'ils ont voulu être impartiaux dans l'accommodement des articles dans leur journal. La lettre continue, faisant toujours allusion à La Harpe, en racontant une anecdote sur Alexandre Pope, où un de ses amis, un jeune poète, rencontrant quelqu'un qui le connaissait comme ami de Pope, avec un manuscrit sous le bras, s'entend demander ce qu'il tenait ainsi et répond:

> c'est une critique de quelques ouvrages de Pope que je vais donner dans le London-Magazine... je vous croyais de ses amis, ne vous ai-je pas vu lui baiser la main & l'appeller votre pere? Cela est vrai... je le voyois beaucoup, je le louois davantage, mais il ne m'a rien laissé par son testament & je me paye de mon legs en vendant aux Journaux des Remarques critiques sur ses Œuvres.[135]

N'est-ce pas être ingrat, lui demande l'autre? »Point du tout... il [Pope] a laissé entrevoir qu'il ne me croyait pas un grand Poëte; ce sont là de ces injures qu'on ne pardonne point & qui dispensent de toute reconnoissance.«[135] La Harpe répondit aussitôt par une lettre où il exprime son indignation contre »la malignité si réfléchie,« mais non sans commettre une autre imprudence en disant que »l'Auteur de Zaïre & de la Henriade, mort à 84 ans après tant de chef-d'œuvres & tant de gloire, est pour moi ce qu'il doit être déjà

---

[133] *Journal de Paris*, 10 juillet 1778, p. 761.
[134] *Ibid.*, p. 762.
[135] *Ibid.*, p. 763. Cette anecdote sur Pope fut reproduite par ce même journal du 9 juin 1801 (11 prairial an IX), p. 1516.

pour tous les Amateurs des Lettres, un classique, un ancien.«[136] Le marquis de Villevieille ne laissa pas échapper cette occasion de continuer ses attaques, feignant toujours de ne pas croire que c'était La Harpe qui avait fait la critique de la pièce de Voltaire:

> ...en vain même s'enavoueroit-il l'Auteur, je ne le croirois point; M. de Voltaire a été son bienfaiteur & son ami, donc la première page où il a parlé de lui après sa mort n'a point été une critique. Ce raisonnnement me paroît une démonstration si convaincante que je verrois la signature de M. de la Harpe au bas de l'article du Mercure, que je ne l'en croirois point coupable.[137]

Tandis que les autres gens de lettres trouvent le moyen de témoigner leur admiration et leur reconnaissance envers le grand homme, poursuit cet article, »il est impossible que M. de la Harpe, disciple... de Voltaire, ait cru qu'une critique de Zulime fût tout le tribut qu'il devoit à la mémoire de ce grand homme.«[137] Ce second article s'étonne de ce que La Harpe disait:

> qu'il regarde M. de Voltaire *comme un ancien*. Il est heureux pour lui qu'un mois après la mort de son bienfaiteur, de son ami, ce bienfaiteur, cet ami ne soit plus pour lui qu'un homme mort il y a deux siècles; cette manière de sentir est malheureusement très-commune; mais il y a un courage peu commun à l'avouer si publiquement.[137]

La Harpe publia sa défense détaillée le 15 juillet; il y passa en revue ses relations avec Voltaire pendant le quinze dernières années, qui furent des années d'amitié sincère, sans flatterie quelconque.

> J'ai été quinze ans attaché à M. de Voltaire, d'abord par l'admiration que m'inspiroient ses ouvrages, ensuite par la reconnoissance que je devois à un grand homme qui me combloit de ses bontés. J'ai été honoré du titre de son ami; je me suis fait une gloire de défendre la sienne. L'on m'a vu verser des larmes à son triomphe, qui a été celui du génie; & ce qu'il m'est doux de pouvoir me dire à moi-même, c'est que je n'ai pas imprimé une ligne à sa louange, qui ne fût l'expression de ma pensée.[138]

En continuant cet article, La Harpe répète qu'il avait parlé de Voltaire en tant que classique, qu'il s'était intéressé à »l'homme qui ne mourra point,«[139] puisqu'il ne pouvait pas parler de lui à ce moment-là d'aucune autre façon. Cependant, il admettait avoir eu tort en critiquant *Zulime* et offrait comme excuse le fait qu'il était surchargé de travaux:

> ...le hasard a voulu que la première fois que j'ai eu à parler de lui, depuis que les Lettres l'ont perdu, j'ai fait mention d'un Ouvrage que lui-même n'estimoit pas. C'étoit un défaut de convenance, un oubli qui paroîtra peut être excusable dans un homme préoccupé de tant d'objets différens & surchargé de travaux. Mais enfin c'étoit un tort, & si on l'eût simplement relevé, j'en serois convenu.[140]

---

[136] *Ibid.*, 11 juillet 1778, p. 766.
[137] *Ibid.*, 14 juillet 1778, p. 779.
[138] *Mercure*, 15 juillet 1778, pp. 178—79.
[139] *Ibid.*, p. 179.
[140] *Ibid.*, p. 180.

Il attribue à la haine et à la jalousie la façon dont on s'y est pris pour le critiquer, mais il fait preuve d'un excès de vanité et de morgue en parlant de lui-même:

> ...l'esprit des Intrigans, des hommes intéressés à me nuire, parce qu'ils haïssent tout ce qui a le caractère de la franchise, de la droiture & de la fermeté, des hommes qu'on ne rencontre point dans la carrière de la gloire... qui parviennent aux grâces & aux récommpenses par des routes obliques & des sentiers ténébreux; ces ennemis des Lettres, les plus dangereux de tous...,[140] ceux qui m'attribuent des intérêts [matériels]... sont loin de connoître l'enthousiasme de la gloire & des talens.[141]

La Harpe adoptant la stratégie de ses adversaires, fit semblant de ne pas croire que la lettre fût écrite par le marquis de Villevieille, qu'il comptait, disait-il, parmi ses amis et avec qui il avait dîné le 7 juillet chez la marquise de Villette.[142] Mais sa défense ne convainquit pas beaucoup de monde. La Harpe souffrait de ce qu'on connaît dans le jargon politique de nos jours, aux Etats-Unis, sous le nom de »credibility gap.« Grimm parle de »l'indignation de tous les vrais amis de M. de Voltaire,«[143] provoquée par des propos sans respect pour le grand homme que La Harpe se permettait en public. En plus, »ce qui a mis le comble à leur ressentiment, c'est l'indiscrétion, la bassesse avec laquelle il s'est permis de faire dans son *Mercure* une critique fort impertinente du plus faible ouvrage de M. de Voltaire, *Zulime*.«[144] Tout cela a été causé, à en croire Grimm, par des remarques que Voltaire fit sur la pièce des *Barmécides*, que La Harpe lut au patriarche à Paris: »Mon ami, cela ne vaut rien: [est supposé avoir dit Voltaire], c'est un conte déplorable où l'on trouve par-ci par-là quelques beaux vers, mais qu'il faut ôter parce qu'ils sont déplacés, parce qu'ils détruisent tout le reste. Jamais la tragédie ne passera par ce chemin-là...«[145]

Quand on connaît le caractère extrêmement vain et irascible de notre homme, surtout lorsqu'on critique ses ouvrages, et quand on relit ses lettres au grand duc en ce qui concerne Voltaire, on est bien tenté de le croire capable des »propos sans respect« dont parle Grimm. Et cela même si le patriarche n'avait jamais critiqué aucun écrit de son jeune disciple. Celui-ci raconte à son patron russe l'anecdote selon laquelle Voltaire, avide de gloire, avait envoyé une pièce au concours de l'Académie sous le nom du marquis de Villette; cette pièce était jugée très faible, mais le fait montre, disait La Harpe, l'»avidité de gloire [de la part de Voltaire], de venir à cet âge disputer le prix de l'académie aux jeunes poëtes! Ce trait, peut-être unique, affirmait La Harpe, peint bien le caractère de cet homme en qui tout a été un excès, et sur-tout l'amour de la gloire.«[146] Il lui reproche le manque de mesure, voire sa sénilité. Voltaire aurait dû, selon La Harpe, s'abstenir à son âge avancé d'écrire pour le public. Presque dès le début de sa correspondance avec le grand duc, il attribuait les ouvrages faibles de Voltaire à la faiblesse de son âge. En citant quelques vers de l'une des tragédies du patriarche:

---

[140] *Mercure*, 5 juillet 1778, p. 180.
[141] *Ibid.*, p. 185.
[142] *Ibid.*, p. 182.
[143] *Correspondance littéraire*, XII, 122.
[144] *Ibid.*, 122—23.
[145] *Ibid.*, 122.
[146] *Œuvres diverses*, XI, 72.

> Ah! que nos derniers jours sont rarement sereins!
> Que tout sert à ternir notre grandeur première,
> Et qu'avec amertume on finit sa carrière![147]

Le Harpe voyait que Voltaire »faisait un triste retour sur lui-même. Tous ses amis gémissent, continue-t-il, de voir la vieillesse d'un grand homme entasser autant de mauvais ouvrages que les belles années de sa force en ont produits d'excellents.[147] ... Il serait à souhaiter que la postérité pardonnât à la tête la plus dramatique qui ait existé, cette ambition déplorable de faire des tragédies jusqu'au dernier soupir.«[148]

Sa polémique avec le marquis de Villevieille et le *Journal de Paris* commença la veille de la première représentation des *Barmécides*, qui eut lieu le 11 juillet 1778 à la Comédie française.[149] Il avait continué à lire cette pièce dans les salons depuis sa rédaction en 1773,[150] et Bachaumont en rapportait la lecture en janvier 1778 chez le banquier le Coulteux de Molé, où »le poëte a fait une grande sensation: plusieurs philosophes présents ont été attendris jusqu'aux larmes.«[151]

Le sujet de la pièce est emprunté à l'histoire arabe. Les Barmécides sont une famille de vizirs célèbres sous plusieurs califes de Bagdad. Il s'agit dans cette pièce de Giafar, favori d'Haroun al-Rachid, qui tomba en disgrâce et fut mis à mort en 803. La Harpe se permit la liberté d'imaginer toute son histoire à sa façon, excepté »l'amitié du calife pour son ministre, le mariage du Barmécide, sa proscription, son caractère et celui d'Aaron.«[152] A la représentation de la pièce ont fait beaucoup de bruit, selon Grimm, le comte Chouvalov et les partisans de Piccini en faveur de la pièce, et contre elle la cabale ennemie, mais »les *Barmécides*,« à en croire cette même source,

> ...n'ont eu qu'un succès fort douteux. On y a applaudi de beaux vers et la plus grande partie du cinquième acte... il manquait à cette pièce... de la sensibilité et de l'intérêt. Il y avait... deux cabales très-marquées; mais celle qui favorisait l'auteur était sûrement la plus nombreuse ou du moins la plus bruyante. Dans ce dernier parti, personne ne s'est distingué avec plus d'éclat que M. le comte de Schouwalof... vivement soutenu par le parti de la musique italienne...[153]

A en croire un article de La Harpe,[154] il était satisfait du succès de la première représentation, lorsque, en qualité de journaliste, il en rendit compte, car il disait qu'à l'exception de quelque longueur au troisième acte la pièce a »reçu de très-grands applaudissemens.«[155] La cabale s'agitait pour nuire, affirme cet article, jusqu'au cinquième acte: »Mais au cinquième Acte la cabale n'a pas même été entendue. Le succès a été complet.«[155] En revanche le *Journal de Paris*, qui relève dans ce même cinquième acte »des beautés

---

[147] *Ibid.*, X, 95.
[148] *Ibid.*
[149] Joannidès, *La Comédie-Française* ...
[150] *Supra*, p. 78.
[151] *Mémoires secrets*, XI, 76.
[152] *Œuvres diverses*, II, 118.
[153] *Correspondance littéraire*, XII, 124.
[154] *Mercure*, 15 juillet 1778, pp. 189—91.
[155] *Ibid.*, p. 190.

réelles«, trouve que le reste de la pièce, à l'exception de beautés stylistiques, »manque d'intérêt.« »L'action est faible et traînante, et tout le quatrième Acte n'existe qu'aux dépens du troisième.«[156] En guise de conclusion, on remarque de grandes ressemblances entre *Cinna* de Corneille et les *Barmécides*, mais avec tous les avantages pour la pièce de Corneille, et pour rappeler la critique de La Harpe de *Zulime*, on termine ce compte rendu en disant: »*C'est une terrible entreprise que de refaire une Pièce* de Corneille, *surtout quand* Corneille *a très-bien fait.*«[156]

La représentation des *Barmécides* occasionna une satire,[157] et une parodie, la *Complainte des Barmécides*, jouée dans le »Théâtre des grands danseurs du roi,« connu aussi sous le nom de »Théâtre de Nicolet.«[158] »Cette facétie finit, disait Grimm, comme la tragédie, par le spectacle de la tombe d'Aménor, où, après beaucoup d'autres lazzis, on jette tout ce qu'il y a sur le théâtre, et enfin une harpe.«[159] Bachaumont disait pour cette parodie »que depuis la comédie des *Philosophes* & celle de l'*Ecossaise* on n'a pas vu au théâtre rien d'aussi licencieux.«[160] Grimm disait également que l'on vendait dans les boutiques à la Foire des »cannes à la Barmécide,« qui, quand on appuyait sur la pomme, sifflaient.[161]

La pièce eut onze représentations, mais le public y fut peu nombreux, au dire de Bachaumont, et seule, la »bonhommie« de Chouvalov empêcha la pièce de tomber dans les règles, car il »avoit la bonhommie à chaque fois où la recette au dessous de 800 livres menaçoit le poëte de voir les *Barmécides* tomber dans les regles, d'envoyer un supplément qui prévînt ce malheur.«[162] Selon cette même source »les onze Représentations de sa tragédie n'ont produit qu'environ 14000 livres de recette; c'est que l'avant-dernière représentation n'a pas monté à 800 livres & la dernière à 900 livres.«[163] La Harpe accusait l'excessive chaleur de la saison et la cabale de ses ennemis d'éloigner les spectateurs du théâtre.[164] Mais l'auteur voyait une preuve de la réussite de sa pièce dans »les *complaintes*, les *satyres*, les *farces*, etc., [qui] prouvent le succès & ne le troublent pas.«[165]

Le *Journal de Paris* contestait ces deux arguments, alléguant que la même chaleur, quoique excessive, n'empêchait pas les gens d'aller à la comédie italienne, par exemple. Quant à la cabale, elle ne se trouvait pas au »Parterre, siège ordinaire de la cabale; on a remarqué qu'ils [ses ennemis] avoient tous choisi des places où l'on ne cabale point... Pour le Parterre, les amis de l'Auteur y étoient beaucoup plus nombreux, y faisoient infiniment plus de bruit que les spectateurs mal intentionnés...«[166] La correspondance de Métra rapporte à ses lecteurs un échange de billets injurieux entre La Harpe et les rédacteurs du *Journal de Paris* comme suite à la critique dans ce journal de la pièce de La Harpe. Il y a une lettre insultante de l'auteur des *Barmécides*

---

[156] *Journal de Paris*, 12 juillet 1778, p. 771.
[157] *Ibid.*, 17 juillet 1778, pp. 789—91.
[158] Grimm, *Correspondance littéraire*, XII, 166.
[159] *Ibid.*, 166—67.
[160] *Mémoires secrets*, XII, 73.
[161] *Correspondance littéraire*, XII, 167.
[162] *Mémoires secrets*, XII, 72.
[163] *Ibid.*, 97.
[164] *Mercure*, 25 juillet 1778, p. 309.
[165] *Ibid.*, 5 août 1778, pp. 67—68.
[166] *Journal de Paris*, 30 août 1778, p. 966.

où il appelle Sautereau de Marsy un »écrivailleur« qui ose »juger un homme tel que moi.«[167] Il y menace ce journaliste et y nomme encore Louis-Claude Cadet de Gassicourt, aussi bien que Louis d'Ussieux, dont il dit que »son nom n'est connu qu'au carcan.«[168] Celui-ci s'est plaint à la police, et La Harpe s'est rétracté disant que son copiste avait mis »carcan« au lieu de »caveau.«[168] Bachaumont affirmait, aussi bien que Métra,[169] que »l'affaire alloit devenir très-sérieuse, lorsque l'académie Françoise, instruite à quel point ce membre s'étoit compromis, l'a menacé de le rayer s'il n'étouffoit ce procès par les réparations convenables.«[170]

Au mois d'octobre 1778, éclate une altercation entre La Harpe et le *Courrier de l'Europe*. Métra maintient que La Harpe avait envoyé une provocation en duel au rédacteur du *Courrier de l'Europe*;[171] que le rédacteur »en a fait voir tout le ridicule en lui [à La Harpe] donnant le choix des armes depuis *l'épingle jusqu'au canon*. Il a ajouté que, ne pouvant faire de lui un soldat, il en feroit un tambour.«[172] On a fait de cette affaire »un mauvais calembour,« selon Grimm, où le »jeune académicien...est représenté dans une posture fort ridicule, entouré de quatre estafiers qui l'assomment de coups de bâton, et au bas de l'estampe on lit...*Accompagnement pour la harpe.*«[173]

Une lettre écrite au mois d'août 1778 à Dureau de la Malle montre La Harpe bien découragé: »Je ne manque point de courage pour travailler et pour corriger. Mais je vous avouerai, avec toute la franchise de l'amitié qui s'épanche, que je crains d'en manquer contre la persécution que j'éprouve, et dont il n'y eut jamais d'exemple.«[174] Il dit dans cette lettre que, s'il n'était pas marié, il partirait à l'étranger: »Mon grand malheur est d'être marié. Sans cela, il y a long-temps que je me serais dérobé à la fureur de mes ennemis. J'aurais été chez l'Etranger jouir de la considération et des avantages qu'on m'y présente...«[175] Bachaumont rapporte cette même situation en disant que La Harpe, »excédé des querelles qu'il s'attire ici avec tout le monde, paroît tenté d'y faire diversion par un voyage en Russie,«[176] tandis que Métra assure que »l'Impératrice de Russie n'a pas témoigné assez d'envie de voir notre petit *la Harpe* pour le déterminer à affliger la France de sa perte.«[177] Quel que soit le sentiment de Catherine II, il est pourtant vrai que Chouvalov voyait La Harpe d'un œil favorable, aussi celui-ci lui dédia-t-il ses *Barmécides*. En réponse à cet hommage, le dignitaire russe fit cadeau à l'auteur d' »un très beau diamant de trois ou quatre mille livres.«[178] Les *Barmécides* parurent en effet en 1778 chez Pissot, qui publia à ce moment-là une collection des *Œuvres de M. de La Harpe*, en six volumes. La Harpe connaissait alors toute

---

[167] *Correspondance secrète*, VII, 11—13.
[168] *Ibid.*, 13.
[169] *Ibid.*, 413—15.
[170] *Mémoires secrets*, XII, 132.
[171] *Courrier de l'Europe*, 27 octobre 1778, lettre de La Harpe et la Réponse du Rédacteur, pp. 268—69.
[172] *Correspondance secrète*, VII, 118; ces mots se trouvent dans la *Réponse du Rédacteur, Courrier de l'Europe*, 27 octobre 1778, p. 268.
[173] *Correspondance littéraire*, XII, 172.
[174] J. Delort, *Mes voyages aux environs de Paris*, I, 294.
[175] *Ibid.*, 294—95.
[176] *Mémoires secrets*, XII, 193.
[177] *Correspondance secrète*, VII, 244.
[178] Grimm, *Correspondance littéraire*, XII, 167.

l'étendue de l'aversion dont il était l'objet. Il écrit dans la »Préface« de cette édition: »...je n'ai pas à craindre que la sévérité augmente à mon égard. Je ne puis espérer non plus qu'elle diminue jamais.«[179] Il y parle aussi de ses talents et de l'envie qu'ils provoquent aussi bien que des obstacles qu'il avait à vaincre pour les exercer.

> S'il m'a été donné d'annoncer de bonne heure quelque talent, j'ai été condamné à ne montrer que bien tard ce que je puis en avoir... Quand on combat à la fois la fortune & l'envie, il faut se rendre indépendant de l'une pour parvenir à vaincre l'autre, & souvent même vous êtes arrêté dans votre course...[180]

Peu de gens, en son temps ou depuis, lui ont accordé le génie créateur. Ce qu'il possédait bien, et que presque personne ne lui contestait, c'était un style pur et simple et un goût sûr. C'est sur quoi Grimm mettait l'accent dans le compte rendu de cette édition des *Œuvres... de La Harpe:* »On peut se plaindre du ton de ses critiques; on peut leur reprocher de ne porter presque jamais que sur un seul objet, sur le style; mais on ne peut leur refuser en général le mérite d'un goût sûr et sévère.«[181]

En ce même moment, avril 1779, un article anonyme faisait le panégyrique des talents de La Harpe, en tant qu'auteur et critique littéraire; on y disait que ses talents de critique surtout lui valaient beaucoup d'ennemis.

> La seule remarque que nous oserons nous permettre en cette circonstance, c'est que l'auteur de Warvic et de Mélanie, le Panégyriste de Catinat et de Fénelon, est un des meilleurs écrivains qui restent à notre littérature chancelante... Le grand défaut de M. de La Harpe est d'être né avec un goût fort sévère, et une franchise trop courageuse pour un siècle tel que le nôtre; et le plus grand de ses torts est d'avoir eu trop souvent raison dans ses critiques littéraires. Une multitude d'écrivains médiocres, une multitude encore plus nombreuse d'écrivains détestables, se sont armés contre lui, parce qu'il a su les juger, comme les jugerait la postérité...[182]

Il n'y a presque rien à redire à ce jugement vu le moment où il est prononcé, car des génies du siècle il ne restait alors que Diderot, avec qui La Harpe ne pouvait être comparé ni comme écrivain ni comme critique. Mais le but principal de cet article était probablement autre, car le *Mercure* traversait une crise, sa circulation allait diminuant, et presque tout le monde, y inclus le propriétaire Panckoucke, rejetait la responsabilité de cette situation sur l'impopularité de La Harpe. Déjà Panckoucke avait destitué La Harpe de ses fonctions de rédacteur en chef en le retenant »comme simple coopérateur,« disait Bachaumont.[183] Trois jours plus tard, cette même source disait que La Harpe refusait cet accommodement,[184] et une semaine après on y disait »qu'il [La Harpe] s'est rapatrié avec Panckoucke, & au lieu de 6.000 livres il en aura 3.000 pour présider à la rédaction du *Mercure.*«[185] Sa réputation et

---

[179] *Œuvres de M. de La Harpe*, I, p. V.
[180] *Ibid.*, p. VIII.
[181] *Correspondance littéraire*, XII, 247.
[182] *Mercure*, 25 avril 1779, pp. 55—56.
[183] *Mémoires secrets*, XII, 153—54.
[184] *Ibid.*, 157.
[185] *Ibid.*, 193.

sa popularité, comme il le disait lui-même dans la »Préface« des *Œuvres de M. de La Harpe*, étaient donc au nadir, d'où elles ne pouvaient que monter, et cette montée n'allait pas tarder.

Le revirement de l'opinion a été bien aidé par la représentation des *Muses rivales*, pièce en un acte en hommage à Voltaire, qui fut donnée à la Comédie française le premier février 1779. La pièce fut jouée sous l'anonymat, parce que l'auteur voulait, selon son propre aveu,[186] empêcher qu'une cabale se formât pour nuire au succès de l'œuvre. Une seule personne, Mme Vestris, savait le secret, allègue Grimm: »C'est elle qui fut chargée d'envoyer le manuscrit avec une lettre anonyme infiniment modeste à M. le comte d'Argental, pour l'engager à les [les *Muses rivales*] faire recevoir, et à les faire jouer par les comédiens.«[187] Cette modestie du ton de la lettre ôta toute idée de l'attribuer à La Harpe. »On en fait honneur, disait Grimm, à M. de Chamfort, à M. de Rulhier, à M. le duc de Nivernois, enfin à Palissot; et ce dernier soupçon s'était répandu le plus généralement quelques jours avant la représentation.«[187]

La stratagème réussit bien, et la pièce également.

> Quoi qu'en puisse dire l'envie, qui ne pardonne jamais, continue Grimm, si l'hommage que M. de La Harpe vient de rendre à la mémoire de son maître et de son bienfaiteur n'est pas la plus douce vengeance qu'il pût tirer de l'injustice de ses ennemis, c'est au moins la réparation la plus juste et la plus noble des torts qu'on avait à lui imputer.[187]

Métra en parla, dans son premier article, avec ravissement: »Ce petit drame en un acte est un des plus jolis bouquets qu'on ait offert à la mémoire de Voltaire.«[188] Après la troisième représentation, l'auteur dévoila son identité, et cela diminua un peu la popularité de la pièce, et prouve, si une telle preuve était nécessaire, la force du préjugé ou même de la haine contre La Harpe.

> Il est reconnu aujourd'hui, disait Métra, que M. de La Harpe en est l'auteur. Ce que c'est que la prévention! Nous avons beaucoup de gens qui commencent à médire du plaisir que leur ont fait *les Muses rivales*, parce qu'ils ont juré une haine éternelle à M. de La Harpe, et présentement ils en appellent de leur premier jugement à l'examen critique.[188]

Bachaumont rapportait aussi que cette pièce a mérité à son auteur le reproche d'avoir écrit une »adulation basse & outrée, au point de lui [à Voltaire] accorder au Parnasse le premier rang pour la tragédie, au préjudice de Corneille, dont on ne parle même pas.«[189] Même le journal de Fréron mêlait, à contre cœur il est vrai, quelque louange à ses critiques:

> Depuis quinze ans, poursuivi avec acharnement par les sifflets d'un parterre injuste, *M. de la Harpe* vient, à l'aide d'un innocent artifice, de surprendre les applaudissemens publics. Son nom, qui sembloit devenu l'emblème du ridicule, nuisoit au succès des chef-d'œuvres que sa muse féconde offroit en vain tous les ans à l'admiration publique.[190]

---

[186] *Mercure*, 15 février 1779, pp. 163—64.
[187] *Correspondance littéraire*, XII, 217.
[188] *Correspondance secrète*, VII, 284.
[189] *Mémoires secrets*, XIII, 280.
[190] *Année littéraire*, 1779, II, 102.

Le public continuait d'aller voir la pièce et d'applaudir. La Harpe n'avait pas connu un succès pareil depuis *Warwick*. Sa tragédie anglaise avait été jouée seize fois, les *Muses rivales* eurent dix-sept représentations.[191] Même l'Académie marqua sa reconnaissance vis — à — vis de La Harpe pour son hommage à Voltaire,[192] et, bien entendu, la pièce fut immédiatement imprimée, chez Pissot.

Son amour-propre bercé dans le triomphe, qui adoucit également son irascibilité, le disposa à faire un acte, jugé extrêmement généreux, vis — à — vis de son grand ennemi Dorat. Grimm raconte l'histoire en détail.[193] Le secrétaire de Dorat donna rendez-vous à La Harpe, ce que celui-ci accepta après quelque hésitation. Le

> ci-devant secrétaire de M. Dorat, dont il avait éprouvé beaucoup d'injustices, mais [qui] ... avait entre les mains les moyens d'en tirer une vengeance signalée ... s'était adressé [à La Harpe] ne sachant personne qui eût plus d'intérêt de le seconder ... il tira ... un gros paquet de manuscrits où se trouvait, parmi plusieurs satires grossières contre l'Académie et notamment contre M. de La Harpe, une correspondance entière avec une femme mariée, dont on pouvait, selon lui, faire un roman très piquant, très scandaleux, très propre à perdre M. Dorat.[193]

Le secrétaire voulait vendre ces manuscrits à un libraire et La Harpe essaya de le détourner d'un projet si perfide. Mais en y réfléchissant plus tard, La Harpe y vit une belle occasion de faire plus, et il écrivit une lettre bien adroite au secrétaire pour le décider à lui confier l'examen de ces documents. Il réussit ainsi à se les procurer et à la réception du paquet, il

> l'envoya sur-le-champ, tel qu'il l'avait reçu, à M. Dorat, en lui mandant par quelles circonstances il était tombé entre ses mains, et sans exiger d'autre preuve de sa reconnaissance que l'engagement de ne former aucune poursuite contre le malheureux qui s'était confié à lui. Toutes les haines littéraires se sont évanouies devant un procédé si généreux.«[194]

Métra note que, »Dorat enchanté du procédé de M. de la Harpe, lui a montré la plus vive reconnaissance & lui-même raconte à tout le monde un procédé qui est bien propre à faire oublier toutes les tracasseries du bel esprit.«[195]

Les impressions que les *Muses rivales* créèrent ne semblaient pas suffire à leur auteur pour effacer l'animosité engendrée par la critique de *Zulime*. La Harpe voulut surenchérir et pour cela concourut anonymement à l'Académie, qui avait proposé une louange à Voltaire, présentant un *Dithyrambe aux mânes de Voltaire*. Y voyant une collaboration de La Harpe, Bachaumont attribuait la pièce au comte Chouvalov, »déjà prôné par M. de Voltaire. On ne doute pas que sous main M. de la Harpe lui avoit blanchi son linge sale.«[196]

---

[191] Joannidès, *La Comédie-Française* ...
[192] *Les Registres de l'Académie Françoise*, III, 448—49.
[193] *Correspondance littéraire*, XII, 254—55.
[194] *Ibid.*, 255.
[195] *Correspondance secrète*, VII, 270—71.
[196] *Mémoires secrets*, XIV, 141.

Le poème fut couronné, malgré l'extrême divergence d'opinion quant à sa valeur, et l'auteur anonyme refusa, par l'intermédiaire de d'Argental, la valeur du prix. Grimm a consigné cette histoire détaillée dans son ouvrage.[197]

> Pluiseurs morceaux furent applaudis, disait-il, mais l'ensemble ne fit qu'un effet assez médiocre, [198] ... le premier ouvrage distingué de la foule de ceux qui avaient été envoyés à cet illustre concours fut l'*Epître* de M. de Murville ... et le prix lui fut presque adjugé ... [mais] je ne sais quel sort s'obstinait toujours à remettre sous les yeux de M. de La Harpe le dithyrambe en question.[199]

Il eut quelque difficulté à faire écouter son poème, car il ne faisait aucun effet au commencement, finalement »le dithyrambe jugé avec tant d'impartialité par M. de La Harpe, fut récité par lui avec des entrailles vraiment paternelles.«[200] Voilà donc que notre homme, emporté par son zèle, risque de perdre plus, ce faisant, que ce qu'il pouvait gagner en obtenant le prix, car il fut trouvé mauvais qu'on soit »juge & partie«[201] dans une telle affaire, et dès qu'on sut le secret et qu'on connut l'auteur, on se hâta de se moquer de lui dans des épigrammes.[201] Métra parle également de l'embarras qu'une telle conduite provoqua dans l'Académie où les membres se déclarèrent ouvertement sur la valeur du poème de leur collègue anonyme, et les opinions de Marmontel et de Delille au moins n'étaient pas très flatteuses.[202]

En septembre, le journal de Panckoucke annonça que les occupations de La Harpe »*ne lui permettant plus de travailler au Mercure, il avoit déjà remis l'Article des Spectacles* à M. de Charnois; *& désormais il ne sera plus chargé d'aucune partie de ce Journal.*«[203] Au grand duc il disait que les querelles de cabales, les discordes dans le théâtre et dans la littérature inspirent à

> ceux qui les cultivent le goût de la retraite et de l'indépendance, et le désir de s'éloigner autant qu'il est possible, de tout ce qui peut troubler l'exercice d'un talent qui demande au moins quelque tranquillité et une liberté décente. C'est aussi une des raisons qui ont contribué à me faire abandonner les fonctions de critique, devenues plus périlleuses et plus difficiles que jamais.[204]

Mais la raison principale était sans doute qu'il s'entendait mal avec le propriétaire Panckoucke.[205]

Une liaison qui n'offrit pas à La Harpe tout ce qu'il y cherchait, commença avec Mme de Genlis en 1779, et elle dura quelque temps. La Harpe assista à une représentation particulière de *La Mère rivale* de la comtesse de Genlis, qu'il ne connaissait pas alors. Il s'enthousiasma pour la pièce et se passionna pour la comtesse à tel point, selon l'aveu de celle-ci, qu'elle fut

---

[197] *Correspondance littéraire*, XII, 287—88.
[198] *Ibid.*, 288.
[199] *Ibid.*, 287.
[200] *Ibid.*, 288.
[201] *Correspondance secrète*, VIII, 257 et IX, 91 et 183—84.
[202] *Ibid.*, VIII, 246 et 256.
[203] *Mercure*, 5 septembre 1779, p. 47.
[204] *Œuvres diverses*, XI, 200.
[205] *Correspondance secrète*, VIII, 327—28; et R. L. Hawkins, *Newly Discovered French Letters of the Seventeenth, Eighteenth and Nineteenth Centuries*, p. 59.

»obligée de réprimer sérieusement son enthousiasme.«[206] Pour mieux y réussir, disait la comtesse,[206] La Harpe partit pour Lyon, tandis que Grimm donne comme »le principal objet de son voyage [des démarches pour] faire imprimer la vie de maître Linguet,«[207] ce qui est peu probable, car il n'y a aucune trace que La Harpe en écrivit une. Ce dont on est certain, c'est qu'à Lyon il écrivit l'*Epître au comte de Chouvalov* sur les effets de la nature champêtre et sur la poésie descriptive. Ce genre de poésie était alors à la mode, »comme une espèce d'épidémie.«[208] La Harpe, en présentant son œuvre, voulut à la fois prouver qu'il savait le pratiquer, et le remettre à sa juste place dans l'éventail de tous les genres poétiques.[209] De Lyon il écrivit aussi des vers charmants et des »lettres sentimentales« à la comtesse de Genlis.[210]

Autre effort pour réparer les dommages causés par sa critique de *Zulime*, la publication de son *Eloge de Voltaire*, chez Pissot à Paris. Il en avait lu quelques fragments en mars 1780, lors de la réception de Chabanon à l'Académie, où Grimm avait particulièrement remarqué la comparaison du style de Racine et de celui de Voltaire.[211] Ce qu'il veut faire dans cet éloge, c'est

> parcourir cette longue suite de travaux qui ont rempli la vie de Voltaire. L'éclat de ses talents paraîtra s'augmenter de celui de ses succès; et l'intérêt qu'ils inspirent, s'accroîtra par les contradictions qu'ils ont éprouvées. Cet homme extraordinaire s'agrandira encore plus à nos yeux par cette influence si marquée qu'il a eue sur son siècle, et qui s'étendra dans la postérité... Ce tableau du génie, fait pour rassembler tant de leçons et tant d'exemples, montrera tout ce qu'il peut obtenir de gloire et rencontrer d'obstacles...«[212]

Dans sa livraison d'avril, Grimm louait l'ouvrage tout entier:

> ... de tous les ouvrages où l'on a tâché de présenter le tableau du génie de M. de Voltaire, il n'en est, ce me semble, aucun où le mérite de ses différents travaux ait été développé avec plus d'admiration, d'intérêt et de goût... cet éloge est ce qu'il a jamais écrit de mieux en prose...[213]

La Harpe en était convaincu et le disait dans une lettre, du 9 avril 1780, à Suard, en lui envoyant son écrit: »Je souhaite qu'il vous fasse autant de plaisir qu'il paraît en avoir fait ici généralement. Je n'ai encore rien fait qui ait eu un succès plus agréable... tout le monde d'ailleurs s'accorde à peu près à penser que je n'ai rien écrit de mieux en ce genre.«[214] »Tout le monde,« à l'exception du Journal de Fréron qui se demande d'abord si La Harpe »est assez éloquent« pour faire un éloge de Voltaire, et ensuite s'il est impartial,[215]

---

[206] *Mémoires inédits de madame la comtesse de Genlis...*, III, 117; voir aussi La Harpe, *Œuvres diverses*, XI, 140—42; 229—30 et 240.
[207] *Correspondance littéraire*, XII, 330.
[208] *Œuvres diverses*, III, 314.
[209] *Ibid.*, 315.
[210] *Mémoires... de Genlis*, III, 117.
[211] *Correspondance littéraire*, XII, 374.
[212] *Œuvres diverses*, IV, 321—22.
[213] *Correspondance littéraire*, XII, 389.
[214] A. Jovicevich, »Thieteen Additional Letters of La Harpe,« *Studies on Voltaire..*, LXVII, 220.
[215] *Année littéraire*, 1780, III, 5.

et l'article continue, appelant cet éloge une »triste harangue,« où l'auteur »est par-tout également froid, aride, sans couleur et sans pensée.«[215]

Cette même année 1780, La Harpe publia chez Pissot *Tangu et Félime*. C'est une adaptation, en quatre chants, d'un conte arabe. L'»Avertissement« en donne ce commentaire: »Ce conte, qui fait partie du Roman de *Fortunatus*, célèbre dans *la Bibliothèque bleue*, est tiré originairement des historiettes que les romanciers provençaux ont empruntées des Arabes ... Le fond de ce conte m'a paru plaisant, et je n'y ai changé que quelques circonstances.«[216] Un autre ouvrage, auquel il travaillait depuis 1775,[217] commençait à paraître en 1780: l'*Abrégé de l'histoire générale des voyages* de l'Abbé Prévost. Ce travail lui a rapporté plus de quinze mille livres,[217] mais il lui a fallu beaucoup plus de temps pour l'achever que ne pensent Merlhiac,[218] Daunou,[219] et ses autres biographes. Le contrat original stipulait un paiement de vingt mille livres moins un acompte de trois mille huit cents reçu par La Harpe avant de commencer à y travailler.[220] Parlant de ce travail de présentation, il dit ceci au grand duc:

> ...ce rhabillement était, je crois, nécessaire. La grande collection de l'abbé Prévost, faite d'après les Anglais, et dont le fond était riche et instructif, n'était réellement pas lisible. C'était un chaos où l'on se perdait, un assemblage confus de matériaux entassés sans ordre et sans choix, et surchargés d'inutilités et de répétitions. Je l'ai réduite des deux tiers; j'y ai joint tous les voyageurs célèbres qui ont écrit depuis la mort de l'abbé Prévost... Enfin j'ai tâché de mettre dans cet abrégé ce qui manquait absolument à l'ouvrage de l'abbé Prévost, de l'ordre, de la précision, et par-fois même du style...«[221]

En 1781, sortit de presse, chez Lambret et Baudouin, l'adaptation du *Philoctète* de Sophocle. Un an auparavant, La Harpe en avait lu lors d'une séance publique de l'Académie française deux actes »très applaudis«[222] Grimm relatait cet enthousiasme pour la traduction-adaptation, lors de sa lecture à l'Académie:

> La traduction du *Philoctète* de Sophocle a excité les applaudissements les plus universels, et nous les croyons justement mérités. M. de La Harpe a conservé, autant que le génie de notre langue et de notre versification pouvait le permettre, l'antique simplicité de l'original; et cette simplicité quelque étrangère qu'elle soit au goût et aux mœurs de notre siècle, n'en a pas été sentie moins vivement.[223]

L'ouvrage imprimé n'inspira pas moins d'admiration que la lecture qui l'avait précédée. Grimm y voyait un grand service rendu à la littérature. Sa critique portait sur le style et sur la versification:

> L'impression de la tragédie de *Philoctète* n'a fait que confirmer le jugement que nous avions porté de cette excellente traduction à la lecture que l'auteur en fit l'année dernière à une séance

[215] *Ibid.*
[216] *Œuvres diverses*, III, 171.
[217] A. Jovicevich, *Correspondance inédite...*, pp. 23—25.
[218] *Vie de La Harpe*, p. 160.
[219] *Vie de La Harpe*, dans le *Lycée*, I, p. CXVIII.
[220] A. Jovivevich, *Correspondance inédite...*, p. 24.
[221] *Œuvres diverses*, XI, 258—59.
[222] *Ibid.*, 305.
[223] *Correspondance littéraire*, XII, 435.

> publique de l'Académie française. Nous croyons que c'est un des plus grands services que M. de La Harpe ait rendus à notre littérature et l'ouvrage peut-être qui fait le plus d'honneur à son talent[224] ... sa versification, même lorsqu'elle est élégante et pure, manque encore souvent de mollesse et de coloris; son style a de la force, de la simplicité, de la précision, mais une manière trop sèche ...[225]

La Harpe s'adresse avec cet ouvrage »au petit nombre de lecteurs versés dans les lettres grecques et dans l'étude de l'antiquité.«[226] Il explique comment il s'y est pris pour faire cette »traduction,« qu'il qualifie de »fidèle«:

> ... J'offre cette traduction fidèle de l'un des plus beaux ouvrages que l'on ait écrits dans la plus belle des langues connues ... lorsqu'un poëte traduit un poëte, la véritable fidélité de la version consiste à rendre, s'il se peut, toutes les beautés plutôt que tous les mots, et ce principe, reçu même dans la prose, est d'un usage incontestable quand il s'agit de vers ... autant que me l'a permis la différence des langues et le caractère de notre versification, j'ai suivi non seulement les idées et le dialogue, mais même les tournures et les constructions du texte grec ...[227]

Quant à l'inclusion de cette pièce au répertoire du théâtre, La Harpe disait au grand duc: »... je suis un peu éloigné de penser à donner cette pièce au théâtre dans un moment où la corruption du goût est si générale et si honteuse, et où cette belle simplicité antique et cette éloquence vraie et touchante des tragédies grecques, pourraient fort bien n'être pas goûtées.«[228]

A la même époque, La Harpe publia, également chez Lambert et Baudouin, la tragédie *Menzicoff.* Elle avait été jouée à Fontainebleau, cinq ans auparavant,[229] mais il fallut attendre encore au moins un an, de l'aveu de l'auteur, pour la faire jouer à Paris.[230] Dans une lettre à Colbert de Beaulieu, du 13 septembre 1780, qui indique que la Comédie française était prête à jouer la pièce, il plaidait »des circonstances qui me sont personnelles ... ne me permettant point de laisser jouer *Menzicof,* la Comédie est bien maîtresse de procéder à la représentation d'un autre ouvrage, et de ne tenir aucun compte du mien ...«[231] Dans la »Préface« de la pièce qui contredit cette lettre, il se plaignait de la longue attente imposée à qui veut être joué à la Comédie française: »Tel est depuis long-temps l'état du Théâtre-Français, qu'à moins de circonstances particulières, il doit naturellement s'écouler l'espace de six années entre la réception d'une pièce et sa représentation.«[232]

Cependant en décembre 1781 il fit jouer sa tragédie *Jeanne de Naples,*[233] mais ce ne fut qu'après avoir essuyé pas mal de déboires et de revers. La pièce était restée, disait Grimm,

---

[224] *Correspondance littéraire,* XII, 480.
[225] *Ibid.,* 481.
[226] *Œuvres diverses,* »Préface,« II, 385.
[227] *Ibid.,* 385—86.
[228] *Ibid.,* XI, 305; il répète la même idée dans la »Préface« de la pièce, *Ibid.,* II, 382.
[229] *Supra,* p. 86.
[230] *Œuvres diverses,* I, 241.
[231] Christopher Todd, »La Harpe Quarrels With the Actors ...,« *Studies on Voltaire ...,* LIII, 256.
[232] *Œuvres diverses,* I, 241.
[233] Joannidès, *La Comédie-Française ...*

près de deux mois sur le répertoire de la Comédie, arrêtée tantôt par des censeurs, tantôt par la police; un jour par M. l'archevêque, le lendemain par le ministre des affaires étrangères, à qui l'on avait persuadé, sur les imputations les plus absurdes, qu'il y trouverait des traits dont quelques puissances de l'Europe pourraient avoir à se plaindre; une autre fois, par des tracasseries de coulisse; la veille même du jour qu'elle devait être donnée, par un accident arrivé à l'un des principaux acteurs, Larive, qui, dans la répétition du combat, avait été blessé assez grièvement à la main, grâce à la maladresse du prince qu'il devait tuer; enfin, par des ordres surpris à la religion de M. le garde des sceaux... ayant prévenu le chef de la magistrature que cette pièce offrait le spectacle indécent d'un souverain s'oubliant assez pour se battre contre un de ses sujets, et d'une reine jugée et détrônée par une assemblée des états-généraux.[234]

Bachaumont parle également de ces »contrariétés« qui obligèrent à retoucher »certains endroits sur les prêtres... [et] d'autres sur l'autorité.«[235]

Au cours de ces difficultés, La Harpe fit tout son possible pour détruire les préventions qui pouvaient naître de la confusion des deux reines de Naples. Dans une lettre imprimée dans le *Journal de Paris*, il s'expliqua sur son héroïne afin d'éviter qu'on la confonde avec Jeanne II, »qui n'est connue... que par les plus honteux désordres,«[236] ce qui aurait pu nuire à la pièce qui peignait Jeanne Ière, »la femme la plus célèbre de son temps, par sa beauté, son esprit, ses talents et son goût pour les arts. Sans avoir une ame perverse, elle fut entraînée dans de grandes fautes, qui produisirent ses malheurs et sa fin tragique.«[236]

Mme de Genlis, brouillée en ce moment avec La Harpe à cause du compte rendu d'*Adèle et Théodore*, témoigne aussi des efforts que fit La Harpe pour empêcher la chute de la pièce, car il la pria d'agir auprès de la duchesse de Chartres pour qu'elle assistât à la première représentation de la pièce: »Il savoit que cette princesse étoit si révérée et si aimée du public, qu'en donnant cette preuve de protection à l'auteur on écouteroit la pièce jusqu'à la fin.«[237] Mme de Genlis consentit à intercéder auprès de la duchesse de Chartres, qui »eut la plus grande répugnance à se mettre ainsi en scène en public, pour avoir l'air de prendre un si vif intérêt à un auteur et à une pièce qu'elle ne connoissoit point; je la déterminai à cet acte de bonté.«[238]

En dépit de toute cette stratégie, la pièce n'eut qu'un succès médiocre. Bachaumont notait, après cette première représentation, que

l'auteur n'a pas dû être satisfait de l'accueil du public, malgré les précautions qu'il avoit prises pour se concilier son suffrage[239] ...il y a de belles choses de détail, continue-t-il, mais... l'ensemble en est très défectueux... le style en est bon, & le fonds plein d'absurdités, & contre toutes les règles de l'art.[240]

---

[234] *Correspondance littéraire*, XIII, 43—44.
[235] *Mémoires secrets*, XVIII, 158.
[236] *Œuvres diverses*, II, 299; publié d'abord en lettre dans le *Journal de Paris*, 10 décembre 1781, pp. 1385—86.
[237] *Mémoires... de Genlis*, III, 182—83.
[238] *Ibid.*, 183.
[239] *Mémoires secrets*, XVIII, 189.
[240] *Ibid.*, 190.

Métra ne fut pas plus louangeur: »Quelques morceaux justement applaudis, font espérer que [La Harpe]... s'il s'exerce encore une quarantaine d'années, écrira passablement en vers pour un membre de l'académie françoise.«[241]

La pièce retouchée eut beaucoup plus de succès à la deuxième représentation. »A la faveur de[s]... changements légers, & surtout d'une nombreuse cohorte de battoirs, disait Bachaumont, la pièce est montée aux nues.«[242] Il rapporte qu'on avait demandé l'auteur, et quand on avait répondu qu'il n'était pas dans le théâtre, on a demandé »*l'auteur des petites affiches, pour qu'il vienne faire amende honorable... l'abbé Aubert, l'abbé Aubert,*« qui avait sévèrement critiqué la pièce.[242] Métra attribuait aussi cette réussite de la pièce au parterre, où il y avait »*plus d'un demi-cent d'infatigables claqueurs.*«[243]

En fait, la pièce n'eut que huit représentations.[244] Elle fut aussi jouée à Versailles le 20 décembre 1781, et le Théâtre italien en présentait une parodie. La Harpe voyait dans ce fait une preuve du succès de sa pièce: »...on n'accorde, disait-il au grand duc, les honneurs de la parodie qu'aux pièces qui réussissent. *Jeanne de Naples* vient de les obtenir au Théâtre-Italien, où elle a été parodiée en prose sous le nom de *Dame Jeanne.*«[245] Les représentations de la pièce furent reprises en 1783,[246] sans connaître plus de succès que la première fois.[247] Elle fut imprimée chez Baudouin en 1783.

Pour l'ouverture du Théâtre de l'Odéon, en 1782, La Harpe avait écrit une comédie en un acte intitulée *Molière à la nouvelle salle* ou *Les Audiences de Thalie,* mais la fondation de ce nouveau théâtre

> n'a servi qu'à établir un cadre comique, où Molière, en sa qualité de fondateur de l'ancien Théâtre-Français, est amené par Apollon, pour être témoin de la solennité qu'on prépare, et voit passer en revue devant lui différents personnages qui retracent les travers et les ridicules du jour, la manie d'écrire et de juger, l'ignorance impertinente des journalistes, le mauvais goût des écrivains modernes, la folie qui fait courir tout Paris aux spectacles du boulevard et aux vaudevilles de la Comédie-Italienne, la poétique insensée des dramaturges, le néologisme, les cabales de l'ancien parterre, la mode des calembourgs, etc....[248]

La pièce fut jouée la première fois sous l'anonymat, et eut en effet »un succès décidé, écrivait Bachaumont. On l'a trouvée pétillante d'esprit, quoique pleine de défauts, quoique trop longue, quoiqu'exigeant bien des suppressions & des changements.«[249] On savait quelques jours plus tard que La Harpe en était l'auteur.[250] Cependant dans la pièce imprimée, on déclaire, avec insistance, que c'est »une comédie faite par une *société de gens de lettres.*«[251] Bachaumont précise cet effort collectif en disant que »Mme de *Bellecour* et le sieur *du Gazon,*« acteurs, y ont collaboré.[252] Lors de l'impression de la comédie,

---

[241] *Correspondance secrète*, XII, 208.
[242] *Mémoires secrets*, XVIII, 195.
[243] *Correspondance secrète*, XII, 209.
[244] Joannidès, *La Comédie-Française...*
[245] *Œuvres diverses*, XII, 125.
[246] *Ibid.*, 115.
[247] Grimm, *Correspondance littéraire*, XIII, 321.
[248] *Œuvres diverses*, XI, 482—83.
[249] *Mémoires secrets*, XX, 180.
[250] *Ibid.*, 184—85.
[251] *Œuvres diverses*, II, »Préface,« 233.
[252] *Mémoires secrets*, XX, 207.

on y ajouta une lettre anonyme où l'on censure sévèrement De Charnois, rédacteur du *Mercure*,[253] qui y suivit La Harpe et qui critiqua *Molière à la nouvelle salle*.[254] Métra disait que De Charnois avait critiqué aussi *Jeanne de Naples*, et que l'abbé Rémi et La Harpe avaient »biffé les réflexions critiques« et y avaient« honnêtement substitué des éloges sans restriction.«[255] Bachaumont d'autre part attribuait une épigramme contre La Harpe à De Charnois ou à l'abbé Aubert.[256]

Une querelle par lettres, au sujet de *Molière à la nouvelle salle*, éclata entre La Harpe et Cailhava d'Estendoux. Celui-ci avait écrit une satire intitulée *Les Journalistes anglais*. Cailhava accusait La Harpe d'avoir plagié dans *Molière à la nouvelle salle* ses *Journalistes anglais*. Bachaumont semble résoudre le problème à la satisfaction des deux disputants en faisant tomber le blâme sur les acteurs, Mme Bellecour et M. Dugazon, qui collaborèrent avec La Harpe à la rédaction de *Molière à la nouvelle salle*: puisque la pièce de Cailhava était reçue à la Comédie française en 1778, ces deux personnes ont pu avoir accès à cet ouvrage et ont pu y emprunter quelques détails.[257] Malgré les accusations de plagiat, la comédie de La Harpe eut quinze représentations, ce qui était un succès éclatant.[258]

En mai 1782, une visite à Paris du grand duc et de la duchesse de Russie, qui voyageaient sous le nom du comte et de la comtesse du Nord, procura quelque plaisir à La Harpe et l'occasion de faire beaucoup parler de lui, par envie et par malice. En sa qualité de correspondant officiel, La Harpe se montrait assidu auprès de Leurs Altesses, et les importunait même quelquefois, à ce que pense Grimm:

> De tous nos hommes de lettres, disait-il, celui qui a eu l'honneur de voir le plus le comte du Nord, c'est M. de La Harpe. En qualité de correspondant de Son Altesse Impériale, il s'est cru obligé de se présenter à peu près tous les jours à sa porte. Tant d'assiduités paraissaient bien quelquefois lui être un peu à charge; mais les bontés du prince, jointes à l'heureuse constitution de l'amour-propre de l'auteur, n'ont guère permis à celui-ci de s'en apercevoir.[259]

Les illustres visiteurs assistèrent à une séance particulière de l'Académie, et La Harpe y lut deux poèmes, *Vers à M. le comte du Nord*[260] et l'*Epître à M. le comte Schowaloff*.[261] Bachaumont les trouvait gauches et pédantesques.[262] Grimm réprouvait le manque de tact dans la récitation des vers suivants contre les poètes allemands devant une princesse allemande:

> Des poëtes germains la moderne influence
> Apporta parmi nous cette fausse abondance.

[253] *Œuvres diverses*, II, 241—47.
[254] *Mercure*, 20 avril 1782, pp. 139—41.
[255] *Correspondance secrète*, XII, 245.
[256] *Mémoires secrets*, XX, 237.
[257] *Ibid.*, 281.
[258] Joannidès, *La Comédie-Française*...
[259] *Correspondance littéraire*, XIII, 148.
[260] *Œuvres diverses*, XI, 496—99; publiée aussi par le *Mercure*, 22 mai 1782, pp. 97—100.
[261] *Ibid.*, III, 316—33.
[262] *Mémoires secrets*, XX, 301.

> Long-temps on vit ce peuple, encore novice en vers,
> Pour loi prenant sa fantaisie,
> Prodiguer au hasard sur mille objets divers
> Les couleurs de la poésie.[263]

»Ce sentiment des convenances, disait Grimm, qui sert toujours si bien M. de La Harpe, ne lui a pas laissé négliger une si belle occasion de dire du mal des poëtes allemands, devant une princesse allemande qui les aime, et dont la sensibilité saurait les apprécier...«[264]

Quant à La Harpe, il était entièrement satisfait de son factum.

> En mon particulier, je ne puis qu'être très touché des bontés qu'ils m'ont témoignées; ils m'ont fait l'honneur de m'inviter à dîner, et votre ami est le premier qui ait été introduit chez eux le jour même de leur arrivée, par votre ministre M. de Baratinski. J'ai eu une heure de conversation tête-à-tête avec monseigneur le grand-duc, dont l'entretien n'a pas été au-dessous de ce que vous m'en aviez dit...[265]

La Harpe espérait remettre au répertoire *Jeanne de Naples* pour que les Altesses russes la voient. »Mais le sage magistrat qui préside à la police, au dire de Bachaumont, plus prudent que [La Harpe]... & les comédiens, a envoyé des défenses de jouer cette pièce aussi long-temps que ces illustres étrangers seroient à Paris, à raison des allusions malignes auxquelles elle pourroit prêter.«[266] C'est probablement, comme le suggérait Johnston,[267] parce que l'héroïne de la pièce avait causé la mort de son mari, crime dont on soupçonnait Catherine II. Quoi qu'il en soit, le grand duc manifesta son amitié pour La Harpe en lui offrant une tabatière d'or, »très délicatement travaillée, avec les divers tributs (sic) des muses, & enrichie de diamants. On estime ce bijoux 6.000 livres.«[268]

A cette époque-là commença, à en croire Bachaumont, une liaison avec

> une courtisane, nommée *Cléophile*, qui a d'abord dansé chez Audinot, qui a passé ensuite à l'opéra, ce qui l'a mise sur le trottoir, & lui a procuré des amours distinguées... Une maladie vénérienne lui a enlevé une partie du palais de la bouche, qu'il a fallu remplacer par une feuille d'or, ce qui lui voile absolument la voix & la fait nazillonner d'une façon très désagréable.[269]

Métra se scandalisait de ce que La Harpe se montrait en public avec Cléophile, aux Variétés, à la foire et à la Redoute:

> ... on se refusait à reconnoître l'auteur de Warwick, des Barmé-cides & de Jeanne de Naples, faisant le freluquet auprès d'une catin... On avoit cru les goûts du petit Bébé plus élevés & plus délicats [en le liant avec Mme de Genlis], mais il paroît que

---

[263] *Œuvres diverses*, III, 324.
[264] *Correspondance littéraire*, XIII, 149—50.
[265] *Œuvres diverses*, XI, 496.
[266] *Mémoires secrets*, XX, 295.
[267] *Jean-François de La Harpe, The Man — The Critic*, p. 268.
[268] *Mémoires secrets*, XX, 306.
[269] *Ibid.*, XXI, 79.

le public lui faisoit trop d'honneur en lui supposant assez de morale & de délicatesse pour former des liens dont le cœur & l'esprit devoient être les principaux fils.[270]

On lui attribuait certains vers publiés, quoique anonymement, dans le *Journal de Paris* du 21 août 1782.[271] Il s'était échauffé à tel point pour cette danseuse qu'il l'amena même à une séance de l'Académie, à ce que disent Grimm[272] et Bachaumont:

> ...il est trop aveuglé de son amour pour en rougir: il l'avoue à ses confrères; il les mène chez Mlle Cléophile & voudroit l'eriger en aspasie moderne... à la Saint Louis dernier il a osé l'introduire à l'académie, la placer parmi les femmes les plus honnêtes, & jusque sous les yeux de M. le Duc de Penthievre & de Mad. la Duchesse de Chartres, qui honoroient l'assemblée de leur présence; ce qui a indigné tous les spectateurs.[273]

Trois ans plus tard, Bachaumont attribuait la maladie de La Harpe à cette liaison avec Mlle Cléophile, car l'académicien parut à la réception de Target à l'Académie »le visage couvert de pustules qui le rendoient hideux, dégoûtant même: on ne doute pas que ce ne soit le chapelet fatal dont son front est couronné, présent de Mlle *Cléophile* ou de quelque autre courtisane,«[274] et Grimm lui aussi parle de cette maladie.[275] En tout cas, cette liaison lui laissait le temps de faire une traduction de *Pharsale* de Lucain, dont il avait lu, en août 1782 à la séance de l'Académie, »le dixième chant... [qui est] le dernier du poème de Lucain... Le nouveau traducteur y a joint un Epilogue adressé aux mânes du poëte... [qui] nous a paru rempli de grandes images et de beaux vers...«[276]

L'année 1783 vit jouer deux pièces de La Harpe. D'abord le 16 juin la Comédie française présenta le *Philoctète*, qui eut un succès considérable, quoiqu'il tomba »dans les règles« à la cinquième représentation. »...il n'en est pas moins sûr, disait Grimm, qu'[il] a obtenu un succès d'estime très-décidé... peut-on savoir trop de gré à M. de La Harpe de nous avoir montré enfin la tragédie la plus grecque que l'on eut encore vue en France?«[277] Bachaumont convient que la pièce obtint un succès brillant:

> Le *Philoctète* de M. de La Harpe, joué hier, a eu tout le succès qu'il pouvoit lui désirer. ...Le premier acte sur-tout a paru très-beau; il y a de superbes choses aussi dans le second; mais le troisième est plus foible... Cette traduction... fera toujours beaucoup d'honneur à son auteur. On y remarque un académicien d'un goût sûr & sévère, un poëte sage qui a su sentir les beautés de *Sophocle*, & les faire passer dans notre langue avec beaucoup de noblesse & de précision en général...[278]

---

[270] *Correspondance secrète*, XIII, 194.
[271] Grimm a reproduit ce poème, *Correspondance littéraire*, XIII, 170—71.
[272] *Ibid.*, 170.
[273] *Mémoires secrets*, XXI, 81.
[274] *Ibid.*, XXVIII, 182.
[275] *Correspondance littéraire*, XIV, 139.
[276] *Ibid.*, XIII, 197.
[277] *Ibid.*, 328—329.
[278] *Mémoires secrets*, XXIII, 11—12.

On en donna dix représentations.[279]

La Harpe témoigne sa joie dans une lettre au grand duc:

> ...c'est une étrange entreprise au Théâtre-Français qu'une pièce
> non-seulement sans amour, mais sans rôles de femmes... [quel-
> ques critiques] avaient annoncé que la pièce tomberait. Point
> du tout: elle a eu le succès le plus complet. On a pleuré et
> applaudi pendant trois actes... C'est même depuis *Warwick* et
> *Mélanie* l'ouvrage de moi qui a essuyé le moins de contra-
> dictions.[280]

Il y transcrit pour son protecteur russe les vers que Florian lui adressa
à l'occasion de ce succès.[281]

Malheureusement, un échec suivit, avec la représentation le 15 décembre
1783[282], des *Brames*, pièce moins que médiocre, dont la valeur fut encore
amoindrie par le mauvais jeu des acteurs, Brizard, Molé et Mlle Sainval, à ce
que dit Bachaumont;[283] La Harpe lui-même convient de ce mauvais jeu de
Brizard et attribue à »la bienveillance du public« que la pièce se soutînt
jusqu'au bout.[284] La Harpe a dû en sentir la faiblesse puisqu'il ne la publia
jamais.[285] Grimm en rapportait une lecture devant des amis, huit ans auparavant, chez Mlle de Lespinasse, où l'auteur »convaincu de la vérité des observations qu'ils lui faisaient et qui lui prédisaient le sort qu'il vient d'éprouver,
jeta devant eux, avec un courage qu'ils admirèrent tous, sa tragédie des
Brames dans le feu.«[286] Il rapportait également que la chute de cette pièce
provoqua des calembours sur le compte de la pièce et sur celui de son auteur:

> *Si les Brames réussissent, les bras me tombent,*[286] plaisantait-on,
> et l'on proposait *Cinq Sermons faits pour être prêchés, pendant
> les cinq premiers dimanches de carême, par M. l'abbé de La
> Harpe, ex-brame, sur l'Orgueil, l'Insolence, l'Audace, le Ton tran-
> chant, le Mépris de son prochain. Chez Bavardin, libraire, à l'en-
> seigne de l'Impuissance.*[287]

S'il est difficile pour tout auteur d'admettre que son écrit a échoué, ce
l'était particulièrement pour La Harpe. Au lieu de se taire après la chute des
Brames, il écrivit et publia, une lettre prétextant »des circonstances particulières [qui l'engagèrent] à retirer du Théâtre, pour ce moment-ci, la Tragédie
des *Brames*.« Il y remercie le public de ses applaudissements: »La bienveillance qu'il m'a témoignée me donnera de nouvelles forces pour la
mériter.«[288]

On a déjà l'habitude de voir ressusciter périodiquement les épisodes
désagréables de la vie de La Harpe: sa naissance, l'affaire des couplets, etc.

---

[279] Joannidès, *La Comédie-Française*...
[280] *Œuvres diverses*, XII, 123.
[281] *Ibid.*, 124—25.
[282] Joannidès, *La Comédie-Française*...
[283] *Mémoires secrets*, XXIV, 82.
[284] *Œuvres diverses*, XII, 173—74.
[285] Voir sur cette pièce Christopher Todd, »Two lost plays by La Harpe: *Gustave
Wasa* and *Les Brames*,« *Studies on Voltaire*..., LXII, 151—272.
[286] *Correspondance littéraire*, XIII, 430.
[287] *Ibid.*, 431.
[288] *Journal de Paris*, 19 décembre 1783, p. 1453.

Cette fois-ci, c'est Guillaume Imbert qui s'en chargea dans sa satire *La Chronique scandaleuse ou Mémoires pour servir à l'histoire des mœurs de la génération présente*, Paris 1783.

En janvier 1784, La Harpe faisait partie d'une délégation qui présenta une pétition au Garde des Sceaux

> pour le supplier, écrivait Grimm, d'ordonner à tous les faiseurs de feuilles de ne parler des nouveautés dramatiques qu'après un certain nombre de représentations... il a tâché... de la faire signer par tous les gens de lettres qui travaillent dans ce moment pour le théâtre... Tant de puissants ressorts ont cependant échoué; la requête parut ridicule.[289]

Dans une lettre du 22 décembre 1783 au maréchal de Duras, La Harpe voulait qu'on défendît expressément »aux Auteurs du Journal de Paris et à celui des Petites Affiches de parler en aucune Manière quelconque d'un ouvrage de théâtre avant l'impression.«[290]

Ce même hiver 1784, par suite des rigueurs extrêmes de la saison, la Comédie française décida de donner des représentations pour aider les pauvres. Les acteurs choisirent *Coriolan* de La Harpe, parce qu'ils l'avaient déjà appris. Ce thème en est tiré de l'histoire romaine du Ve siècle avant Jésus-Christ. Coriolan est un célèbre général romain, victime de la haine de la plèbe, qui refusa de le nommer consul. Il fut exilé et s'apprêtait à saccager Rome avec les Volsques, ses anciens ennemis, quand il fut fléchi par les prières et les larmes de sa mère et de sa femme. Il semble que Coriolan soit le personnage pour lequel La Harpe montre le plus de parti pris:

> ...j'ai toujours regardé Coriolan comme un des plus beaux rôles qu'il fût possible de mettre sur la scène... un de ces caractères ...poétiques, qui plaisent à notre imagination qu'ils élèvent... personnages dans le genre de l'Achille d'Homère... âmes nobles et ardentes... qui se plaisent à punir les méchants et les ingrats... Les historiens... lui accordent toutes les vertus... lui reprochent... ce seul défaut... un trop grand sentiment de ses propres forces... Coriolan... grand homme victime de cette jalousie républicaine qui cherche des prétextes quand les raisons lui manquent, un patricien opprimé par la cabale des tribuns et par une multitude séduite.[291]

La Harpe fut content du choix et offrit sa part de la recette au profit des pauvres. La première représentation eut lieu le 2 mars, devant une salle comble, que La Harpe décrit ainsi:

> Le concours des Spectateurs a été prodigieux: il a fallu sortir les Musiciens de l'orchestre, et même en ôter leurs pupitres. Le Public s'y est porté en foule ainsi qu'au Théâtre, où dans chaque coulisse, au fond de la scène et sur les côtés, il y a eu un nombre immense de personnes de la plus haute distinction debout pendant tout le spectacle. La Tragédie a eu un très-grand succès, et la recette est montée à 109,83 livres.[292]

---

[289] *Correspondance littéraire*, XIII, 471.
[290] Christopher Todd, »La Harpe Quarrels With the Actors...«, *Studies on Voltaire...*, LIII, 289.
[291] *Œuvres diverses*, II, 457—58.
[292] *Coriolan*, Paris, Bureau de la petite bibliothèque des théâtres, 1784, p. XXIII.

Il est intéressant aussi de citer une lettre à Pierre Granié, avocat de Bordeaux, écrite le 29 mars 1784, où La Harpe remercie son correspondant de l'intérêt qu'il prend »au succès de Coriolan. Il a été complet, quoi qu'en aient dit les faiseurs d'articles, qui font métier de mentir au public.«[293] Il parle sur un ton plus modéré au grand duc, attribuant ce succès brillant au rôle de Larive et aussi au but de la représentation qui a »disposé le public à l'indulgence, [les spectateurs ont] applaudi d'un bout à l'autre, sans aucune apparence de contradiction, ce qui n'arrive guère quand l'auteur a des ennemis connus, et les miens ne s'en cachent pas. J'ai même été obligé de paraître après la pièce sur le théâtre…«[294] Bachaumont, en consacrant trois articles au sujet de Coriolan,[295] constate que la pièce »a été fort bien accueillie hier du public brillant & nombreux qui composoit l'assemblée,«[296] ce qui est confirmé par Grimm. Mais ce dernier transcrit également les épigrammes de Chamfort et de Rulhier, ainsi que la réponse de La Harpe, au sujet de cette représenta-tion.[297] Bachaumont rapporte aussi une remarque sarcastique: »On dit que dans sa pièce il n'y a qu'un bon acte, c'est l'acte de charité.«[298] Presque toutes les critiques portent sur la violation de l'unité de lieu.[299] La Harpe avait appris de Voltaire, qu'il cite, que l'unité d'une pièce était »le grand chemin, c'est celui qui va au but.«[300] Mais il faut »de la progression dans l'unité« d'action.[301] Cependant les unités de temps et de lieu ne sont que secondaires en impor-tance. Ce sont »deux choses, dit-il, qui ne feront jamais le sort d'un ouvrage.«[302] Il est utile pour la vraisemblance de les observer, mais l'on ne doit pas s'y asservir. Dans Coriolan même, La Harpe interprète librement la règle de l'unité de lieu en situant l'action en partie à Rome propre et en partie dans un camp au dehors des murs de la cité. Dans la préface de sa pièce imprimée il affirme, en se justifiant, que sans cette liberté on ne pourrait pas traiter ce thème. Il ajoute qu'il avait gardé l'esprit de la règle disant que »la proximité des lieux sauve la vraisemblance, qui est le fondement de toute règle.«[303] La pièce eut douze représentations,[304] dont la dernière le quinze mai,[305] à Paris, et une à Versailles le 11 mars 1784.[306]

On a déjà parlé de la liaison de La Harpe avec Mme de Genlis, de leurs divergences de conception sur cette liaison, aussi bien que de la brouillerie que causa le compte rendu d'Adèle et Théodore.[307] En 1782, Mme de Genlis publia les Veillées du château, où La Harpe est dénigré sous le nom de Damo-

---

[293] A. Jovicevich, Correspondance inédite…, pp. 41—42.
[294] Œuvres diverses, XII, 194.
[295] Mémoires secrets, XXV, 143—44; 146—49 et 159.
[296] Ibid., 143.
[297] Correspondance littéraire, XIII, 498—99.
[298] Mémoires secrets, XXV, 159.
[299] Année littéraire, 1784, II, 188—204; Mercure, 13 mars 1784, pp. 83—90.
[300] Lycée, X, 9.
[301] Ibid., VI, 176.
[302] Ibid., V, 270.
[303] Œuvres diverses, II, 463.
[304] Joannidès, La Comédie-Française…
[305] Journal de Paris, 15 mai 1784, p. 593.
[306] Voir la pièce publiée par Belin, Paris, 1784.
[307] Supra, pp. 115—16, 119.

ville, dans l'histoire intitulée *Les Deux Réputations*.[308] Il se plaignait au grand duc, seulement en 1784, de ce troisième volume rempli »de satires amères et injustes contre l'académie française en général, et contre ses membres les plus illustres.«[309] Cette attitude est d'autant plus condamnable, pense La Harpe, quand on sait qu'elle »a voulu il y a deux ans avoir le prix [d'utilité] de l'académie.«[310] En effet, le prix fut donné à Mme d'Epinay, »contre mon avis, [disait La Harpe, qui voulait couronner Mme de Genlis], et je crois, celui du public.«[311]

Pour montrer davantage son impartialité, il louait Mme de Genlis dans son poème *Les talents des femmes*, qu'il lut à la réception de Montesquiou à l'Académie en 1784. Voici ces vers:

> Genlis, qui nous traça le modèle des mères,
> Qui d'un style élégant et d'un goût toujours pur,
> Ecrit pour la jeunesse et plaît à l'âge mûr,
> Jeune encor, s'est assise au temple de mémoire,
> Un théâtre d'enfants fut celui de sa gloire.[312]

Bachaumont raconte cette belle action: »l'auteur, en faisant l'énumération de quelques femmes de France célèbres, mortes ou vivantes, a nommé avec la plus grande distinction Mad. la Comtesse de *Genlis*, avec laquelle il est brouillé, & qui tout récemment, dans son dernier ouvrage intitulé les *Veillées du château*, a fait un portrait affreux de M. *de La Harpe*.«[313]

A cette séance de l'Académie assistait le comte de Haga, Roi de Suède, et Bachaumont voyait un manque de savoir-faire dans le fait que La Harpe en y lisant *Les talents des femmes* louait Cahterine II en exaltant

> cette souveraine aux dépens des autres puissances du Nord...[314] Au reste, continue Bachaumont, on lui reproche plusieurs gaucheries dans les détails du morceau qu'il a lu; comme d'avoir trop déprimé les Turcs; d'avoir fait des vœux pour la destruction de leur empire dans un moment où la France cherche à les soutenir & à s'unir plus étroitement avec eux... [tout cela était dit] en présence de M. le marquis de *Choiseul-Gouffier*... ambassadeur auprès de la cour *Ottomane*.[315]

En 1786, après une réorganisation du Musée français, fondé par Pilâtre de Roziers en 1780, pour y enseigner principalement les sciences physiques, on rouvrit cet établissement sous le nom de Lycée, et l'on y enseigna dix matières: physique, mathématiques, chimie, anatomie, histoire, littérature et langues. Des gens haut placés en assumaient la direction, à la tête desquels se trouvaient les comtes d'Artois, de Montmorin et de Montesquiou. La Harpe

---

[308] Il y a eu, chez Lambert et Baudouin, trois éditions de l'ouvrage en 1784, dont l'une en trois volumes, et l'histoire *Les deux réputations* y occupe les pp. 4—204 du tome III. C'est probablement contre cette édition-ci que La Harpe se plaint ici.
[309] *Œuvres diverses*, XII, 219.
[310] *Ibid.*, 220.
[311] *Ibid.*, 73.
[312] *Ibid.*, III, 224.
[313] *Mémoires secrets*, XXVI, 51.
[314] *Ibid.*
[315] *Ibid.*

fut nommé pour y enseigner la littérature. Il accepta ce poste avec beaucoup d'enthousiasme. Ce sera d'ailleurs l'activité qui lui assurera le plus d'éclat auprès des contemporains et dans la postérité. Voici ce qu'il en dit au grand duc:

> On m'a fait l'honneur de me confier la chaire de littérature... Le nombre des souscriptions passe déjà six cents. Les femmes y sont admises comme les hommes, et l'élite de la cour et de la ville, dans les deux sexes, compose ces assemblées... où les sciences et les lettres paraissent avec un éclat qui rappelle les beaux jours d'Athènes. Si la légèreté française ne fait pas de ceci, comme de tout, une affaire de mode, et qu'on ne laisse pas languir par négligence ce qu'on a d'abord adopté avec enthousiasme, ce sera vraiment une très-belle institution, et qui fera d'autant plus d'honneur à la France, qu'elle n'a point de modèle dans l'Europe. C'est ce que j'ai tâché de faire sentir dans la péroraison de mon discours d'ouverture...[316]

Voici la formulation de cette idée dans ce qu'il appelle son »discours d'ouverture«: »Ce sera peut-être un fait assez remarquable dans l'histoire de l'esprit humain, que, plus de deux mille ans après qu'Aristote eut ouvert le Lycée d'Athènes, son éloge et ses ouvrages aient été lus à l'ouverture du lycée français.«[317] Ces cours ne furent pas seulement très populaires en France, mais avec le temps leur réputation gagna à l'étranger, comme le montre cette lettre du comte de Nesselrode à son fils, datée d'octobre 1801: »... je me flatte, disait-il à son fils, malgré votre grande passion pour le séjour de Berlin, qu'il eût été bien autrement utile pour vous d'être à portée du citoyen Laharpe, instituteur du lycée de Paris...«[318]

La Harpe travaillait avec enthousiasme à ses conférences, surtout à ses discours d'ouverture, comme le montre une lettre au comte de Montmorin: »Me voilà de retour de toutes mes courses et rendu tout entier au Lycée. Je travaille à mon discours d'ouverture que pourtant vous n'entendrez pas, mais dont peut-être vous entendrez parler.«[319] C'était son second discours d'ouverture, cette lettre étant du 23 novembre 1786. La troisième année amena autant d'intérêt et d'enthousiasme pour les cours, de l'aveu de La Harpe au grand duc:

> ...au milieu des discussions politiques qui absorbent tous les esprits, et des inquiétudes et des alarmes qu'inspire à tout le monde la situation critique des affaires, le Lycée s'est toujours soutenu avec le même concours et le même succès, et... la troisième année n'a été en rien au-dessous de la seconde... Les états-généraux, qu'on attend pour le mois de janvier, font craindre pour notre quatrième année, tant les têtes sont montées uniquement vers ce seul objet.[320]

Ses biographes ont souligné le charme de ses leçons et le soin avec lequel elles étaient préparées.[321] Sa correspondance le confirme. Il résulte de

---

[316] *Œuvres diverses*, XII, 367—68.
[317] *Lycée*, I, 34.
[318] A. de Nesselrode, *Lettres et papiers du chancelier Comte de Nesselrode, 1760—1850*, II, 140—141.
[319] A. Jovicevich, *Correspondance inédite...*, p. 51.
[320] *Œuvres diverses*, XIII, 65—66.
[321] Daunou, *Vie de La Harpe*, p. XXVIII; Auger, *Vie de La Harpe*, pp. XXXVI—XXXVII.

ces cours un ouvrage imprimé qui, quoique bien refondu, est un titre de gloire pour son auteur, et reste un monument solide parmi les productions littéraires en France au XVIIIe siècle, non seulement en tant que document historique, mais en ce qu'il consacre son auteur comme fondateur de l'histoire littéraire en France.

Le 11 juillet 1786, sa tragédie *Virginie* fut jouée, sous l'anonymat, par la Comédie française.[322] La Harpe s'obstinait à nier la paternité de la pièce, et pour être plus convaincant, il fit imprimer un démenti formel en novembre 1785.[323] Mais quand on remit la pièce au répertoire sous la Révolution, il eut recours également à un journal pour faire »quelques éclaircissements relatifs à la Tragédie de *Virginie* que l'on va représenter au théâtre français ... [vu le nombre de pièces sous le même nom], il m'importe, & il doit m'être permis de rappeler des faits qui constatent mon antériorité de manière à ne laisser aucun doute.«[324] Il y avoue qu'il avait confié cette pièce à Molé; qu'il en était l'auteur et que, malgré

> un accueil très-favorable ... une circonstance assez singulière [le força] de garder encore l'anonymat. Une actrice principale [Mlle Raucourt], qui ne pouvait pas être remplacée dans cette Pièce où elle jouait, indisposée depuis long-tems contre moi par le refus d'un rôle dans un autre de mes Ouvrages, avoit solenellement annoncé qu'elle ne joueroit jamais dans aucun des miens, et menaçoit même, dans le cours des représentations de *Virginie*, de quitter son rôle, s'il étoit avéré que la pièce fut de moi, comme on commençoit de le croire assez généralement. Je gardai donc le silence ...[324]

Métra de son côté confirme cette crainte de La Harpe que les Comédiens, »qui ont fait un arrêté pour ne plus jouer aucune de ses pièces,«[325] ne refusent celle-ci.

Grimm remarquait que »sans offrir un intérêt fort attachant, la conduite est au moins fort supérieure à celle de toutes les *Virginie* que nous avons vues jusqu'à présent; aussi ... a-t-elle été en général bien reçue.«[326] Il en louait le style, »simple et pur,« lui reprochant le »manque quelquefois de chaleur et d'énergie ... même des parties fort négligées.«[327] Grimm,[328] aussi bien que Bachaumont,[329] rapportent que l'on était convaincu que La Harpe en était l'auteur. La pièce eut dix représentations en 1786.[330]

Dans cette seconde tentative de se poser en auteur dramatique, à l'exception des *Brames*, toutes les pièces de La Harpe eurent du succès, parfois même un succès remarquable, et quand on sait que la plupart du temps ses pièces furent protégées par l'anonymat, on doit conclure que cet artifice parvenait presque toujours à dissiper la haine personnelle dont il était depuis longtemps l'objet, à cause du caractère acerbe de ses critiques.

---

[322] Joannidès, *La Comédie-Française...*
[323] *Journal de Paris*, 16 novembre 1785, p. 1319.
[324] *Chronique de Paris*, 8 mai 1972, p. 515.
[325] *Correspondance secrète*, XVIII, 419.
[326] *Correspondance littéraire*, XIV, 435.
[327] *Ibid.*, 434.
[328] *Ibid.*, 435.
[329] *Mémoires secrets*, XXXII, 288.
[330] Joannidès, *La Comédie-Française...*

Il est clair donc que son nom nuisait beacoup à la popularité de ses ouvrages, mais il avait réussi à gagner, vers 1786, l'approbation du public. Charles Alexandre Calonne, alors Contrôleur Général des finances, l'avait »compris... dans l'état des pensions accordées aux Gens de Lettres«[331] en 1786. Il refusa cette pension, s'il faut en croire un article dont on parlera dans le chapitre suivant. Bachaumont déclare qu'en 1787 La Harpe obtint une pension de huit cents livres accordée aux gens de lettres par le duc d'Orléans,[332] et Mme de Genlis assure que c'était grâce à elle que La Harpe obtint cette pension[333]. On sait qu'il recevait une rente viagère de mille cinq cents livres payée par Joseph de Laborde depuis le 9 mars 1787.[334] On sait en outre que pour l'année scolaire 1789—90 il avait reçu deux mille quatre cents livres comme traitement pour ses cours au Lycée,[335] ce qui autorise à supposer, vu la proximité des dates, que la première somme était son traitement stipulé par contrat lorsqu'il avait accepté la chaire de littérature au Lycée. On peut donc conclure que la convocation des Etats généraux trouvait La Harpe dans une situation économique aisée, bien disposé en tant que disciple des philosophes aux réformes sociales et politiques. C'est pour ces raisons-là qu'il va être appelé aux fonctions de représentant de la Commune de Paris, qui s'engagea solidairement au respect pour l'Assemblée nationale et au maintien de la royauté. Il convient maintenant d'étudier l'action qu'eut la Révolution sur La Harpe et La Harpe sur la Révolution.

---

[331] *Mercure*, 9 avril 1791, p. 84.
[332] *Mémoires secrets*, XXXIV, 90.
[333] *Mémoires... de Genlis*, III, 303.
[334] Archives nationales, Minutier central des notaires, Etude XLVIII, 313.
[335] Archives nationales, Minutier central des notaires, Etude L, 756.

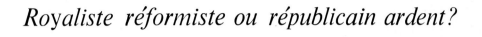

Royaliste réformiste ou républicain ardent?

CHAPITRE IV

Royaliste réformiste ou républicain ardent?

La Harpe et la Révolution depuis la convocation des Etats-Généraux jusqu'à la chute de Robespierre, 1789—1794.

> »C'est toujours le despotisme qui forme, sans y penser, ceux qui doivent le détruire; c'est lui qui prend soin de tremper les armes dont il sera frappé.« La Harpe, *Lycée*, XIV, 390

Les philosophes s'étaient attachés à la critique des abus et des torts de l'Ancien Régime, vaste domaine d'action d'où ils s'érigèrent en apôtres d'une révolution qui devait mettre fin à tous les excès et asseoir un gouvernement égalitaire soumis à des lois strictes et inviolables. Ils espéraient donc une réforme de la monarchie française; ce qu'ils désiraient, c'était une monarchie constitutionnelle d'après le modèle anglais. Pour réaliser ce programme il fallait sinon abattre le trône et l'autel, du moins bien les affaiblir.

En tant que partisan de ce groupe philosophe, et en qualité de disciple, qui se veut l'héritier de Voltaire, il était tout à fait normal que La Harpe embrassât l'opposition à la monarchie absolutiste. En effet, il condamne, dans un article au *Mercure*, l'extrémisme et les abus de l'Ancien Régime, responsables du déclenchement de la révolution, qu'il qualifie de »terme nécessaire de l'extrême abus de la puissance dans ceux qui gouvernoient, et l'effet inévitable du progrès des lumières dans ceux qu'on opprimoit.«[1] La Harpe se veut libéral et éclairé, ce qui était à la mode surtout dans la seconde moitié du XVIIIᵉ siècle, non seulement parmi les philosophes, mais aussi parmi la fraction »éclairée« de la grande aristocratie. Ces gens-là voyaient dans la révolution, l'aurore de la liberté. »... le parti du tiers [état], qui triompha [en 1789], et qui était alors bien certainement celui de la nation, ne voulait rien autre chose, selon La Harpe, qu'une monarchie légale, un gouvernement mixte représentatif dans les deux genres de pouvoir.«[2] De plus, La Harpe était convaincu, depuis quelques années, que, pour s'assurer des lois sages et pour préparer le bonheur des hommes, il fallait renverser les armes à la main le régime oppresseur. Dans son compte rendu du *Recueil des Lois Constitutives des Etats-Unis d'Amérique*, il déclare, en

---

[1] *Mercure*, 6 mars 1790, p. 28.
[2] *Lycée*, XIV, 458.

1778, que »c'est dans les révolutions violentes que se font les Loix les plus sages. L'homme qui brise le joug qu'il croit trop pesant est assez heureux de cet effort.«[3] Une dizaine d'années plus tôt il croyait déjà que, pour stabiliser et asseoir l'apparat d'un grand état, il fallait une commotion sérieuse: »La machine des grands états ne s'affermit et ne se fixe dans un sûr équilibre qu'après de violentes secousses, et sous les coups de l'adversité.«[4]

La convocation des Etats Généraux, et les événements qui s'ensuivirent trouvèrent La Harpe professant son cours au Lycée, qui était bien fréquenté et dont les auditeurs se composaient pour la plupart d'aristocrates. Ces cours, qui n'ont pas survécu dans leur forme réellement professée, reflétaient les idées libérales, à la mode de l'époque. Selon une lettre encore inédite, datée du 15 novembre 1789, il fut appelé à devenir représentant de la Commune de Paris »peu de jours après la révolution.«[5] Mais cela ne l'intéressait pas, à en croire cette même lettre, et il résista quelque peu parce que, en acceptant, »il eut fallu sacrifier mes études, mes goûts, ma liberté, mon repos, ma santé pour commencer une nouvelle carrière.«[5] Pourtant il céda à des instances pressantes, et fut élu député à la Commune de Paris pour le district de l'Abbaye Saint-Germain des Prés.[6] Mais ses fonctions ne durèrent qu'une semaine; »au bout de la 1ère semaine, écrit-il, j'ai obtenu ma démission et depuis ce jour je n'ai jamais paru à aucune assemblée.«[7] Les mêmes raisons l'ont empêché, dit-il, de participer aux »assemblées d'élection lors de la convocation des Etats Généraux.«[7]

Nous insistons sur les données de cette lettre, afin de comparer son contenu avec les aveux publics de La Harpe sur les mêmes événements consignés dans les journaux et dans ses œuvres. Selon toute probabilité, cette lettre peut être plus véridique, parce qu'elle est moins éloignée de la date où ces événements ont eu lieu, et également parce qu'elle était destinée à l'usage privé de son correspondant qui est étranger, semble-t-il, mais dont l'identité nous échappe.

Dans un article au *Mercure*, il se déclare content de sacrifier ses études, son repos, le plan de vie qu'il s'était fait, et ses goûts pour accepter »par obéissance & par zèle« d'être membre actif de la Commune pendant six semaines, donnant sa mauvaise santé comme cause de sa démission.[8] Il est revenu sur ce fait au *Lycée*, et donne l'ennui comme cause de sa démission, car »cette espèce de *parlage* m'était insupportable.«[9]

Aux fonctions publiques il préférait, à en croire la même lettre inédite précitée, »servir la chose publique autant que [possible] ... en développant des vérités utiles dans la place où l'on m'avait mis ... dans les séances du Lycée.«[10] A cette fin il est curieux de noter un article paru dans le *Moniteur*

---

[3] *Mercure*, juin 1778, p. 57.
[4] *Œuvres diverses*, IV, 38.
[5] Nationale Forschungs und Gedenkstätten, Weimar (Goethe und Schiller Archiv), document inédit.
[6] S. Lacroix, *Actes de la Commune de Paris pendant la révolution*, I, 95.
[7] Nationale Forschungs..., Lettre précitée.
[8] *Mercure*, 9 avril 1791, p. 88.
[9] *Lycée*, XI, 546, note.
[10] Nationale Forschungs...

universel du 6 décembre 1789, où l'on discute le programme du Lycée pour l'année 1790, et qui suggère des réformes du calendrier scolaire aussi bien que des cours de La Harpe. Ceux-ci devraient inclure non seulement les œuvres »d'imagination et de goût« mais aussi »comprendre dans l'étude des livres tout ce qui appartient à la raison cultivée.« Dès avant, mais surtout depuis la convocation des Etats Généraux, notre professeur a fait un effort

> pour conformer sa marche au mouvement général des esprits; c'est le devoir d'un littérateur citoyen, continue cet article, dans un temps où les lumières font partie considérable de la chose publique; de là sans doute l'extrême intérêt avec lequel on a suivi et accueilli les nombreuses séances sur les ouvrages de Montesquieu,[11]

qui étaient discutés juste avant la convocation des Etats Généraux, et où La Harpe »osait combattre [les] erreurs« de Montesquieu sur la monarchie.[12]

Vers la fin de 1789, un autre moyen se présenta à La Harpe pour »servir la chose publique« et influer sur l'opinion. Avec la déclaration de la liberté de la presse, le *Mercure de France* se trouvait devant une concurrence considérable qui menaçait son existence même. Le propriétaire Panckoucke ne croyait pas pouvoir subvenir à l'obligation de payer les pensions d'un certain nombre de gens de lettres, ses collaborateurs, auxquels il les avait garanties par le privilège du journal. Dans cette situation, Panckoucke fit appel à certains auteurs dont les pensions dépendaient du succès financier du journal. Parmi eux figurèrent La Harpe, Marmontel et Chamfort. Leur prestige devait »rendre... [la] partie littéraire plus intéressante & aussi digne qu'il est possible d'attirer sur elle l'attention des Souscripteurs.«[13] Ainsi, après environ neuf ans d'interruption, »l'intérêt des lettres, comme il l'a dit lui-même, a déterminé«[14] La Harpe à reprendre la vocation du critique, occupation qui lui a valu surtout beaucoup d'ennemis à cause de ses jugements considérés comme sévères à l'excès. Dans ses comptes rendus des ouvrages, la plupart littéraires, notre critique ne laissait échapper aucune occasion d'exposer ses opinions politiques. C'est surtout sur ces articles, signés de l'initiale D, que nous allons nous fonder pour suivre sa conduite à travers l'une des périodes les plus toublées de l'histoire de France.

Dans son premier article du 19 décembre 1789 discutant la *Diatribe sur les mots Délation, Dénonciation, Accusation*, il parle de la transition, phase inévitable, de l'Ancien Régime au nouveau, qu'il appelle règne anarchique: »Entre l'affranchissement & la liberté, se trouve l'anarchie, passage pénible, mais inévitable, que prolongent également & comme à l'envi ceux qui regrettent le Despotisme, & ceux qui ne connoissent pas encore la Liberté.«[15]

---

[11] »Programme du Lycée pour l'année 1790...«, p. 316.

[12] *Le Moniteur universel*, 11 novembre 1794, »Rapport sur le Lycée Républicain, fait par Boissy, au nom du Comité d'instruction publique, dans la séance du 18 Brumaire [an III],« p. 222.

[13] *Mercure*, 12 décembre 1789, p. 64.

[14] *Œuvres diverses*, III, 332.

[15] *Mercure*, 19 décembre 1789, p. 96; il répète la même idée dans le *Mercure*, 6 mars 1790, p. 20.

Il faut donc une éducation spéciale, assez étendue et bien soignée, pour vivre en liberté et pour en jouir. Environ un mois plus tôt, dans la lettre inédite déjà citée plus haut, il explique la situation anarchique à son correspondant étranger. Il la tient pour inévitable dans une révolution violente, qui cependant a brusqué les affaires et la vie moins que l'on ne s'y attendait. »Ce qui arrive jusqu'ici, déclare La Harpe, était à peu près inévitable, et dès qu'on a fait agir la force populaire, qui n'est jamais bonne qu'à détruire, il est bien certain que le partage entre l'ancien état de choses renversé et un nouvel ordre à établir est nécessairement l'anarchie.«[16] La lettre poursuit en affirmant que la royauté est le système le plus convenable, voire un système indispensable, pour la France, et qu'il faut pouvoir concilier la liberté politique et civile de tous les individus avec l'autorité royale. C'est difficile mais faisable. Il faut donner par les lois la force, la conscience et la dignité au pouvoir exécutif déchu et imposer des limites au corps législatif qui doit, à son tour, contenir le peuple déchaîné.

> Saurons-nous accorder, se demande La Harpe, la liberté politique et civile nécessaires à tous les individues avec l'autorité royale indispensable, selon moi, dans un grand état? ...Il s'agit de donner par la loi force, conscience et dignité au pouvoir exécutif abattu par la main du peuple. Il faut pour cela deux choses: que le pouvoir législatif s'impose à lui-même des limites, et qu'il impose un frein au peuple qu'il déchaîne.[17]

Le 16 janvier 1790, dans ses remarques concernant les *Réflexions sur le recueil intitulé La Bastille dévoilée*, La Harpe suggère l'abolition des parlements parce que »en tant que corps de privilégiés motivés par des gains égoistes,« ils menacent également la liberté et le trône.[18] Il recommande des lois équitables mais supérieures à tout corps, exécutif ou législatif. Il professe l'enthousiasme et la loyauté vis-à-vis du nouveau régime tout en recommandant la modération et le bon sens comme guide pour ceux qui sont au pouvoir. La Harpe, en bon étudiant de Montesquieu, avait dû apprendre que l'éducation était d'une importance primordiale pour maintenir et conserver un certain principe du gouvernement. Dans une république, par exemple, des préceptes particuliers doivent être inculqués pour former des citoyens. D'où

---

[16] Nationale Forschungs...
[17] *Ibid.*
[18] Cet article provoqua une réponse anonyme violente, sous le titre de *Lettre écrite à M. de La Harpe, sur les réflexions concernant la suppression des Parlemens.* Paris, 17 février 1790: »...il ne vous manque, Monsieur, dit cette lettre, que de vous armer d'une torche et d'aller à la tête de la canaille mettre le feu au Palais, en arracher les Magistrats ... il semble que la vengeance ait conduit votre main ... d'ailleurs est-il bien généreux dans un écrit public de s'élever avec rage contre des Corps dont la ruine est jurée, auxquels vous auriez élevé des autels il y a deux ans, et qui, victimes aujourd'hui des préjugés du moment attendent en silence le coup qui doit les frapper?« En 1794 La Harpe reconnut son excès à ce sujet quand il disait: »... les parlements s'étaient rendus odieux à beaucoup d'honnêtes gens, par leur mépris pour les droits naturels du peuple, et par leur opposition inconséquente et scandaleuse à l'autorité royale.« Il se reproche d'avoir demandé leur suppression en 1790. (Daunou, *Discours préliminaire, Lycée*, I, p. CLXIV.)

il résulte que l'éducation doit avoir un caractère essentiellement politique.[19] La Harpe met aussi l'accent sur la nécessité impérative d'instruire tout le monde en ce qui concerne les devoirs du citoyen et veut qu'on enseigne le respect des lois et de l'ordre public. Il faut que tout Français »apprenne à lire dans un *catéchisme du citoyen*, mis à la portée de tout le monde, où l'on enseignera de bonne heure aux enfans le mépris & l'aversion pour le pouvoir arbitraire, l'amour & le respect pour la loi.«[20] Cette possibilité d'assujettir l'opinion contenait autant de risques que de garanties, et notre critique le savait:

> ...le talent d'assujettir l'opinion des hommes, déclare-t-il, est un moyen puissant pour les gouverner... c'est une arme dans les mains du politique, de l'enthousiaste, du méchant même; et dans de telles mains cette arme est dangereuse et quelquefois terrible. Elle est utile dans celles du sage qui ne combat que les préjugés et l'erreur.[21]

Cependant, La Harpe, comme Montesquieu et Rousseau, s'imaginait pouvoir créer l'homme nouveau par une éducation bien pensée, conviction absurde évidemment que les tentatives postérieures, dans un système social contemporain, ont montrée dépourvue de fondement.

Dans un article d'avril 1791, il dénonce la démagogie qui peut être aussi pernicieuse et tyrannique que le despotisme: »Je ne fais pas plus de cas de ceux qui flattent la multitude, que de ceux qui flattaient le Despotisme.«[22]

---

[19] »...le gouvernement est comme toutes les choses du monde: pour le conserver il faut l'aimer. ...Tout dépend donc d'établir dans la république cet amour, et c'est à l'inspirer que l'éducation doit être attentive.« *De l'Esprit des Lois*, éd. Jean Brethe de la Gressaye, I, 80.
Dans le *Contrat social* et dans l'*Economie politique*, par exemple, Rousseau, lui aussi, envisage une transformation radicale et débilitante, en effet, malgré les termes de son texte qui suggèrent l'idée du contraire, car c'est une vraie mutilation de la constitution humaine qu'il recommande, en disant que, »s'il est bon de savoir employer les hommes tels qu'ils sont, il vaut beaucoup mieux encore les rendre tels qu'on a besoin qu'ils soient«. (Voir C. E. Vaughan, *The Political Writings of Jean-Jacques Rousseau*, I, 248.) Il se rend compte que c'est un processus qui exige un long temps pour s'achever, car »former des citoyens n'est pas l'affaire d'un jour; et, pour les avoir hommes, il faut les instruire enfants... [afin de] chercher hors de leur nature une perfection dont ils ne sont pas susceptibles« (*Ibid.*, 255). Rousseau croit que le législateur, »à tous égards un homme extraordinaire dans l'Etat, ...doit se sentir en état de changer pour ainsi dire la nature humaine, de transformer chaque individu, qui par lui-même est un tout parfait et solitaire, en partie d'un plus grand tout dont cet individu reçoive en quelque sorte sa vie et son être; d'altérer la constitution de l'homme pour la renforcer; de substituer une existence partielle et morale à l'existence physique et indépendante que nous avons tous reçue de la nature. Il faut, en un mot, qu'il ôte à l'homme ses forces propres pour lui en donner qui lui soient étrangères, et dont il ne puisse faire usage sans le secours d'autrui« (*Ibid.*, II, 51—52). De telle manière on rendrait les hommes »conséquents à eux-mêmes, étant ce qu'ils veulent paraître et paraissant ce qu'ils sont; vous aurez mis la loi sociale au fond des cœurs: hommes civils [sociaux] par leur nature et citoyens par leurs inclinations, ils seront uns, ils seront bons, ils seront heureux, et leur félicité sera celle de la République« (*Ibid.*, I, 326).
[20] *Mercure*, 16 janvier 1790, p. 112; il répète la même idée un an plus tard, *Ibid.*, 22 janvier 1971, p. 134.
[21] *Œuvres diverses*, V, 34.
[22] *Mercure*, 9 avril 1791, pp. 91.

Il n'a de respect que pour les lois, le seul pouvoir qui n'a pas besoin »d'être flatté, & dont tout le monde a besoin.«[22] La liberté est un privilège très appréciable, il faut donc le protéger contre tout usurpateur, et l'expérience enseigne que la royauté se prêtait aisément à l'exercise de la tyrannie non tant dans la personne du souverain que dans l'exécution des fonctions de ses ministres. La Harpe raconte, dans une note, une expérience personnelle avec les autorités où l'on a failli le mettre à la Bastille comme auteur des couplets contre un »Edit de finances,« bien qu'il n'ait eu aucune connaissance personnelle ni de l'un ni de l'autre.[23] En continuant cet article, il saisit l'occasion de défier qui que ce soit de lui »prouver que l'*intérêt* du Roi, l'*autorité* du Roi ayent jamais été le motif d'aucune de ces détentions tyranniques … le principe de ces odieux emprisonnemens a toujours été, affirme-t-il, un intérêt particulier,«[24] celui des ministres du roi. Beaucoup plus tôt, il avait dit dans l'*Eloge de Charles V* que »le mal que peuvent faire les rois, est toujours moindre que celui qu'on peut faire en leur nom.«[25] Rarement ils font du mal, car leur intérêt est d'être bons et ce n'est que par la liberté qu'ils donnent aux autres de faire du mal qu'ils en font.[26] La monarchie absolue sert de prétexte aux ministres tyrans. La même idée se trouve à nouveau exprimée dans cet article: »Il y a un fond de justice dans tous les hommes & les peuples sentent si bien que ce ne sont pas les Rois qui sont intéressés à régner despotiquement…«[27] Déjà en mars de l'année 1790, il avait prêté son serment au roi Louis XVI, et il implorait tous les Français d'être »justes envers [Louis XVI] après qu'il a été généreux envers vous: aimez, bénissez celui à qui seul vous devez le rare bonheur d'avoir eu une constitution sans avoir une guerre civile.«[28]

Commentant *Le Despotisme dévoilé, ou Mémoires de Henri Masers de la Tude,* par de Thiery, où celui-ci raconte ses expériences personnelles dans la prison pendant trente-cinq ans, La Harpe voulait »que cette effroyable Histoire devînt le Livre d'école où tous les enfans apprendroient à lire… voilà l'instruction qu'il faut donner à des hommes nouvellement libres.«[29] Se fondant probablement sur ses souvenirs personnels de l'arbitraire et de l'excessive sévérité de l'administration de la justice sous l'Ancien Régime, La Harpe voit, malgré toutes les plaintes contre les conditions actuelles du moment, une amélioration très marquée en comparaison avec le passé. »Souvenez-vous du passé, s'exclame notre professeur… puisqu'en dernier résultat rien ne pouvoit jamais être aussi horrible que ce qui avoit été.«[30] Ses déboires avec la justice l'ont affligé à tel point que, dans la continuation de cet article, il avoue qu'il rassemblait

---

[23] *Mercure,* 23 janvier 1790, pp. 156—57.

[24] *Ibid.,* p. 163.

[25] *Œuvres diverses*, IV, 31.

[26] »… il est rare, affirme La Harpe, qu'un roi soit méchant, parce que nul n'a moins d'intérêt à l'être. Ils ne font guère que le mal qu'ils laissent faire.« *Lycée,* XIV, 149.

[27] *Mercure,* 23 janvier 1790, p. 164.

[28] *Ibid.,* 6 mars 1790, p. 30; répète la même idée. *Ibid.,* 21 août 1790, p. 106.

[29] *Ibid.,* 26 juin 1790, p. 130.

[30] *Ibid.,* p. 138.

> des matériaux pour servir à une Histoire des iniquités Ministé-
> rielles, qui ne devoit paroître qu'après [sa] mort... [car] la voix
> de la vérité n'... a pas moins de force en s'élevant du sein de la
> tombe. Un nouvel ordre de choses rend ce travail inutile... [et]
> je n'emporterai pas dans le tombeau ce fardeau de douleur &
> d'indignation qui avoit pesé si long-temps sur mon cœur.[31]

Bien que notre critique attaque le passé avec une fréquence impression-
nante, il s'affirme défenseur avoué de la monarchie constitutionnelle et de la
personne de Louis XVI, maintenant accusé de trahison.[32] Mêmes théories
devant la Société des amis de la constitution, décembre 1790:

> ... je réprouve également & l'aristocrate qui hait la liberté, & le
> forcené démagogue qui la souille. ... Je méprise les écrivains sans
> pudeur qui ont outragé un roi citoyen: ils ont oublié ce qu'ils
> devoient au chef d'un peuple libre. ... manquer parmi nous à la
> dignité royale, c'est attenter à la majesté nationale. J'aime & je
> respecte mon roi dans la personne de Louis XVI, mais c'est
> précisément parce qu'il n'est pas *mon maître*, & que, d'après
> mon serment & le sien, je n'ai de maître, que la loi.[33]

La dignité du roi s'est accrue, selon La Harpe, depuis que le souverain
a déclaré sa soumission aux lois.

Une fois auparavant La Harpe s'est adressé, en août 1790, à l'Assemblée
nationale en tête d'une députation des auteurs dramatiques pour présenter
une pétition, afin de réformer les lois qui régissaient le théâtre de Paris.
Ces lois favorisaient la Comédie française, que ce groupe d'auteurs accuse
d'être aristocrate, voire réactionnaire. Ils demandent donc que l'on donne
l'autorisation d'organiser un théâtre à toute personne susceptible de pouvoir
subvenir aux frais nécessaires; que la municipalité de Paris fasse de nouvelles
lois pour régir le théâtre; qu'on permette à tout groupe d'acteurs nouvellement constitué de jouer toute pièce des auteurs décédés et de négocier
avec tous les auteurs vivants; qu'on interdise la représentation des pièces
des auteurs vivants sans leur consentement écrit; que toute troupe de théâtre
soit libre de jouer les pièces de tout auteur cinq ans après sa mort.[34] Cette
pétition met l'accent sur le fait »que les gens de lettres ont été les premiers
moteurs de cette grande et heureuse révolution qui vous met à portée de
donner à la France la seule chose qui lui manquât pour être à sa place dans
l'Europe, un gouvernement légal.«[35] Pour se ranimer il faut que le théâtre
s'affranchisse et que cela coïncide avec la renaissance du pays: »Il faut que
la régénération de la scène française date de la même époque que celle de
la France entière ... elle doit renaître comme tout le reste, sous les auspices
de la liberté.«[36] Grimm, ou plutôt Meister, en ennemi invétéré de La Harpe,

---

[31] *Ibid.*, 10 juillet 1790, p. 78.
[32] *Ibid.*, 21 août 1790, pp. 92—118, *Lettre à M. Chevalier du Pange sur la brochure
intituleé: Réflexions sur la Délation & sur le Comité des Recherches*, par J. P. Bris-
sot de Warville, passim.
[33] *Discours sur la liberté du théâtre prononcé par M. de La Harpe le 17 décembre
1790 à la Société des amis de la constitution*, p. 8; la même idée dans *Virginie*,
Acte III, scène II, *Œuvres diverses*, II, 583.
[34] *Adresse des auteurs dramatiques à l'Assemblée nationale, prononcée par M. de
La Harpe dans la séance du mardi soir 24 août*, (s. d.) pp. 6—9.
[35] *Ibid.*, p. 2.
[36] *Ibid.*, p. 10.

voyait dans cette démarche des motifs personnels, ce qui est vraisemblable, mais il abuse des intentions de l'auteur de *Warwick* quand il dit: »...l'illustre orateur fait sentir combien il importe au salut de l'Etat qu'à l'avenir ses propres chefs-d'œuvre et ceux de ses confrères soient infiniment mieux payés que ne le furent jusqu'ici les faibles essais de Corneille, de Racine, de Voltaire, etc.«[37]

Dans les débats de l'Académie française, que l'on soupçonnait de tendances aristocratiques, La Harpe lutte pour supprimer l'autorité du roi, qui lui permettait d'annuler l'élection d'un membre qui ne lui plaisait pas. Toutefois, le disciple de Voltaire se déclare pour le maintien de l'Académie á cause de son patriotisme et de son utilité publique. Le but de cette institution était de maintenir la pureté de la langue, d'honorer les talents et d'encourager l'émulation en donnant des prix. Il fait remarquer le rôle important qu'elle a joué dans la préparation de la révolution.[38]

Cependant, en mai 1790, dans le compte rendu du *Décret de l'Assemblée nationale sur les biens du Clergé*, le critique se prononce pour la confiscation de ces biens, car il croit que: »les biens du Clergé ne sont point une propriété.« c'est-à-dire quelque chose qui appartient au clergé

> par le droit naturel, même antérieurement à tout droit légal, de telle manière que personne ne puisse... l'ôter sans injustice... [ces possessions] sont toutes, ou des donations ou des concessions, ou des salaires... elles ont été faites [en tant que donations] à des conditions... ces conditions n'étant pas tenues, les donations sont révocables par la même Puissance publique qui les a autorisées.[39]

A considérer ces biens comme »salaires affectés au service des Autels, il est tout aussi évident que la Nation qui les fournit peut les restreindre, les modifier, les changer à son gré.«[40] La Harpe ne voudrait pourtant pas supprimer les prêtres. Au contraire, il suggère l'enseignement de »la Théologie positive« dans les séminaires. Cette théologie positive suffit »pour apprendre à connaître l'écriture, la tradition, la doctrine des Pères & des Conciles & tout ce qui concerne les fonctions du ministère ecclésiastique.«[41]

La Harpe se prononce à nouveau sur les affaires publiques en discutant, au *Mercure*, un *Plan sommaire d'une Education publique*, où il suggère de refondre entièrement l'ancien système d'éducation qui était susceptible de »former ...des Sujets« afin »de former des hommes libres« maintenant.[42] Dans ce programme seront comprises les études du »Cathéchisme de la Religion,«[43] mais il abolira la »*Faculté* de Théologie ... [qui] n'a jamais fait que du mal.«[44] Il n'attaque pas la religion, ni même le Christianisme; il croit absurde »de disputer sur une Religion divinement révélée depuis dix-huit siècles. Dieu l'a établie, l'Eglise en est le dépositaire; [cette religion]

---

[37] *Correspondance littéraire*, XVI, 111.
[38] *Mercure*, 16 octobre 1790, pp. 107—119; *Ibid.*, 23 octobre 1790, pp. 139—155, passim.
[39] *Ibid.*, 8 mai 1790, p. 66.
[40] *Ibid.*, p. 67.
[41] *Ibid.*, 22 janvier 1791, p. 142.
[42] *Ibid.*, p. 132.
[43] *Ibid.*, p. 134.
[44] *Ibid.*, p. 140.

subsistera jusqu'à la fin des temps.«[45] Il croit que le cathéchisme »contient tout ce que l'Eglise ordonne de croire [et] suffit à tout fidèle.«[46]

Certes il a raillé, à plusieurs reprises au cours de sa carrière littéraire, la vie monastique,

> cette manière de vivre si opposée à la Nature [qui humainement parlant] paroît totalement absurde, [bien qu'en accord avec les Ecritures saintes] ... Si tous les Chrétiens étoient de vrais croyans, bientôt le monde ne seroit habité que par des Reclus & des Vierges; & ... [si] le miracle qui nous est promis de la conversion de tous les Peuples au Christianisme [avait lieu, il résulterait de cette conséquence, que] la Terre ne seroit bientôt qu'une vaste Thébaïde. Dans ce cas, il est probable que bientôt ... le Monde finiroit, mais qu'importe?[47]

Ce sont idées bien rebattues depuis les *Lettres persanes* et particulièrement chez Voltaire, et c'est chez ce dernier que La Harpe les a apprises par cœur, car en commentant la *Vie de Voltaire* de Condorcet, il déclare que c'est Voltaire

> qui a fait tomber la première & la plus formidable barrière du despotisme, le pouvoir religieux & sacerdotal. S'il n'eût pas brisé le joug des Prêtres, continue La Harpe, jamais on n'eût brisé celui des Tyrans. ... [Ces deux puissances] se tenoient si étroitement, que le premier [joug] une fois secoué, le second devoit [l'] être bientôt après ...«[48]

L'auteur en vient à défendre l'idée de la religion naturelle parce qu'elle seule est conforme à la raison, don de Dieu, qui nie toute religion révélée, y compris, bien entendu, le Christianisme, qui veut être accepté sans raisonner et qui veut espérer en l'opération de la grâce en ce qui concerne notre salut:

> ... pour les hommes raisonnables qui n'ont pas le bonheur d'être éclairés des lumières surnaturelles du Christianisme, il ne peut exister d'autre Religion que la Religion naturelle, celle qui consiste dans l'adoration d'un Dieu rémunérateur & vengeur, dans la conscience du *juste* & de *l'injuste*, qui n'est que le témoignage intérieur de la raison que nous avons reçue de Dieu, & dans la croyance de l'immortalité du principe pensant, quel qu'il soit: c'est la Religion qu'ont prêchée tous les Sages depuis Confucius jusqu'à Voltaire.[49]

En citant Saint Augustin, La Harpe le met au rang des philosophes: »... Je crois parce que cela est absurde; je crois parce que cela est impossible ... Ce sont les plus belles paroles de ce grand Saint; c'est ... toute l'essence de notre Sainte Religion.«[50] Les ennemis du Christianisme ont tort de juger

---

[45] *Ibid.*, p. 141.
[46] *Ibid.*, p. 142.
[47] »Lettres écrites de la Trappe par un novice,« dans le *Mercure*, 5 juin 1790, pp. 43—44.
[48] *Mercure*, 7 août 1790, pp. 27—28.
[49] *Ibid.*, p. 37. Cette idée-là, comme l'a très bien remarqué M. Pomeau, Voltaire l'a prêchée, car il croyait utile à la société cette conception d'un Dieu »rémunérateur et vengeur.« Voir sur ce problème le superbe travail de René Pomeau, *La Religion de Voltaire*, passim et particulièrement p. 457.
[50] *Ibid.*, pp. 37—38.

cette religion par le mal que »ses Ministres« ont fait au nom de sa doctrine, car ces ennemis »oublioient que ce n'est pas selon *l'ordre temporel* qu'il falloit apprécier une Religion toute divine.«[51]

Comment peut-on concilier, se demande notre philosophe, un Dieu juste et universel qui ne se révèle qu'à un quart de la population du monde et lui donne exclusivement ce qui »était nécessaire à tous pour être sauvés?«[52] La réponse du Chrétien est que croire seulement ce qui est évident n'a aucun mérite, et »ce mérite-là, c'est une grâce particulière que Dieu a faite aux Chrétiens. Il ne doit compte à personne de ses dons. Nous ne sommes point juges de la Justice. Mais comme nous comptons sur sa bonté, nous le prions qu'il vous éclaire comme il nous a éclairés.«[52] La Harpe met en parallèle ses idées purement déistes avec celles exprimées par Rousseau dans le *Vicaire savoyard*, où celui-ci argumente contre la révélation, mais accepte finalement »la divinité« des Ecritures Saintes: »après avoir écouté sa raison, il a cédé à la foi, si supérieure à la raison [parce qu'il a eu] le don ... de la Grâce,« don de plus en plus rare, qu'un certain nombre de croyants seulement peuvent posséder. Si tout le monde n'a pas le privilège d'être croyant, »tout le monde a intérêt à être honnête homme, c'est pour cela que je crois du devoir de la philosophie, continue La Harpe, non seulement de ne point nier la Religion naturelle, mais même de la recommander à tous les hommes, parce qu'elle est à la portée de tous et bonne à tous.«[53]

Nous avons donc vu La Harpe attaquer le clergé, railler certains aspects de la vie monastique en démontrant la malfaisance de cette vie, déclarer même certains principes du christianisme contraires à la raison. Mais il n'accuse que les mauvais prêtres qui se réclament de Dieu afin de dissimuler une soif de puissance humaine. Bien plus, il semble admettre la possibilité de la grâce. Dans son opposition combative aux pratiques et à la politique de l'Eglise, son antagonisme ne le mène pas jusqu'à la condamnation de la doctrine chrétienne. C'est certainement une telle attitude qui pourra expliquer plus tard sa conversion.

Dans ses »Observations sur l'ouvrage de M. de Calonne intitulé: *De l'état de la France présent et à venir*,« La Harpe raconte que Calonne, intendant des finances depuis 1785, avait inclus son nom, en 1786, dans la liste des gens de lettres qui méritent une pension. Se disant reconnaissant et obligé, il accuse ce ministre, (disgracié et exilé finalement en Angleterre à cause de son imprévoyance et de son penchant à trop dépenser), d'être véritablement un ennemi public. Le critique justifie ses attaques contre son bienfaiteur par le devoir civique, »car je dois plus à la Révolution & à la Constitution qui m'ont fait libre & Citoyen, que je ne puis devoir à M. de Calonne qui m'a mis au nombre des pensionnaires de l'Etat.«[54] Aucun intérêt personnel, affirme-t-il, n'a pu influer sur lui, même pas pour mériter une louange publique. Il dit estimer la nouvelle liberté plus que tout gain personnel, matériel ou autre:

> ... je pourrais, tout comme un autre, me plaindre de la Révolu-tion, affirme-t-il. S'agit-il-de fortune? Le nouveau Régime a dimi-nué le peu que j'en avais, & m'a ôté des espérances que je pouvais

---

[51] *Mercure*, 7 août 1790, p. 38.
[52] *Ibid.*, p. 39.
[53] *Ibid.*, p. 40.
[54] *Mercure*, 9 avril 1791, p. 86.

> concevoir légitimement dans mon état, & sans faire tort à personne. S'agit-il d'amour-propre? Si j'étais fort susceptible de la vanité d'Auteur je pourrais regretter le temps où la Littérature tenait une grande place dans la Société...[55]

Dans cet article, il se pique d'avoir prévu les événements, car il avait, dit-il, prédit la révolution lors de ses conférences au Lycée six mois avant qu'elle ne se produisît, et ces commentaires favorables à la révolution causèrent la désertion de son cours par l'aristocratie. Il se croit dédommagé cependant par »les applaudissemens de tous les bons Patriotes, qui retrouvaient dans leur cœur tout ce que je prononçais devant eux.«[56] Il se déclare »véritablement *dans le sens* de la Révolution & de la Constitution,«[56] car il avait depuis toujours »l'une dans le cœur & l'autre dans la tête.«[56] L'ordre légal exprime ses idées et la liberté accomplit ses vœux. En ce qui concerne la critique constante de l'Ancien Régime, il invoque le témoignage de tous ses amis et de tous ses ouvrages, et offre comme preuve la persécution perpétrée par ce régime contre ses écrits, tels un article sur la »Diatribe à l'Auteur des Ephémérides« et l'*Eloge de Fénelon.* »...j'ai été frappé par tous les marteaux de la tyrannie, se plaint-il. Je fus constamment, sous le dernier règne, au nombre des *Proscrits.*«[57] Même ses vers dans lesquels il loue Louis XVI, »dont les intentions connues annonçaient déjà des changemens & des réformes,« doivent être considérés comme »satire de son prédécesseur.«[57] Il est très fier du fait qu'il n'a, dit-il, jamais loué Louis XV, même pas dans son discours de réception à l'Académie, en 1776, ni Richelieu non plus, »ce qui était jusque-là sans exemple, & ce qui même a été rarement imité depuis.«[58] Toujours est-il qu'il se déclare content de la révolution car elle satisfait son amour de liberté et de vérité: »...je ne veux rien, je ne demande rien, je ne regrette rien. Je n'ai d'amis que ceux qui aiment l'ordre, sans lequel il n'y a point de Liberté.«[59]

Il distingue entre le despote et le roi et dit: »La nation n'a point dit à ses Représentans: *Faites la guerre au Roi;* mais... Faites la guerre au Despotisme, aussi ennemi de la Royauté que de la Liberté.«[60] La nouvelle Constitution doit rendre tout le monde égal en soumettant tous les citoyens à la loi.[61] Tout en attaquant les abus de l'Ancien Régime dans les domaines

---

[55] *Ibid.*, p. 88.
[56] *Ibid.*, p. 89; voir aussi Boissy d'Anglas, »Rapport sur le Lycée Républicain...,« *Le Moniteur*, 11 novembre 1794, p. 222.
[57] *Ibid.*, p. 90.
[58] *Ibid.*, pp. 90—91. Cette idée-là, Voltaire la lui avait suggérée dans une lettre du 17 juillet 1774: »...quand quelqu'une de nos vieilles têtes sera trépassée... il faudra bien que vous aiez la place. Vous nous ferez un beau discours instructif et bien solide, sans louanger... le Cardinal de Richelieu. Il faudra absolument abolir cette coutume ridicule.« *Voltaire's Correspondence*, LXXXVIII, 102.
[59] *Ibid.*, p. 91.
[60] *Ibid.*, p. 93.
[61] *Ibid.*, 23 avril 1791, p. 143. Une réponse acerbe à cet article fut publiée dans les *Révolutions de Paris dédiées à la Nation*, du 7 au 14 mai 1791, où l'on accuse La Harpe de »calomnie,« d'»indécence« et de »mauvaise foi.« On l'appelle »citoyen douteux, mais actif, grace à la bourse du dieu Mercure, patron de l'aristocratie, vous qui n'adulez pas le peuple... vous qui comme tous les autres gens de lettres à petite réputation, n'avez rien fait pour la révolution, et ne vous êtes déclaré pour elle que quand il n'y avait plus de risque à courir.« (p. 245.)

politique, social et fiscal, il souligne que »le premier article de notre Constitution, est que nous sommes une Monarchie: nous avons juré de la maintenir. Tâchons qu'elle soit aussi parfaitement légale qu'il est possible & souvenons-nous que nos intérêts sont liés à nos sermens.«[62] Deux semaines plus tard, La Harpe se déclare en faveur du roi, qui »fut trompé, & cruellement trompé. Lui-même l'a reconnu; il s'est repenti, il a tout réparé.«[63] Vers la fin de mai 1791, il s'avoue membre de la Société des Amis de la Constitution, les Jacobins.[64] Il est favorable à une constitution stable malgré ses imperfections et ses inconvénients, que l'on pourra mesurer dans le temps seulement. On pourra toujours la revoir plus tard, mais réviser chaque constitution précédente par celle qui la suit, ce sera une anarchie: »... le plus grand de tous les maux serait de ne pas nous ... tenir à notre Constitution. Si nous commettons cette faute capitale, il est impossible de calculer les malheurs qui nous attendent, & nul de nous ne peut prévoir ce que lui coûtera la liberté.«[65]

A la fin de cette année-là, selon son propre aveu dans un journal de l'époque, notre homme se trouve dans la gêne pécuniaire, car l'année d'avant il avait dû travailler, ainsi que les autres professeurs du Lycée, a peu près gratuitement, »les produits du Lycée n'ayant guère pu suffire qu'à couvrir les frais qui sont considérables.«[66] Le régime révolutionnaire, en doublant les taxes sur le port des journaux, avait anéanti les pensions des journalistes et il avait suspendu celles que La Harpe avait sur le trésor royal. Notre auteur avait perdu aussi d'autres sources de revenus,

> ce qui en résulte ... c'est que, ne pouvant plus compter sur aucun secours, [notre homme] ... ne doi[t] rien attendre que de [lui-même] ... heureusement il est reconnu dans notre nouveau régime, ajoute-t-il, que le talent et le travail sont la plus honorable ressource de ceux qui n'ont pas d'autre patrimoine ... En conséquence, j'ouvrirai le premier décembre, mon cours de littérature chez moi, rue du Hazard ... Le prix de la souscription est de cent francs pour les hommes et de cinquante pour les femmes.[67]

Au cours de l'année 1792, il manifeste, par ses actions, son civisme et sa loyauté pour la révolution. Commentant les événements du 10 août 1792, il dit: »à n'en juger que par les suites qu'il [le 10 août] a eues jusqu'ici [il] ne peut être encore regardé que comme la victoire d'une faction qui renversa la royauté pour y substituer la tyrannie.«[68] On aimerait bien savoir, afin d'évaluer sa portée, à quel moment précis il a formé ce jugement. Cependant, on sait qu'au mois de décembre 1792, La Harpe n'était pas encore prêt à blâmer le souverain seul pour toutes les fautes dans un royaume, car il croit »juste ... de convenir que ce n'est pas seulement aux Rois qu'il faut s'en prendre, c'est surtout au vice de leur éducation & la bassesse

---

[62] *Mercure,* 30 avril, p. 196.
[63] *Ibid.,* 14 mai, p. 75.
[64] *Ibid.,* 21 mai 1791, p. 106, note. Cette société »a bien servi la cause commune,« déclare La Harpe, *Ibid.*
[65] *Ibid.,* p. 113.
[66] *Feuille du Jour,* 20 novembre 1791.
[67] *Ibid.*
[68] *Lycée,* XIV, 447.

des Courtisans.«[69] Il continue à admirer la monarchie constitutionnelle d'Angleterre: elle a »encore un Roi [mais] ce Roi du moins n'y est pas *maître*.«[70] Dans le compte rendu de l'ouvrage *De la Liberté* de Charles de Villers, La Harpe censure sévèrement l'idée exprimée dans cet écrit, »*Que la Liberté ne peut exister dans l'état civil*.«[71] Ces mots étant en italiques, La Harpe cite ou croit citer Villers, dans l'ouvrage duquel il s'agit de savoir si la liberté peut exister dans une société policée et gouvernée par des lois — c'est ce que l'expression »l'état civil« veut dire. La Harpe pense pourtant que oui, et il affirme que »la liberté civile n'est autre chose ... que l'affranchissement de tout pouvoir arbitraire, de toute autorité qui n'est pas légale: c'est l'état du Citoyen qui ne doit rien craindre dans l'exercise de ses droits, tant qu'il n'attente pas à ceux d'autrui, qui sont les mêmes.«[72] Il condamne ce qu'il appelle la »démence furieuse«[73] des ennemis de la révolution. Ces gens-là trouvent que »tout ce qui est contre cette Révolution est bon; tout ce qui est pour elle ne vaut rien.«[74] Certes, La Harpe sait que la Révolution ne va pas sans désordres, mais il s'agit de désordres transitoires. Ainsi, en guise de commentaire d'une lettre de Garat à Condorcet, imprimée dans le *Journal de Paris*, notre patriote se demande ce qu'est la liberté pour des hommes sans éducation, sans lumières, sans principes, sans ressources: »Nécessairement, répond-il, le règne de la licence & de l'impunité, dans ce passage des anciennes Loix détruites aux Loix qu'il faut leur substituer...«[75] Dans une lettre publiée dans la *Chronique de Paris*, du 13 septembre 1792, La Harpe propose une collecte, dans les quarante-huit sections, pour les familles immédiates des volontaires combattant dans l'armée républicaine: »...une collecte pour les femmes, les filles, les sœurs de ces braves volontaires, [il souhaite] ...que des commissaires bien choisis dans chaque section, soient chargés de la répartition des secours entre toutes les familles qui peuvent en avoir besoin. J'offre pour ma part 50 liv [res] ...«[76]

A la rentrée du Lycée, en décembre 1792, notre professeur, qui en était devenu actionnaire et copropriétaire deux ans plus tôt,[77] a récité un *Hymne à la Liberté*, qu'il avait composé en septembre 1792, à en croire un article du *Mercure* du 12 janvier 1793. Ce chant a eu un exellent effet sur l'auditoire du Lycée, ce qui a déterminé l'administration à le faire imprimer, »& l'auteur très flatté de pouvoir faire avec eux [les administrateurs du Lycée] cette offrande civique à la patrie, a cédé volontiers à leur empressement sans attendre le concours de la musique« que Philidor devait composer.[78] Après la lecture de ce chant au »conseil général du département des Vosges,«

---

[69] *Mercure*, 8 décembre 1792, p. 41.
[70] *Ibid.*, p. 46.
[71] *Ibid.*, 14 janvier 1792, p. 41.
[72] *Ibid.*, p. 52.
[73] *Ibid.*, p. 42.
[74] *Ibid.*, p. 43.
[75] *Ibid.*, 21 janvier 1792, p. 74.
[76] p. 1027.
[77] Archives nationales, Minutier central des notaires, Etude L 756 — *Procuration des fondateurs du Lycée*, 14 décembre 1790, et *Association: les nouveaux fondateurs du Lycée*, [qui] »pour empêcher la destruction de cet établissement consacré aux Sciences et aux Arts, ont formé entre eux une association à titre d'amateurs...« 19 décembre 1790.
[78] *Mercure*, 12 janvier 1793, supplément, p. 1.

François de Neufchâteau, ami de longue date de La Harpe, lui écrivit le 26 décembre 1792, en qualité de président du département des Vosges, pour exprimer le succès de cet *Hymne* auprès du conseil général. »Les membres du conseil ont souscrit volontairement pour faire réimprimer, à leurs frais personnels, cet Hymne ... afin d'en envoyer des exemplaires aux municipalités du département et aux treize bataillons de nos volontaires qui sont dans les armées de la République.«[79] Cet *Hymne* fut publié dans le *Mercure* du 12 janvier 1793. L'auteur y souligne la différence des guerres de la République avec les guerres que l'on engageait pour protéger les intérêts personnels des rois et pour des gains matériels. Sous le régime républicain on combat pour défendre l'humanité. Ce chant d'un patriote est dirigé contre les forces étrangères d'une armée d'invasion, et La Harpe y exprime son regret que tant de gens aient dû sacrifier leur vie pour satisfaire les ambitions des rois. On y avait particulièrement remarqué les vers suivants:

> Que la baïonnette homicide
> Au-devant de vos rangs étincelante, avide,
> Heurte les bataillons par le fer déchirés.
> Le fer; amis! le fer! il presse le carnage;
> C'est l'arme des Français, c'est l'arme du courage;
> L'arme de la victoire, et l'arbitre du sort.
> Le fer ... il boit le sang, le sang nourrit la rage,
> Et la rage donne la mort.[80]

Cet hymne devait provoquer une discussion dans la presse en 1801. Une lettre, dans un journal de l'époque,[81] accusait La Harpe d'avoir excité des assassins au crime et d'en avoir été le panégyriste.

En même temps qu'il se livre à ce lyrisme patriotique, La Harpe devient plus hostile vis-à-vis de l'Eglise et du Clergé. Dans son compte rendu de l'*Epître au pape*, par Andrieux, il croit »très-possible qu'il vienne un temps où il n'y aura plus de Pape«;[82] il admet l'origine divine de la morale, mais considère les dogmes comme des fabrications humaines des Autels; il voit une utilité dans la répétition de ces vérités »dont il faudrait faire un catéchisme pour les enfans de toute condition, & qu'il faudrait graver dans leur mémoire...«[83] Il voudrait bannir les prêtres de l'éducation publique, »... un conseil que je crois bon à donner dès ce moment, en attendant mieux, c'est d'exclure absolument les Prêtres du plan de notre éducation publique, quel que soit celui qu'on adopte.«[84] Le 18 février 1792, il déclare que »on fera très-bien de ne jamais souffrir dans un Etat ce qu'on appelle une *Eglise*; car puisqu'elle est infaillible, & que rien ne l'est dans l'humanité, il est clair qu'elle est hors des choses humaines. Il faut donc la renvoyer au

---

[79] *Mercure*, 12 janvier 1793, p. 3.
[80] *Ibid.*, p. 2; *Œuvres diverses*, III, 381—387, ces dernières indications pour le poème entier dont l'auteur a retranché quelques vers (tels les deux derniers vers de la strophe citée).
[81] *Journal de Paris*, 18 mai 1801 (28 Floréal, an IX), p. 1437. Voir aussi sur cette polémique le *Journal de Paris* du 14 juin 1801 (25 Prairial, an IX), p. 1604.
[82] *Mercure*, 29 janvier 1792, p. 100.
[83] *Ibid.*, p. 101.
[84] *Ibid.*, p. 104.

Ciel avec son infaillibilité; elle sera là sans inconvénient.«[85] Dans ce même article on lit un plaidoyer pour le divorce, car, dit La Harpe, le mariage n'est pas un sacrement, il »n'est & ne peut être, aux yeux de la Loi, qu'un acte civil ... dans les Tribunaux, le mariage ne doit être considéré que comme un engagement légal, susceptible, comme tous les autres, de toutes les clauses que le Législateur juge à propos d'y ajouter.«[86] Encore dans un autre article du 25 février, au ton clairement anti-ecclésiastique, notre critique admet que la pompe des processions religieuses lui paraît »imposante & faite pour parler à l'imagination ... tout cet ensemble [de la procession de Saint-Sulpice] ... a quelque chose de majestueux & de touchant qui m'a toujours frappé.«[87] Il dit que Diderot aussi était admirateur des processions.[87] Le 10 mars, une nouvelle attaque contre les prêtres, qui »en tout temps ... n'ont gueres trompé qu'à leur profit, & ont surchargé la condition humaine, particulièrement & éminemment dans le Christianisme, d'une foule de maux & de crimes que la Religion seule a produits.«[88] C'est un article anonyme rédigé vraisemblablement par La Harpe.

L'incarcération du roi et l'accusation de trahison portée contre le souverain précipitèrent la fin »d'une monarchie défaillante, dont la courte survie constitutionnelle s'achevait dans la désaffection générale.«[89] Les massacres de septembre firent une vive impression sur les masses et imposèrent »aux royalistes les plus fougueux un silence prudent.« Les Français, bon gré mal gré, se convertirent au républicanisme pour éviter les persécutions:[89]

> Les tenants du régime déchu demeurés en France après la chute du trône se couvrirent »du manteau de la liberté et du républicanisme,« précaution que leur ont souvent reprochée les adversaires politiques ... vénalité et hypocrisie furent les deux mauvaises fées qui, après avoir veillé sur l'agonie de la vieille monarchie, entourèrent jalousement les premiers pas du régime naissant.[90]

La mort du roi fut suivie d'une période très agitée: la déclaration de guerre de la France à l'Angleterre, en février 1793, fut accompagnée des troubles intérieurs autour des subsistances. »... ce sont surtout les semaines de mars et d'avril, selon Lestapis, qui voient se précipiter les événements. Tandis qu'à Paris le malaise social s'accroît avec les journées des 10 et 11 mars, dans l'Ouest éclatent des insurrections armées qui, en peu de temps, prennent une ampleur inquiétante.«[91] La défection de Dumouriez, suite des échecs de l'armée en Belgique et en Hollande, eut lieu les premiers jours d'avril. A Paris les bruits se répandent; on y parle ouvertement »de mystérieux conspirateurs mêlés aux manifestants contre la vie chère, de

---

[85] *Ibid.*, 18 février 1792, p. 71. Il y avait un effort en 1792 et 1794 pour déchristianiser la France. Ce mouvement commença en province »sous les auspices de quelques représentants en mission, qui n'avaient d'ailleurs aucun mandat pour cela ...« (Alphonse Aulard, *Le Christianisme et la Révolution française*, p. 93.)

[86] *Ibid.*, pp. 67—68.

[87] *Ibid.*, 25 février 1792, p. 94.

[88] *Ibid.*, 10 mars 1792 pp. 43—44.

[89] A. de Lestapis, »Un grand corrupteur: le Duc du Châtelet,« *Annales Historiques de la Révolution Française*, 1955, p. 5.

[90] *Ibid.*, pp. 5—6.

[91] *Ibid.*, 1953, p. 316.

royalistes déguisés prenant la tête des émeutiers, d'agents venus de l'étranger pour semer le désordre dans toute la France.«[91] La Gironde et la Montagne s'irritent, échangent des outrages à propos de la défection de Dumouriez, également à cause de la guerre civile et des problèmes alimentaires. »Duel à mort entre républicains qui aura son dénouement au 31 mai avec l'arrestation des principaux chefs girondins. Alors seulement se produit une accalmie relative due à la victoire consommée de la Montagne.«[91]

Le 10 mars 1793, la Convention Nationale établit à Paris le Tribunal Révolutionnaire dont le but était: de connaître les desseins de toute entreprise contre-révolutionnaire, et de tous attentats contre la liberté, l'égalité, l'unité; de veiller à l'indivisibilité de la République, à la sûreté intérieure et extérieure de l'Etat et d'empêcher tous complots tendant à rétablir la royauté ou à établir toute autorité attentatoire à la liberté, à l'égalité et à la souveraineté du peuple.

Dans ce climat d'exécutions, d'oppression générale et de soupçons, on peut mieux comprendre les déclarations de La Harpe, favorables au régime républicain, sévères envers les prêtres, et ses critiques de la religion catholique. Dès avant la Révolution, en 1787, La Harpe avait approuvé le conformisme politique chez un homme de lettres, quand ses espérances politiques sont trompées et son idéal de l'avenir irréalisable. »En quoi donc Horace est-il répréhensible, se demande La Harpe, d'avoir partagé les sentiments de tous ses concitoyens? Pourquoi voudrait-on qu'il eût été seul républicain, quand il n'y avait plus de république?«[92] Comme la plupart de ses contemporains, il ne veut pas courir le risque de périr dans cette confusion complète. Il croit plutôt que, en affirmant son civisme, en abandonnant son appui de la monarchie et proposant l'exclusion des prêtres du système de l'enseignement, il échappera à la persécution. Ainsi, dans le compte rendu des tomes V, VI, VII, VIII, IX et dernier des *Mémoires du maréchal de Richelieu*, La Harpe y voit »un tableau des abus, des vices, des crimes même et de la stupide imprévoyance, qui entouraient et couvraient souvent le trône.«[93] Au début de février 1793, nous lisons dans un article que »l'expérience de vingt siècles prouve que la croyance exclusive & l'intolérance religieuse ont fait le malheur de la terre.«[94] Pour bien se conduire il faut seulement, croit La Harpe, »de bonnes lois et une bonne éducation.« La morale est partout la même, »& absolument indépendante de toute croyance religieuse.«[94] Commentant les *Œuvres* de Jérome Pétion, notre critique croit, avec Pétion, que les pouvoirs des rois peuvent être révoqués, car ceux-ci ne sont que les »mandataires des nations[95] ... ce que ne doivent jamais oublier, continue cet article, les peuples qui jugeront à propos de garder encore des rois, si pourtant cette fantaisie peut durer encore long-tems en Europe.«[96]

Les *Maximes et Pensées* de Charles Pougens offrirent à La Harpe l'occasion de discuter des problèmes philosophiques — l'idée et l'origine de la religion. Il accuse Pougens de répéter les raisonnements des athées en disant

---

[91] A. de Lestapis, »Un grand corrupteur: le Duc du Châtelet«, *Annales Historiques de la Révolution Française*, 1953, p. 316.
[92] *Lycée*, II, 183—84.
[93] *Mercure*, 11 janvier 1793, p. 81.
[94] *Ibid.*, 2 février 1793, supplément, p. 6.
[95] *Ibid.*, 12 mars 1793, p. 89.
[96] *Ibid.*, p. 90.

que les hommes ont inventé Dieu »pour consoler leur ignorance et leur faiblesse.«[97] Il appelle cet ouvrage »une très-inutile sortie sur les théistes.«[97] Plus loin, il exprime ses propres idées sur ce problème et conclut par la conception déiste d'un »être infini,« car

> le bon sens nous enseigne [que]... l'existence d'une cause pre-mière quelconque, d'un premier être, est extrêmement probable: elle n'est pas démontrée, parce que la démonstration d'un être infini, tel que Dieu, est au-dessus d'un être fini, tel que l'homme: elle est extrêmement probable, parce qu'on n'a jamais pu détruire & qu'on ne détruira jamais cette preuve positive, tirée de cet argument si simple mais si fort, que l'existence d'un ouvrage où l'intelligence est manifeste, suppose nécessairement l'existence d'un ouvrier intelligent.[98]

Parlant des *Vues sur la réformation des lois civiles...* de Jean-Pierre Agier, notre critique voit des excès

> dans la liberté et la philosophie... ce dernier excès infiniment moins durable que l'autre... [parce que] léthargique; il endort les esprits qui sommeillent long-tems; l'autre est violent & impé-tueux; il trouve bientôt son terme, & nous y touchons... cet excès était nécessaire tant qu'il a fallu combattre pour établir la République, & voilà pourquoi les bons citoyens se contentaient de le tempérer, sans jamais vouloir le détruire.[99]

A l'époque où l'on est, poursuit cet article, il faut »de la fermeté et de la raison,« afin d'assurer la paix intérieure et extérieure et pour avoir un bon gouvernement.[100]

Un autre moyen subsidiaire mais utile pour éduquer les masses, c'est le théâtre. Parmi les pièces de La Harpe, deux particulièrement se prêtent à échauffer le patriotisme: *Mélanie*, qui attaque la vie monastique et qui, pour cette raison, ne fut jamais présentée avant la Révolution. Elle fut jouée au Théâtre de la rue de Richelieu le premier décembre 1791 et bien accueillie, selon le *Mercure* du 17 décembre: »Le Théâtre de la rue de Richelieu vient de rendre au Public la jouissance de ce chef-d'œuvre. Il est inutile d'annoncer son succès, qui ne pouvait être que très-brillant...«[101] Quelques mois plus tard, *Virginie* fut reprise au Théâtre de la République. Les événements politi-ques avaient induit La Harpe à retoucher cette pièce »pour renforcer une scène capitale [scène II, acte III] entre Appius et Icilius, par le dévelop-pement du grand principe de la souveraineté du Peuple, principe... qui sûrement n'aurait pas convenu à l'ancien régime.«[102] Il avait décidé également à ce moment-là de faire publier cette pièce, chez »Girod et Tessier.« Profitant

---

[97] *Ibid.*, 11 mai 1793, p. 50.
[98] *Ibid.*, p. 52.
[99] *Ibid.*, 25 mai 1793, pp. 151—152.
[100] *Ibid.*, p. 152.
[101] *Ibid.*, 17 décembre 1791, p. 93.
[102] *Journal de Paris*, 9 mai 1792, lettre de La Harpe; *Le Moniteur* du 27 mai 1792 dit: »La pièce a eu tout le succès qu'elle méritait; on y a surtout applaudi une foule de beaux vers, où les grands principes de la souveraineté du peuple, de l'égalité des droits, la sottise des tyrans qui font un droit de la force sont énergiquement tracés...«, p. 614.

de la loi du 30 août 1792, pour laquelle il avait combattu[103] et afin de protéger ses droits d'auteur, il avait dressé un acte notarié le 16 mai 1793, par lequel »il entend[ait] se réserver tous ses droits sur les représentations de sa pièce dans toutes les villes où elle pourroit être jouée... il s'oppose formellement à ce que cette pièce soit représentée sur aucun Théâtre public sans son consentement exprès et par écrit.«[104]

Un an plus tard, l'auteur de *Virginie* est revenu au même sujet et a souligné dans un article le côté révolutionnaire et patriotique de son ouvrage: »l'auteur... en parle... pour le considérer sous le rapport... du patriotisme républicain & de l'esprit public, qu'il est si important d'éclairer & d'échauffer dans les représentations théâtrales.«[105] C'est à cette fin que l'auteur a remanié sa pièce pour juxtaposer et »faire plaider contradictoirement la cause de la liberté & de la tyrannie, entre le magistrat d'un peuple libre [Icilius] & un décemvir oppresseur [Appius], qui abusait de sa dignité pour s'arroger un pouvoir illégal...«[106]

Le 8 juin 1793, notre professeur se prononce de nouveau sur une théorie qu'il croit solide pour assurer une éducation utile et bonne. Il veut

> que jusqu'à l'âge de 15 ans on ne proposât jamais aux élèves d'autres fondemens de morale que Dieu, la conscience et la loi; Dieu comme principe, la conscience comme emanation, la loi comme résultat mis en méthode... [ainsi] tout leur paraîtrait lié et conséquent avec un être parfait, principe de toute justice, une conscience qui en est le sentiment intime, une loi qui en serait l'expression.[107]

On n'aura aucune difficulté, à cet âge où la raison est fortifiée de la mémoire et »remplie de traditions historiques,« à leur expliquer comment et pourquoi il existe une pluralité de religions établies à travers le monde, qui toutes respectent et adorent un Etre suprême indifférent aux variations de croyances religieuses; Dieu regarde la diversité de ces croyances de la même façon qu'il voit les divers gouvernements choisis, parce qu'ils conviennent le mieux aux peuples qui les ont choisis. La Harpe donnait donc la même interprétation de l'Evangile que les philosophes, anciens et modernes, celle du déisme pur et simple, en indiquant

> les passages où la morale universelle est prêchée avec cette simplicité touchante et persuasive, qui est effectivement le mérite de ce livre... je me contenterais de dire aux élèves que ce livre a été rédigé par les disciples d'un sage de la Judée, qui lui-même n'écrivit jamais rien, mais dont ils ont rapporté les actions et les paroles; que ce sage, qui s'élevait contre l'hypocrisie des prêtres et contre la superstition fut mis à mort par un peuple fanatique, et que ses disciples après lui, établirent avec le tems une religion qui est suivie aujourd'hui par la plupart des nations de l'Europe.[108]

---

[103] *Supra*, p. 139.
[104] Archives nationales, Minutier central des notaires, Etude XXXVI, 620.
[105] *Mercure*, 1er juin 1793, p. 195.
[106] *Ibid.*, p. 196.
[107] *Ibid.*, 8 juin 1793, p. 244.
[108] *Ibid.*, pp. 243—244.

Voltaire aurait été bien fier de voir son élève réciter avec l'aisance et la conviction d'une leçon bien apprise, le cours que le patriarche a professé sa vie durant sur la philosophie et l'origine de la religion chrétienne.

Au mois de novembre 1793, La Harpe lance sa dernière attaque anti-religieuse où il vise aussi la royauté: »Ces deux trônes également fondés sur l'erreur, foulent également les humains... pour les asservir... sous la condition de partager les dépouilles.«[109] Il y conseille de ne pas être »les disciples de Jésus, ni de Socrate, ni d'aucun autre... Prenons dans les écrits des grands moralistes, insiste-t-il, ce qu'il y a de mieux pensé et de mieux dit; mais n'appartenons jamais qu'à la raison. Dieu et la conscience, voilà la religion des hommes libres.«[110]

Le coup d'état du 2 juin 1793 et la suppression de la Gironde ont tant déçu et irrité La Harpe, qu'il attaque dans le compte rendu des *Préjugés détruits* de Lequinio, ce qu'il appelle

> les vices de l'ancien despotisme... [dans la] République naissante, [où] trop de gens spéculent sur la liberté aussi bassement qu'ils auraient spéculé sur la servitude. Il n'est pas moins certain, ajoute cet article, que la multitude qui a su détruire, étant peu instruite pour édifier, est la dupe et l'instrument des fripons qui voudraient bien ne bâtir que pour eux-mêmes...[111]

En changeant d'état politique et social on remplace les anciens préjugés par de nouveaux, selon La Harpe, car tout état social et politique en a,

> puisque les préjugés ne sont en effet que des opinions vulgaires, adoptées sans réflexion par la passion ou par l'ignorance: les passions sont de tous les hommes et de tous les tems, et l'ignorance appartient sur-tout à un nouvel état de choses, puisque les lumières ne sont pour le commun des hommes que le résultat de l'expérience,[112]... le livre à faire aujourd'hui, poursuit le critique, serait celui qui aurait pour titre: *des Préjugés à détruire.* Il faut le faire, sans doute, mais attendre pour le publier le moment où il pourra être entendu... [car] pour se parler, il faut s'entendre; il faut avoir un langage commun à tous... tous les mots essentiels de la langue sont aujourd'hui en sens inverse; toutes les idées primitives sont dénaturées nous avons un dictionnaire tout nouveau dans lequel *la vertu* signifie *le crime* et *le crime* la vertu.[113]

Dans le malaise politique du moment, une telle attaque, dans une feuille publique est la manifestation d'un courage d'autant plus remarquable qu'on sait la violence avec laquelle le régime jacobin supprimait toute opposition. L'abbé Morellet témoignait, lui aussi, que

> depuis la catastrophe du 10 août 1792, la liberté de la presse avait été absolument perdue pour tout homme qui n'avait pas des principes révolutionnaires... il n'eût pas suffi à un écrivain de vouloir prendre en main la cause de la justice, de la liberté, de la propriété, contre d'exécrables tyrans, il lui eût été impossible de trouver un imprimeur qui se fût hasardé à le servir.[114]

[109] *Ibid.*, 23 novembre 1793, p. 132.
[110] *Ibid.*, p. 136.
[111] *Ibid.*, 15 juin 1793, p. 293.
[112] *Ibid.*, p. 292.
[113] *Ibid.*, p. 293.
[114] *Mémoires de l'abbé Morellet*, II, 33.

La Harpe, lui-même a invoqué cet article comme preuve de son opposition à la politique de Robespierre, à qui, selon notre journaliste, cet article

> fut porté... [et] qui, dès ce moment jura de ne pas me laisser le tems de faire le livre, que j'annonçais [*Du fanatisme dans la langue révolutionnaire*, 1797]. Au moment où j'imprimois ces terribles vérités, le silence de la consternation régnoit partout; les presses étoient brisées; les journalistes en fuite; il n'y avoit presque plus que des journaux jacobins. Robespierre les fit aboyer après moi, comme après une proie qui lui étoit réservée. Il ne se détermina pourtant à me faire arrêter que neuf mois après...[115]

La Harpe semble ignorer presque trois ans plus tard l'accusation que Chabot, dans sa confession à Robespierre, le 24 Brumaire, an II (14 novembre 1793), avait lancée contre lui et contre le groupe royaliste dirigé par le baron de Batz. Celui-ci avait invité Chabot à venir dîner à Charonne, »où se trouvaient, selon la déclaration officielle de Basire, une dame Beaufort, Laharpe... Duroy, banquier... Benoit... d'Angers, ami de Delaunay et grand spéculateur en finances. On ne parla point d'affaires pendant le repas...«[116]

Après l'article du 15 juin 1793, La Harpe continue à critiquer le gouvernement Robespierre. Dans son compte rendu du *Voyage en France les années 1787, 1788, 1789 et 1790* de Young, il censure les excès du régime révolutionnaire contre la propriété:

> La liberté doit remédier à tous ces maux... c'est-à-dire, l'ordre légal qui consacre le droit de propriété; car si l'on passe du despotisme qui menaçait les propriétés par l'oppression, à l'anarchie qui les menace par le brigandage; si, pour être bien logé, bien meublé, bien vêtu, on est *coupable* ou *suspect*, on n'a fait alors que changer de maux.[117]

Une semaine plus tard, on trouve un article où l'auteur exige, visant les fautes de la politique étrangère, »de terminer, par une paix honorable, une guerre très-imprudemment provoquée contre les puissances dont aucune, si l'on excepte l'Autriche, n'avait ni l'envie ni l'intérêt de nous combattre.«[118] Quelques jours plus tard, on lit une attaque contre l'immoralité des actes tyranniques du gouvernement:

> Hommes libres, placez-vous vous-mêmes dans la balance où vous pesez vos ennemis: Ayez toujours devant les yeux le tribunal des nations et de la postérité. Croyez... que jamais la liberté ne peut être en opposition avec la morale, et que leurs principes sont invariablement les mêmes. ...cette liberté ne peut qu'être exposée et compromise quand elle emploie, sous quelque prétexte que ce soit, les armes de la tyrannie.[119]

---

[115] *Le Mémorial*, 10 juillet 1797, p. 3.
[116] Albert Mathiez, *Un procès sous la Terreur — l'affaire de la Compagnie des Indes*, p. 100.
[117] *Mercure*, 22 juin 1793, p. 343.
[118] *Ibid.*, 29 juin 1793, pp. 390—91.
[119] *Ibid.*, 3 août 1793, p. 204.

Le 5 août il assista, avec Ducis, Bréquigny et Morellet, à la dernière séance de l'Académie française au Louvre.[120]

L'ouverture du Lycée, en décembre 1793, offrit à La Harpe une occasion de manifester son patriotisme. L'institution, tout comme le professeur, n'était pas vue d'un œil tout à fait amical par le gouvernement. Pour ne pas laisser subsister d'équivoque, l'administration du Lycée ordonna aux professeurs de porter le bonnet rouge pendant les conférences. La Harpe s'y conforma; il parut avec cette coiffure devant ses étudiants et devant les dignitaires du gouvernement, invités pour assister à l'ouverture de l'école. Le sujet de sa conférence était Voltaire, ce qui se prêtait à merveille à une censure des prêtres et des rois persécuteurs.[121] Quant à la coiffure, notre professeur, comme ses collègues, était d'avis »qu'il ne fallait pas mettre une importance très-gratuitement périlleuse à ce qui n'avait de valeur en soi, que suivant la personne, l'usage et les accessoires. Je parus donc comme les autres, le jour de l'ouverture, avec un *bonnet rouge*.«[122] Cependant, il se hâte d'ajouter dans ce même endroit que cette occasion lui servit de prétexte à des remarques défavorables à la coiffure, car

> sous prétexte de la chaleur qui m'incommodait j'ôtai cette belle coiffure en disant... *Ce bonnet qu'on dit fait pour les têtes républicaines, ferait bouillir la mienne.* L'action et la phrase causèrent une assez grande surprise, quelques applaudissemens, et le lendemain furent commentées dans les journaux, de la manière qu'on peut l'imaginer des journaux d'alors. ... je suis du très-petit nombre d'hommes, souligne-t-il, qui n'ont jamais changé, depuis l'année 89, en quoi que ce soit, leur coiffure et leur habillement.[122]

Cette règle, imposée par le Lycée, ne fut observées que quelques semaines, au bout duquel temps »l'administration, renonçant à nous *sans-culottiser...* supprima le bonnet rouge.«[122]

A ce moment, le propriétaire du *Mercure* se vantait du républicanisme du rédacteur littéraire. Dans un »Avis« aux souscripteurs, le *Mercure* se disait le seul journal qui ait conservé durant tout le cours de la Révolution une place à la littérature, et la renommée du rédacteur de cette partie devait accroître la réputation du journal, car »cette partie est confiée aux talents d'un écrivain aussi recommandable par son goût que par son amour pour la liberté & les principes républicains.«[123]

Malgré toutes ses sorties contre la politique du gouvernement, la Convention nationale a élu La Harpe membre du jury chargé de »juger le concours des prix de peinture, sculpture et architecture.«[124] Au même moment, dans un article au *Mercure*, le critique propose de supprimer »les armoiries et autres moyens de propriété féodale«[125] des livres de la Bibliothèque nationale. Il n'est plus condamnable, affirme-t-il, que les particuliers gardent ces

---

[120] Gaston Boissier, *L'Académie française sous l'ancien régime*, p. 1.; voir aussi *Les Registres de l'Académie Françoise*, III, 662.
[121] *Journal de Perlet*, 14 décembre 1793, p. 108.
[122] *Le Mémorial*, 10 juillet 1797, p. 2.
[123] *Mercure*, 14 décembre 1793, p. 95.
[124] *Procès-verbal de la Convention nationale*, 15 Pluviôse an II, xxv, p. 354.
[125] *Mercure*, 15 février 1794, p. 284.

blasons monarchiques, qui sont là aussi indifférents que les armoiries d'Angleterre de Hollande ou d'Allemagne. ... Mais ce qui n'est point du tout indifférent, déclare cet article, c'est que tous les livres de la bibliothèque nationale soient extérieurement couverts des emblêmes de la royauté et des marques mensongères d'une propriété illusoire, puisqu'en effet ces livres n'ont jamais appartenu qu'à la nation ... il n'y a point de Républicains dont les yeux ne soient blessés de cette insultante bigarrure.[126]

Les deux articles de mars 1794 paraissent également favorables au régime républicain. Dans le premier, il rend compte des *Œuvres choisies* de Dorat-Cubières, où il trouve »de la facilité« et »de l'agrément, de jolis vers,« mais reproche à l'auteur, alors fonctionnaire de la Commune de Paris, de s'être approprié le nom de Dorat, que La Harpe ne trouve pas digne d'un vrai républicain.[127] Parlant de cet article en 1797, notre critique se défend contre ceux qui l'ont censuré comme flatteur de la Commune; il explique qu'il avait consenti, cédant aux instances de quelques personnes qui l'avaient prié, d'accord avec Dorat-Cubières, à mentionner l'œuvre de ce dernier et à »dire quelques mots d'indulgence sur ce recueil, dont le produit ne lui était que trop nécessaire ... [car] il étoit pauvre ... [Dorat–Cubières] venoit de rendre un service important à quelques personnes que j'aimois, et c'est ce qui me détermina encore à écrire quelques ... phrases, où le lecteur un peu exercé aperçoit tout de suite la complaisance, qui ne ressemble point à l'estime.«[128]

Dans son dernier article sur un discours de Boissy d'Anglas, prononcé à la Convention nationale, La Harpe loue le républicanisme de l'orateur, qui est également »un amateur aussi ardent qu'éclairé des sciences, de la littérature et de la philosophie.«[129] Toutes ces qualités animent et marquent »tout bon citoyen« et »tout homme libre« épris de »la chose publique,«[129] car la tradition prouve que »depuis l'époque de l'encyclopédie, les véritables gens de lettres, [les philosophes], non seulement n'étaient pas regardés comme flatteurs du pouvoir, mais publiquement et continuellement désignés comme ses plus mortels ennemis ...«[130]

Les gens en place ne se laissèrent pas tromper par ces dissimulations ni par ces paravents de prétentions républicaines derrière lesquelles se cachait le critique du gouvernement et un des principaux royalistes. L'abbé Morellet confirme cette opinion, en partie du moins, car, pendant son interrogatoire par un certain Vialard, ancien coiffeur, commissaire à l'époque, qui devait juger le civisme de l'abbé, Vialard accuse tous les académiciens d'être »ennemis de la république.« Quand Morellet mentionne le travail au *Mercure* de La Harpe et de Chamfort en faveur de la Révolution, »mais il faut être révolutionnaire du 10 août [1792] et du 31 mai [1793], insiste Vialard. On ne peut donner de certificats qu'à ceux qui ont prouvé leur civisme par leur conduite en ces deux circonstances; et ni vos académiciens, ni vous, n'y avez rien fait.«[131]

Le temps n'était pas loin où Robespierre allait attaquer les Encyclopédistes comme »petits et vains«, des hommes qui n'ont rien fait pour la

---

[126] *Mercure*, 15 février 1794, p. 285.
[127] *Ibid.*, 1er mars 1794, p. 5.
[128] *Le Mémorial*, 10 juillet 1797, p. 2.
[129] *Mercure*, 15 mars 1794, p. 100.
[130] *Ibid.*, p. 102.
[131] *Mémoires ...*, I, 449.

république. Ces trompeurs qui étaient »presque républicain[s] en 1788« et défensuers des rois en 1793. Ils étaient anglophiles en matière constitutionnelle, flatteurs des rois pour des pensions et matérialistes en philosophie. Cette secte qui »renfermait«, au dire du chef du Comité de salut public, »quelques hommes estimables et un plus grand nombre de charlatans ambitieux; plusieurs de ces chefs étaient devenus des personnages importans dans l'Etat.«[132] Ignorer l'influence et la politique de ce groupe veut dire, suivant Robespierre, n'avoir

> plus une idée complette de la préface de notre révolution. Cette secte, en matière de politique, resta toujours au-dessous des droits du Peuple. En matière de morale, elle alla beaucoup au delà de la destruction des préjugés religieux. Ses coryphées déclamaient quelquefois contre le despotisme, et ils étaient pensionnés par les despotes; ils faisaient tantôt des livres contre la Cour, et tantôt des dédicaces aux rois, des discours pour les courtisans, et des madrigaux pour les courtisannes; ils étaient fiers dans leurs écrits, et rampans dans les anti-chambres.[132]

Leur matérialisme dominait les grands et les beaux esprits, continue ce discours. A cette secte

> on ... doit en grande partie cette espèce de philosophie pratique qui, réduisant l'égoïsme en système, regarde la société humaine comme une guerre de ruse, le succès comme regle du juste et de l'injuste, la probité comme une affaire de goût ou de bienséance, le monde comme le patrimoine des égoïstes adroits. ... plusieurs d'entre eux avaient des liaisons intimes avec la maison d'Orléans, et la constitution anglaise était, suivant eux, le chef-d'œuvre de la politique et le *maximum* du bonheur social.«[132]

On décida donc d'arrêter La Harpe le 16 mars 1794, comme faisant partie de ces hommes qui, pour revenir au discours de Robespierre prononcé après l'arrestation de La Harpe, »ont trahi leur Patrie et ont caressé les opinions sinistres«,[132] que le chef des Jacobins combattait. On le conduisit d'abord au Luxembourg.[133] Une chose curieuse a dû se produire une quinzaine de jours plus tard, car il existe un document signé de la main de La Harpe pour confirmer le paiement d'une somme reçue comme traitement pour ses cours au Lycée: »J'ai reçu du citoyen Bertier la somme de cent [livres] pour restant du compte de ce qui m'est dû au Lycée, dont quittance. A Paris le 3 avril (vieux style) 1794. Laharpe.«[134] Ou bien ce document est postdaté ou bien l'accès au Luxembourg était très facile à ce moment-là. Du rapport de la police fait le »13 Prairial an II« on apprend qu'il a divorcé d'avec sa première femme; qu'il a été transféré à la »Maison de Santé nommé (sic) Montprin, Rue Notre Dame des Champs.«[135] Ce rapport est dressé par le »Comité de Surveillance de la section de la Montagne.« La Harpe résidait alors au No. 691 rue du Hazard, il était âgé de 53 ans, marié et divorcé,[136] sans enfant. Le mandat d'arrêt est donné »par l'ordre du Comité de Sûreté Géné-

---

[132] *Le Moniteur*, 19 Floréal, An II (8 mai 1794), p. 930.
[133] Archives de la préfecture de police, AQ/16 pièce 579, document inédit.
[134] Bibliothèque historique de la Ville de Paris, 1ère série, document inédit.
[135] Archives nationales, F7 4759.
[136] Archives de la Seine, *Registres des mariages*.

rale.« On énumère dans ce rapport ses revenus passés et présents,[137] on y parle de ses »Relations [et] ses liaisons,« au nombre desquelles se trouvent: Sedaine, Garat, Panckoucke, Talma, et »un Polonais qui demeure dans sa Maison et chez qui il mange.«[138] On y décrit le caractère du détenu—très instruit, mais brusque, orgueilleux, égoïste. Quant à ses opinions politiques »dans les mois de mai, juillet et octobre 1789; au 10 août; à la fuite et à la mort du tyran; au 31 mai et dans les crises de la guerre,« on répond que son civisme est favorable; on cite sa lutte contre les tendances aristocrates de ses confrères à l'Académie; il est auteur d'une pièce où

> l'égalité est peinte d'une manière à faire frissonner la tyrannie — [*Virginie*] ... il avait chanté la liberté d'une manière à électriser et à augmenter le nombre des amis de notre Révolution. Cependant il est un reproche à lui faire c'est de n'être pas venu aux assemblées de la section y seconder les sans-culotte et développer avec son talent les grands principes de la Nature pour terrasser l'Aristocratie qui était alors une force ...[139]

Si l'on croit Garat,[140] et Louis de Préaudeau, tout à fait convaincu, citant partiellement une lettre[141] que Garat dit avoir été adressée à Robespierre par La Harpe incarcéré,[142] celui-ci fit sa dernière bassesse en prison en demandant son élargissement à Robespierre. Cependant, cette lettre n'est pas adressée à Robespierre, mais plutôt à un ami de ce dernier. Et puis ce n'est pas au Luxembourg qu'elle a été écrite, mais de la Maison Montprin, car elle est datée »prairial, an II« ce qui doit être entre le 19 mai et le 18 juin 1794. On est sûr que La Harpe fut transféré du Luxembourg le 13 avril. Enfin, l'interprétation de cette missive est fausse si on la considère comme une demande de pardon à Robespierre. Il est vrai pourtant qu'il y parle d'une parallèle

---

[137] Les pensions sur les journaux privilégiés »cessées« aussi bien que les revenus pour la *Correspondance littéraire* payés par le »tiran grand duc de Russie. ...Depuis trois ans il n'a touché qu'un acompte [sur la pension du trésor national] en 1791, il lui ... reste encore une [rente viagère] constituée par Contrat sur ... Laborde [non payée, elle non plus, depuis un an] à cause de la détention de Laborde. Aujourd'hui il vit du produit de ses travaux qui consiste en différents ouvrages pour les Spectacles, du Licée ou il donne des leçons et de la Partie Littéraire du Mercure qu'il rédige.« (Archives nationales, F₇ 4759, document inédit.)

[138] Il s'agit d'un couple, M. et Mme de Minut, ou de Minat. Il a laissé à la dame, »Polonaise, Née Danieska six mille francs. Cette [personne, écrit La Harpe]« m'a donné de grandes marques d'attachement dans les divers dangers que j'ai courus pendant la révolution ... [elle] a exposé sa vie pour sauver mes jours ...« (Testament de La Harpe, Minutier central des notaires, Etude LXXIII, 1176—13 Pluviôse an XI.)

[139] Archives nationales, F₇ 4759.

[140] *Mémoires historiques sur la vie de Suard*, II, p. 339.

[141] *Revue Hebdomadaire*, »La Harpe et son bonnet rouge,« pp. 550—551. C'est un article brillamment écrit à qui il ne manque que beaucoup d'impartialité pour être équitable et assez de preuves pour être convaincant; voir aussi »La Harpe Robespierriste,« *La Révolution française*, 1912, LXII, 546—549.

[142] Garat tient ces renseignements de Jean-Louis Laya, poète dramatique, auteur de l'*Ami des lois* que La Harpe critiqua sévèrement au *Mercure* dans le compte rendu qu'il en fit le 18 mai 1793. Après une lecture attentive on ne peut pas, disait La Harpe, »attribuer au mérite de l'ouvrage« les applaudissements que la pièce eut au théâtre« (p. 98). Cette critique a-t-elle pu inspirer Laya pour inventer l'existence d'une telle lettre que l'on n'a pu retrouver depuis? Voir à ce sujet Antoine Arnault, *Souvenirs d'un sexagénaire*, II, 380.

de leurs sentiments à partir de 1790 (et cela semble juste sur le déisme, par exemple). Cette lettre suggère que Robespierre est le seul qui soit à même d'assurer par son témoignage auprès des »deux Comités... un certificat authentique [de civisme pour La Harpe], sans lequel je suis mort civilement.«[143] Il se déclare très flatté de lui avoir »une pareille obligation.«[143] Mais, somme toute, notre critique se croyait plus important que le chef du Comité du Salut public, et Jean-François s'attendait à ce que Maximilien s'occupât, justement à cause de cette importance, de son bien-être sans en être prié.[144]

Nous pouvons suivre notre homme, quoique très superficiellement, grâce à Ducis qui a laissé deux lettres intéressantes, écrites au comte de Rochefort, qui touchent directement au séjour de La Harpe dans la prison. Dans la seconde missive, d'avril 1794, il informe son correspondant que »l'auteur de Philoctète« est arrêté »depuis quelque temps,« et qu'on l'a transféré dans une maison de santé, »au faubourg Saint-Antoine;« que sa santé, qui allait s'améliorant, exigeait »cet adoucissement... qu'il [La Harpe] conservait toute la liberté d'esprit et de calme d'un homme qui compte sur sa conscience.«[145] Dans sa vie privée à l'Académie et dans ses écrits pendant la Révolution, Ducis voit La Harpe »s'exprimer avec cette droiture de sens et cet esprit de discussion qui fait une partie de son talent, et qu'il a souvent appliqué à la critique littéraire et quelquefois à la politique, avec un égal succès.«[145] Ducis croit le crime de son confrère peu grave et prédit sa libération prochaine, »lorsque les commissions pour la détention définitive où l'élargissement des prisonniers seront en activité, ce qui ne tardera pas, on le rendra à la liberté et à la littérature.«[145] Dans la lettre précédente, écrite en janvier, nous sommes renseignés sur la santé de La Harpe, qui a nécessité son transfert du Luxembourg. Selon cette missive: »il garde sa chambre à cause d'une chute dans la descente de son escalier, où il s'en est peu fallu qu'il ne pérît misérablement. [L'accident n'a produit] ni fracture, ni déplacement dans les os, ni luxation dans les nerfs, mais il lui reste encore beaucoup de douleur, et la nécessité d'avoir recours aux remèdes, au temps et à la patience.«[146]

Nous trouvons donc notre homme dans la prison, la santé affaiblie, privé de ses amis et de son confort, devant le spectacle de gens qui ont beaucoup souffert d'une incarcération plus longue que la sienne, et parmi ce monde il y avait sans doute de ses connaissances. Déjà il avait vu disparaître sur l'échafaud plusieurs de ses amis; il lui paraissait que le même sort l'attendait. Dans cette situation désespérante, où il voyait toutes ses illusions détruites, quelle autre consolation restait-il à un malheureux sinon la religion dont la haute philosophie s'accommode de toutes les situations car, selon son propre aveu, »les idées religieuses sont le charme de l'infortune.«?[147] La Harpe, on l'a vu, ne s'est jamais révolté contre Dieu. Il n'attaquait que ceux qui prétendaient représenter ce Dieu ici-bas et qui, au lieu d'agir selon les principes de la volonté divine, se conduisaient, comme la plupart des humains, suivant leurs penchants naturels dominés par les passions et les faiblesses de l'homme. Cependant, deux de ces représentants de la hiérarchie ecclésiastique se trou-

---

[143] *La Révolution française*, LXII, pp. 547—48.
[144] A. Jovicevich, »Le Royaliste La Harpe en vendémiaire An IV« *Annales Historiques de la Révolution Française*, juillet-septembre 1791, p. 442.
[145] *Lettres de Jean-François Ducis*, éd. Paul Albert, p. 111.
[146] *Ibid.*, p. 110.
[147] *Œuvres diverses*, V, 172.

vaient être ses compagnons de malheur: l'évêque de Montauban, Le Tonnelier de Breteuil, et l'évêque de Saint-Brieuc, Regnauld de Bellescize. Ces deux dignitaires n'étaient pas là pour remplir des fonctions professionnelles, car »le prêtre ne montait plus sur l'échafaud, déclare La Harpe en parlant de sa conversion, pour consoler celui qui allait mourir; il n'y montait plus que pour mourir lui-même.«[148] Ces deux ecclésiastiques étaient pourvus, en toute probabilité, aussi bien que quelques autres détenus, de littérature sacrée et ont, semble-t-il, prêté des livres à leur ancien critique pour abréger ses veilles dans la prison. C'était le moment le plus opportun pour ramener la brebis égarée au bercail: »Les livres saints me disaient tout, avoue-t-il, parce que Dieu m'a fait la grâce de les ouvrir dans la bonne-foi, et de les lire avec amour.«[149] »Depuis quelques jours j'avais lu, continue-t-il, les psaumes, l'évangile et quelques bons livres. Leur effet avait été rapide quoique gradué. Déjà j'étais rendu à la foi . . .«[150]

Tous ceux qui ont connu La Harpe ont parlé de l'influence que les femmes ont eue sur lui. Or il se trouve, comme par un geste de quelque force supérieure, qu'il rencontre dans la prison une femme aimable et spirituelle, Madame de Clermont-Tonnerre. C'est elle qui lui conseilla, paraît-il, de traduire les Psaumes de David.[151] Ainsi commença sa conversion que la lecture de l'*Imitation de Jésus-Christ* acheva dans cette même prison lorsqu'un jour, assailli des plus noires pensées, il demanda à Dieu: ». . . que dois-je faire? que vais-je devenir?«[152] Il ouvre ce livre qu'on lui avait déjà recommandé, et tombe sur ces paroles de Jésus-Christ: »*Me voici, mon fils, je viens à vous parce que vous m'avez invoqué.* Je n'en lus pas davantage . . . et . . . ces mots: *Me voici, mon fils!* ne cessaient de retentir dans mon âme et d'en ébranler puissamment toutes les facultés . . .«[153]

Le 9 thermidor arrive et Robespierre périt sur l'échafaud. La Harpe est élargi immédiatement après cet événement. On lit l'arrêté suivant, daté du 14 thermidor an II [Iᵉʳ août 1794]: »Le comité de sûreté générale arrête que le citoyen Laharpe homme de lettres sera mis à l'instant en liberté par le Concierge de la maison d'arrêt où il est détenu et que les scellés apposés sur ses papiers seront levés.«[154] Ce document est signé par: Amar, M. Bayle, Dubarran, Elie Lacoste, Vadier, Louis (du bas Rhin), Voulland.

De cette étude, nous semble-t-il, ressort la constance de La Harpe monarchiste, qui a subi à son tour la destinée commune des amis éclairés et sincères de la liberté politique. Il a lutté à la fois contre les risques de la tyrannie et les risques de la licence, contre l'excès des particuliers et l'excès du gouvernement. Il a défendu publiquement Louis XVI jusqu'à sa fin, autant et plus que les circonstances le permettaient, et s'est affirmé, dans la mesure

---

[148] Pétitot, *Mémoires sur la vie de La Harpe*, dans les *Œuvres choisies et posthumes*, p. LV.
[149] *Œuvres diverses*, XVI, 38—39.
[150] Pétitot, *Mémoires sur la vie de La Harpe*, p. LIV.
[151] Charles Lacretelle, *Histoire de la convention nationale*, II, 317.
[152] Pétitot, *Mémoires sur la vie de la Harpe*, p. LV.
[153] *Ibid.*, pp. LV—LVI. Pour ce même événement, voir »Conversion de Laharpe — souvenir de la Révolution raconté à ses enfants par la marquise de XXX«, *Annales politiques et littéraires*, 8 mai 1898; A. Sériyes, *La Harpe peint par lui-même*, Paris, Plancher, 1817, pp. 141—142.
[154] Archives nationales, F₇ 4759 — document inédit.

du possible, comme critique des excès du régime révolutionnaire. Dans sa censure du clergé, il n'est jamais allé jusqu'à abjurer le christianisme en tant que philosophie religieuse. Il rendait hommage à un Dieu qui n'inspire ni crainte ni tremblement. Pendant quelque temps, il se passe du Christ, car il n'a pas besoin d'un intermédiaire entre Dieu et lui. En déiste convaincu, il croit sincèrement à une Cause première qui lui assure la véracité et la constance des lois de la nature. Après la disparition des géants du siècle, La Harpe monte au premier rang des hommes de mérite qui restaient à la France, et dès lors il ne pouvait échapper à leurs persécuteurs. Parlant de »la constante uniformité de [ses] sentiments,« La Harpe se juge très bien, à notre avis, quand, après un coup d'œil sur son passé, il déclare:

> Ami de la liberté légale, qui peut se trouver dans une monarchie bien ordonnée tout comme dans une république, en Angleterre, par exemple, comme en Amérique, c'était absolument sous cet unique point de vue, qui m'était commun avec tant d'honnêtes gens et avec tant d'hommes éclairés, que j'avais considéré notre révolution dans ses commencements. J'ai pu me tromper ainsi qu'eux, non pas dans le principe, mais dans l'application...[155]

Ces égarements se sont produits d'une façon désintéressée, en toute innocence, à ce qu'il pense, avec »du moins... cet avantage, qu'il n'y avait de ma part ni mauvaise foi ni intérêt personnel. C'était tout simplement la vanité et l'étourderie naturelle à cette prétendue *philosophie* que j'avais embrassée sans examen.«[156] A partir de sa sortie de prison, il va se livrer à l'examen très réfléchi de cette *philosophie* et réorienter sa conduite selon les résultats de cette méditation. Nous allons suivre ce cheminement dans le chapitre suivant.

---

[155] *Lycée*, XIV, 427—28. Une note au bas de la page 427 nous renseigne sur le fait que ce morceau fut écrit en 1793.

[156] *Ibid.*, XV, 12.

Les dernières années - Du bonnet rouge au bonnet carré.

CHAPITRE V

Les dernières années - Du bonnet rouge au bonnet carré.

La Réaction thermidorienne, le Directoire et le Consulat

> »Il peut exister un pouvoir qui m'empêche de parler; il n'y en
> a point qui m'empêche de parler comme je pense... c'est même...
> cet intérêt sacré de la vérité nécessaire qui peut seul me soutenir
> dans une carrière laborieuse.« La Harpe, *Lycée*, V, 37—38.

La Harpe sortit de prison réconcilié avec le catholicisme. Au dehors, il trouvait la réaction thermidorienne, que le règne de la Terreur engendra, en plein essor. Quant à la religion, le pays devait entrer dans une période de liberté et de laïcisation d'où naquit la politique de la séparation de l'Eglise et de l'Etat, qui prit fin avec le Concordat du 15 juillet 1801. Du point de vue politique, la Convention se prolongeait et, après des tentatives pour se perpétuer et pour s'affermir comme puissance constitutionnelle, fut remplacée par le Directoire, le 27 octobre 1795 (5 Brumaire, an IV). Celui-ci se montre, surtout après le coup d'état du 4 septembre 1797 (18 Fructidor, an V), sinon plus sévère du moins aussi peu tolérant que le gouvernement de Robespierre.

L'incarcération avait produit chez La Harpe des impressions très fortes, presque indélébiles, à tel point que ses vues sur la religion allaient subir un revirement qui surprend quand même, quoi qu'en ait dit Mme de Genlis qui se pique, sur la base des déclarations du converti, probablement à l'époque de leur liaison assez intime vers 1780, d'avoir prévu et même prédit cette conversion à La Harpe lui-même car »il n'avoit adopté le philosophisme, selon elle, que par flatterie pour Voltaire, pour entrer à l'Académie, et pour n'avoir pas contre lui des hommes tout-puissans dans la littérature; il m'avoua mille fois qu'au fond la religion lui paraissoit belle...«[1] Quoi qu'il en soit, il eut moins fréquemment, tout de suite après son élargissement, l'occasion d'exprimer ses vues religieuses que ses opinions politiques. Dans ce domaine, la rupture avec la faction dominante du gouvernement ne fut pas subite. Il continue de se dire républicain, tandis qu'il rêve, non pas encore d'un retour à l'Ancien Régime, mais à la monarchie constitutionnelle.

On a parlé de son repliement sur lui-même après sa sortie de la prison; on a affirmé, »qu'il ne pouvait plus parler que de ses propres travaux, anciens et récents, de ses malheurs, de ses ennemis, de l'importance littéraire et poli-

---

[1] *Mémoires... de Genlis*, III, 121 et V, 120.

tique de sa personne.«[2] En fait, il n'a jamais dédaigné de parler ni de lui-même ni de ses ennemis, comme le prouvent amplement sa *Correspondance littéraire* et ses articles aux journaux. Daunou dit que sa femme se suicida peu après sa sortie de la prison[3] »sans autre cause, selon Saint-Surin, qu'un dégoût invincible pour la vie.«[4] Pour soulager sa dépression, La Harpe ne semble pas avoir perdu tout son temps à raconter ses malheurs à tout écouteur car, d'après la *Gazette française*, il a même fait des retouches à sa pièce, *Virginie*, avant sa reprise au Théâtre de la République le 12 août 1794. On y a vivement applaudi les parallèles entre l'histoire ancienne et l'histoire contemporaine, et »les nombreaux spectateurs ont saisi tous les rapprochements qui pouvaient rappeler le renversement de la tyrannie.«[5] Talma a très bien joué le rôle d'Icilius. Trois jours plus tard, un autre article élogieux, dans la *Gazette française* du 17 août 1794, écrivait qu'on »applaudit toujours avec transport les passages qui rappellent la chute de la tyrannie.«[6] Mais on pouvait y trouver aussi, disait-on, des allusions malencontreuses, notamment la scène où »le père de Virginie menace de faire revenir l'armée qu'il commande dans les murs de Rome;«[6] l'on y voyait des ressemblances avec la conduite de Dumouriez.

La pièce eut seulement deux représentations, et le *Journal de Perlet* disait, le 6 décembre 1794, que »les amis des lettres, de la liberté et des beaux vers s'étonnent de ne plus voir donner... la *Virginie* du citoyen La Harpe ... [qui] a été joué[e] deux fois après le 9 Thermidor. Les circonstances y ajoutaient un nouveau prix.«[7] Ce même journal suggérait qu'il était au courant d'une intervention de quelqu'un de haut placé pour supprimer la pièce et laissait savoir qu'on dévoilerait »cette intrigue«, s'il le fallait, pour remettre cette pièce sur la scène.[7] En effet, l'article produisit la suite désirée, car le Théâtre de la République annonça que les représentations de *Virginie* étaient interrompues à cause de la maladie d'un acteur,[8] et la pièce fut jouée de nouveau le 29 décembre.[9]

Entre temps, La Harpe avait composé un *Chant de Triomphe de la France* pour célébrer les victoires de l'armée française. Lesueur avait écrit la musique pour ce chant et l'Institut national de musique joua le morceau le 21 octobre 1794.[10] Cette ode exprime non seulement l'amour de l'indépendance, mais aussi celui de la liberté. L'auteur veut qu'on joigne au succès des armes »le triomphe de la raison«; il faut que la sagesse protège l'égalité et qu'elle domine la liberté afin d'ériger »un monument durable« assis sur une base où l'on vénère les lois.[11] Ainsi, officiellement du moins, La Harpe est toujours loyal à la République. C'est peut-être à cause de pareilles opinions que le

---

[2] Daunou, *Vie de La Harpe*, dans le *Lycée*, I, p. xl.
[3] *Ibid.*, p. xxxviii.
[4] Saint-Surin, *Notice sur la vie et les ouvrages de La Harpe*, *Œuvres diverses*, I, p. lxvii, Gilibert de Merlhiac, *Vie de La Harpe*, p. 240.
[5] A. Aulard, *Paris pendant la réaction thermidorienne et sous le directoire*, I, 38.
[6] *Ibid.*, 47.
[7] *Ibid.*, 294; *Journal de Perlet*, pp. 47—48.
[8] *Ibid.*, 314; *Journal de Perlet*, 15 décembre 1794, p. 119.
[9] *Ibid.*, 350; *Journal de Perlet*, 31 décembre 1794, p. 246.
[10] Imprimé dans la *Décade philosophique*, III, 230—233.
[11] Daunou, *Vie de La Harpe*, I, p. lxvii (note).

Journal de Perlet suggère qu'on le nomme directeur de la Bibliothèque nationale,[12] qui subissait alors une réorganisation. Mais cette suggestion n'eut pas de suite.

Toutefois, il lui restait toujours le Lycée pour présenter ses idées, et La Harpe y parut le 31 décembre 1794 pour la première fois après son incarcération. Il y prononça une diatribe contre la Terreur, dont il reste, en partie, deux versions différentes: celle qui fut imprimée dans son *Lycée* et la péroraison publiée dans le *Journal de Paris*, que le professeur lui-même avait communiquée pour l'imprimer. Le titre du discours indique bien la portée de la conférence: »De la guerre déclarée par les Tyrans révolutionnaires à la Raison, à la Morale, aux Lettres et aux Arts.« »On y verra, disait le *Journal de Paris*, que le principal objet de l'auteur (& cet objet étoit bien digne de son patriotisme connu) a été de fermer la bouche à ceux qui affectent sans cesse de confondre la révolution avec les crimes qui l'ont souillée, et la nation françoise avec les tyrans qui vouloient l'asservir.«[13] Ce cours aura donc »un but politique,« comme le précise le *Journal de Perlet*.[14] Le lendemain, le même *Journal de Paris* reproduit la conclusion, assez longue, du discours de La Harpe. Cette péroraison imprimée en abrégé dans le *Lycée* se termine en soulignant la nécessité »d'élever un mur de séparation entre les oppresseurs et les opprimés, entre un peuple entier et ses tyrans.«[15] Crimes, brigands, tyrannie, tout passera et la liberté survivra. Il faut dire à l'Europe et à la postérité, s'exclame le professeur, »jugez notre République non pas par ce qu'elle a souffert, mais pour ce qu'elle a fait.«[16] La conduite de la France, après le 9 Thermidor, lui paraît encore plus brillante que ses victoires militaires, car, si la fortune joue un rôle dans les triomphes militaires, »ce que fait un peuple est entièrement à lui ... [qu'il] s'exprime par lui-même ou par la bouche de ses dignes représentans.«[17] Pour s'apercevoir du progrès de la mentalité nationale, il faut juxtaposer aux harangues des monstres

> ces rapports lumineux sur tous les objets de réforme et d'administration, rédigés avec autant de sagesse que de force par Johannet, par Grégoire, par les deux Merlin, par Chénier, par Boissy, par Romel, les discours véhémens et courageux de Laignelot, de Legendre, de Tallien, de Fréron, de Clauzel, &c., contre l'oppression & le *terrorisme*, & dans les succès qu'ils obtiennent, reconnaissez les progrès de l'esprit public.[18]

Il loue l'affranchissement de la Convention et recommande la patience devant la lenteur de la guérison nationale, car il faut

> que tous se persuadent bien que notre révolution, ayant pour but une constitution républicaine fondée sur les droits de l'homme, ce qu'il y a de plus éminémment révolutionnaire, c'est la raison,

---

[12] A. Aulard, *Paris pendant la réaction thermidorienne...*, I, 328; *Journal de Perlet*, 22 décembre 1794, p. 174.
[13] *Journal de Paris*, 12 janvier 1795, 457; *Décade philosophique*, IV, 99—101.
[14] *Journal de Perlet*, 21 décembre 1794, p. 166.
[15] *Discours, Lycée*, VIII, 26.
[16] *Journal de Paris*, 13 janvier 1795.
[17] *Ibid.*
[18] *Ibid.*

> la justice & la vérité, qu'après avoir été assez heureux pour
> échapper aux *monstres* qui s'étaient emparés de notre révolution
> pour la faire détester, nous devons être assez sages pour l'achever
> en la faisant aimer.[19]

A mesure qu'un gouvernement assure la jouissance complète des droits naturels à ses citoyens, ceux-ci s'attachent d'autant plus à leur souverain.

Un autre aspect intéressant de ce discours était la théorie de La Harpe que la perversion de la langue a rendu possible le maintien du gouvernement Robespierre: »... on avait enfin formé une langue qui était l'inverse du bon sens, langue si étrangère et si monstrueuse ... tellement propagée et consacrée, tellement usuelle, et pour ainsi dire religieuse, que celui qui eût essayé de la contredire eût été égorgé sur-le-champ.«[20] Tout républicain pouvait se montrer satisfait de ces formules nettement exprimées qui prescrivent les devoirs des citoyens pour assurer l'ordre et la liberté sous le gouvernement en fonction.

C'est pour de tels écrits que, le 6 janvier 1795, d'après une liste des gens de lettres qui »avaient des droits plus pressants aux secours décrétés par la Convention,«[21] établie par M.-J. Chénier, il fut donné à La Harpe »3.000 livres« d'aide. Le 11 du même mois, il fut »nommé ... professeur à l'Ecole normale de Paris,«[22] qu'on venait d'établir pour la formation d'instituteurs aux écoles primaires et qui fonctionna seulement entre le 1er Pluviôse et le 7 Floréal, an III.[23] La Harpe y »donna six leçons et une séance de débats.«[24] A côté de La Harpe, étaient nommés professeurs: Bernardin de Saint-Pierre, Volney et La Place.[25] La nomination de La Harpe était due surtout, semble-t-il, à l'insistance de Garat pour qu'on professât un cours de littérature.[26] Ce cours devait inclure la grammaire, l'éloquence, la poésie, la philosophie, l'histoire et la critique. En un style déjà habituel, des observations sur l'éloquence en Grèce et à Rome se mêlaient dans ces leçons aux remarques sur la Terreur et la Révolution; leçons d'une valeur minime pour son auditoire, mais d'une grande importance pour suivre les préoccupations politiques du professeur.

Dans ses leçons au Lycée, »il ne manque pas une occasion de proclamer des vérités utiles et importantes ... [qu'une] nombreuse assemblée, dans laquelle se trouvaient des représentants du peuple,« applaudit vivement.[27] Il recommande dans une conférence sur le *Traité de sublime* de Longin, l'affranchissement, la liberté dont il faut aplanir le cours; il insiste sur l'obéissance et le respect dus aux représentants en délibérations, parce que

> graces à la révolution, l'éloquence est rentrée, ainsi que nous,
> dans tous ses droits. Hardie comme la liberté, elle s'est déjà
> élevée plus d'une fois jusqu'au sublime ... que ne devons-nous

---

[19] *Journal de Paris*, 13 janvier 1795.
[20] *Lycée*, VIII, 12.
[21] *Le Moniteur*, p. 441.
[22] *Ibid.*, p. 463.
[23] Ernest Allain, *L'Œuvre scolaire de la révolution*, 1789—1802, chapitre sur »l'Ecole normale de l'an III,« Paris, Firmin-Didot, 1891, 153—201.
[24] *Ibid.*, p. 183.
[25] *Ibid.*, pp. 167—68.
[26] *Ibid.*, p. 183.
[27] *Journal de Paris*, 20 janvier 1795, p. 487.

> pas attendre de toutes deux quand nous aurons su déterminer
> & affermir les bases de l'une & affranchir & applanir (sic) la
> carrière de l'autre ... une assemblée délibérante, qui n'a pas une
> police sévèrement maintenue, n'a ni liberté, ni dignité, ni décence
> même«. La Harpe affirme encore »que le désordre fait régner
> la minorité, comme l'ordre la majorité ... que manquer de respect
> à un représentant [corrigé en »aux représentants,« au numéro
> du 22 janvier p. 497] de 25 millions d'hommes ... c'est un attentat
> punissable, destructeur de toute puissance légale.[28]

C'est une licence scandaleuse, une véritable rébellion, qu'il faut punir sur-
le-champ comme une tyrannie qui outrage »le peuple même dans la majesté
de sa représentation.«[29] Dans une lettre publiée le 15 mars 1795 par le *Journal
de Paris*, il défend le plan d'études tracé par la Convention pour l'Ecole
normale contre Mathurin Bonace, auteur du pamphlet, *La Tour de Babel*,
où l'on critiquait la prétention d'enseigner aux élèves toute l'Encyclopédie
en quatre mois.[30]

A l'Ecole normale, notre professeur attaquait l'athéisme et la Terreur, et
il exhortait les élèves à »remplir les vues bienfaisantes de nos représentans,«
à »expier un attentat de la barbarie,« à laisser

> à l'orgueil en délire, qui se nomme si ridiculement philosophie,
> la prétention absurde, puérile de REGENERER le genre humain,
> vous prendrez sur vous, continue-t-il, l'emploi vraiment philo-
> sophique, vraiment patriotique d'éclairer & de corriger de jeunes
> têtes égarées ou dépravées & de les rendre d'abord à la raison
> & à la vertu pour les former à la liberté [afin de leur faire]
> désapprendre pour jamais cette langue abominable et insensée
> qu'on appelloit *révolutionnaire* ... [En surcroît] vous profiterez
> d'une des plus belles leçons qu'ait données Rousseau, tant citée
> & si peu suivie dans notre révolution. Vous mettrez toujours Dieu
> entre vos élèves & vous; & vous ne séparerez point la morale
> que vous leur enseignerez de l'idée de cette justice divine, sans
> laquelle il n'y aurait pas même de morale humaine. Vous l'appuye-
> rez cette morale sur la base la plus solide, sur ce commerce
> touchant & sublime de l'homme avec son créateur ...[31]

Mépris pour la »philosophie« contemporaine, combat contre le fanatisme de
la langue révolutionnaire, enseignement de Dieu, de sa justice, de la morale,
ne faut-il pas voir ici en germes tout le système du converti? La chose à souligner en ce moment c'est l'état rudimentaire de cette doctrine à laquelle
il aurait fallu beaucoup plus de temps pour se développer, si les événements
politiques ne l'y avaient poussée. Une autre observation à faire peut-être
c'est de remarquer le véhicule par lequel on transmet ces idées à présent, car
plus tard le *Journal de Paris* et la *Décade philosophique* se distingueront
parmi les adversaires de La Harpe.

Depuis la fin de mars 1795 se manifestaient »les premiers symptômes
d'une réaction monarchiste, la disette, l'agiotage, la propagande communiste

---

[28] *Ibid.*, pp. 487—488.
[29] *Ibid.*, p. 488.
[30] *Ibid.*, 15 mars 1795, pp. 704—05.
[31] *Ibid.*, 2 juin 1795, pp. 1027—1028: Un autre extrait de l'une des conférences
à l'Ecole normale sur la nécessité de punir les coupables, se trouve dans *Le Salut
public*, *Œuvres diverses*, V, 434—35.

de Babeuf...«[32] Pour parer à ces menaces et afin de se renforcer, la Convention promulga les décrets dits »des deux tiers« des 5 et 13 Fructidor (22 et 30 août 1795). On les considéra comme attentatoires à la souveraineté. nationale; on y devina l'ambition personnelle de leurs auteurs,[32] et une violente irritation fut enregistrée dans le pays.

La Harpe s'immisça dans la lutte politique et écrivit une demi-douzaine d'écrits et discours particulièrement opposés à la Convention et à ses représentants. Etudions d'abord *l'Acte de garantie pour la liberté individuelle, la sûreté du domicile, et la liberté de la presse.*[33] Il s'y présente toujours en bon républicain et, comme tel, il exige que l'on pense avant tout

> à rendre inviolable la liberté personnelle, et à l'entourer d'un rempart inexpugnable... [pour empêcher que] l'arbitraire entre le moins du monde dans les dispositions générales relatives à la liberté personnelle[34]... [il faut que l'on soit] absolument sûr qu'aucun pouvoir quelconque ne peut attenter à [la] liberté, sans en répondre sur-le-champ devant la loi[35]... Les arrestations arbitraires n'ont jamais qu'un seul dessein, qu'un seul but: et c'est d'enchaîner les ames, de flétrir le courage, d'anéantir toute résistance à l'oppression, d'étouffer toute vérité, de faire tomber la plume des mains, d'arrêter la parole sur les lèvres, d'effrayer la pensée.[36]

Il veut »interposer toujours le pouvoir judiciaire entre le citoyen et le pouvoir exécutif... [et accorder la seule prérogative au pouvoir législatif, notamment] de traduire devant les tribunaux ses propres membres et ceux du pouvoir exécutif, suivant les formes constitutionnelles.«[37]

Comme indiqué dans le titre, on propose trois lois spécifiques et l'on prescrit strictement les démarches à suivre au cas où il y a nécessité de traduire quelqu'un devant le tribunal. C'est que, vu les défauts de la nature humaine qui sont capables de mener l'homme à toute sorte d'excès, »quand il n'est pas bien armé contre la séduction et l'orgueil du pouvoir, et comme il y est rarement supérieur, de bonnes lois, bien claires et bien précises, sont la seule barrière contre les fougues de l'amour-propre irrité, et le seul abri pour celui qui n'a d'autre pouvoir que celui de la raison.«[38]

Du même genre est *La liberté de la presse défendue par La Harpe contre Chénier.* Ici l'attaque est dirigée contre un décret proposé par Marie-Joseph Chénier pour contrôler la presse. La Harpe plaide pour la liberté de penser et d'écrire. Il proteste contre l'inclination de la Convention à voir partout des ennemis, disant que »la convention à qui l'on exagère beaucoup ses dangers, n'en a vraiment qu'un seul à craindre, et c'est son propre pouvoir.«[39]

Dans sa brochure *Le Salut public ou la vérité dite à la Convention,* Réplique au rapport de Pierre-Charles-Louis Baudin, l'auteur combat le plan de la Convention pour se prolonger au pouvoir, y voyant »un acte arbitraire...

---

[32] Maurice Deslandres, *Histoire constitutionnelle de France,* I, 252.
[33] La Harpe, *Œuvres diverses,* V, 383—405.
[34] *Ibid.,* 385.
[35] *Ibid.,* 386.
[36] *Ibid.,* 388.
[37] *Ibid.,* 394.
[38] *Ibid.,* 405.
[39] *Ibid.,* 362.

intolérable dans tout ordre légal,«[40] même si tout cela s'organise sous le prétexte, faux d'ailleurs, de *salut public*.[41] On doit conclure d'un tel dessein que »ceux qui veulent se perpétuer dans leur puissance, ne sont occupés que de frayeurs personnelles trop bien fondées, ou de prétentions personnelles trop peu fondées.«[42] La Harpe défend surtout les opposants accusés d'être conduits par des raisons religieuses, et ceux qui sont accusés d'être royalistes.[43] Ces accusations, selon La Harpe, sont fausses; il y voit des exagérations de la part de la Convention pour se maintenir au pouvoir afin de donner »cinq cents despotes au lieu d'un«[44] seul. Quant à l'auteur lui-même, il se dit presque entièrement isolé, pauvre, de mauvaise santé, toujours tourmenté par les souvenirs de son incarcération, et il n'exclut pas une nouvelle arrestation.[45] Malgré ce factum contre les projets de la Convention, La Harpe se déclare républicain, et le *Journal de Paris*, dans son article signé »R« (probablement Roederer), loue cette brochure où l'on trouve »une sagacité d'analyse, une force de logique, une finesse de critique, digne de ses précédens écrits polémiques ... [et quant à] la force des principes qu'il expose: ils appartiennent à tout homme de sens & à tout ami de la liberté.«[46]

La Convention adopta la Constitution de l'an III, connue sous le nom de constitution directoriale. Mécontent du résultat aussi bien que de toute la procédure électorale, La Harpe publie *Oui ou Non*, où il censure les élections, la constitution actuelle et, en fait, toute la révolution. Le 22 Fructidor, an IV (8 septembre 1795), d'après Aulard, étant envoyé en députation de la section de la »Butte-des-Moulins« à celle de Le Peletier, »le citoyen La Harpe a prononcé à cette occasion un discours qui a été applaudi avec enthousiasme.«[47] Il n'y a aucune trace de ce discours, car ni celui imprimé chez Chevet, qui se trouve à la Bibliothèque nationale, ni un autre, que nous avons trouvé inédit à la bibliothèque de Dartmouth College, ne semblent correspondre à cette date. Dans le premier de ces deux discours, intitulé *Sections de Paris prenez-y garde*, l'auteur y dénonce les manœuvres de la Convention, en particulier le plan d'épuration des électeurs, comme »contraire au bon sens, à la liberté des Assemblées primaires... [il craint si on l'applique] un chaos dont il serait impossible de sortir,«[48] car le terme »d'épuration« lui-même est perverti, comme beaucoup d'autres mots, par les fanatiques révolutionnaires. »La censure qui convient, continue cet écrit, c'est le témoignage constant et uniforme de tous les bons citoyens hautement prononcé contre les pervers[49] [ce sont] les accusations juridiques [comme c'était le cas à Rome] dans lesquelles l'accusateur courait des risques comme l'accusé.«[50]

---

[40] *Ibid.*, 408; pour la suite de cette polémique voir la réponse de Baudin et la réplique de La Harpe, *Ibid.*, 467—476.
[41] *Ibid.*, 409.
[42] *Ibid.*, 412.
[43] *Ibid.*, 413, 416—417.
[44] *Ibid.*, 454.
[45] *Ibid.*, 457—458.
[46] *Journal de Paris*, 8 septembre 1795, p. 1427.
[47] Alphonse Aulard, *Paris sous la réaction thermidorienne...*, II, 229—230.
[48] *Sections de Paris, prenez-y garde, discours prononcé dans la Section de la Butte-des-Moulins*, p. 5.
[49] *Ibid.*, p. 12.
[50] *Ibid.*, p. 14.

Dans l'autre discours, prononcé vraisemblablement aussi à la Section de la »Butte-des-Moulins«, probablement juste avant la révolte du 13 Vendémiaire, an IV, l'auteur accuse la faction qui domine le gouvernement, de crier à la conspiration royaliste, dans les journaux aussi bien qu'à la Convention. Il lui reproche d'employer, d'une part, la fraude électorale pour usurper ainsi l'autorité légale et, de l'autre, »les basses flagorneries, celles qui dégoûteraient les valets des cours, les impostures ineptes, celles qui révolteraient les gouvernements les plus machiavéliques,«[51] pour opprimer les masses et pour se maintenir au pouvoir. Il lance un défi à ceux qui crient à la conspiration de nommer les conspirateurs, d'articuler les preuves, sinon, dit-il, »c'est vous qui conspirez.«[51 bis]

La Harpe est devenu secrétaire ou président de la Section de la »Butte-des-Moulins« avant les événements du 13 Vendémiaire (5 octobre 1795), très probablement le 1er octobre, ou même avant, selon un journal de l'époque qui disait, le 2 octobre 1795, que le président et le secrétaire de la Section de la »Butte-des-Moulins« ont été remplacés par des hommes plus courageux et que »Laharpe a été nommé secrétaire de la section du Théâtre Français.«[52] L'erreur de section fut rectifiée dans le numéro du lendemain: c'est bien à la Section de la »Butte-des-Moulins« que La Harpe était cité comme secrétaire. Mais un certain comte Otockie, Polonais, dit, dans un document inédit, que La Harpe était »Président de la Section de la Butte de Moulin... au 13 vendémiaire.«[53] Le même journal maintenait le 11 septembre 1795 que La Harpe était nommé par sa section pour aller aux Sablons fraterniser avec l'armée, et vers le 27 septembre le *Journal de Paris* parlait d'un bruit qui courait que le gouvernement voulait bannir La Harpe. Le point culminant de cette lutte furent les événements des 12 et 13 Vendémiaire, qui firent quelques centaines de morts et se terminèrent en répression militaire sous les ordres de Napoléon Bonaparte, alors jeune officier encore presque inconnu.

Dans ses activités d'opposition à la Convention, La Harpe a dû s'associer avec des gens dont les opinions politiques étaient bien hétérogènes. On savait qu'il était devenu un des chefs de sa section. Il est sûr que La Harpe est resté royaliste pendant tout le cours de la Révolution, ce que nous avons tâché de démontrer dans le chapitre précédent. Il était lié avec le conspirateur, baron de Batz,[54] lié également dans l'affaire Lemaître avec Lacretelle et Richer de Sérizy.[55] Il n'est donc pas étonnant que le Directoire se soit décidé à le poursuivre. Un mandat d'amener fut décrété par le Comité de Sûreté Générale le 14 Vendémiaire,[56] (6 octobre 1795), suivi d'un mandat d'arrêt par le Direc-

---

[51] A. Jovicevich, »Le Royaliste La Harpe en vendémiaire An IV«, *Annales Historiques de la Révolution Française*, juillet-septembre 1971, p. 446.
[51bis] *Ibid.*, p. 453.
[52] *La Quotidienne*, 10 Vendémiaire, an IV (2 octobre 1795), p. 4.
[53] Archives nationales, F₇ 6311.
[54] *Supra*, surtout pp. 151—52.
[55] *Le Moniteur*, 22 octobre 1795, p. 120; sur la liaison avec Richer de Sérizy, voir *Réponse à l'écrit du citoyen La Harpe, que je n'ai point lu*, par Baudin, La Harpe, *Œuvres diverses*, V, 468—469, (réimprimé de *La Sentinelle*, 23 Fructidor, an III, pp. 314—315).
[56] Archives nationales, F₇ 7130.

toire, le 6 Nivôse (27 décembre 1795).[57] Cependant, nous dit Duviquet, La Harpe s'est soustrait aux autorités dans la maison de son ami Antoine-Marie-Henri Boulard.[58]

Daunou croit que Bonaparte voulait qu'on arrêtât La Harpe, mais que Chénier le protégea en déchirant »publiquement et avec indignation un mandat d'arrêt décerné contre La Harpe ... [que] Bonaparte était impatient de mettre à exécution.«[59] Il n'est pas possible de vérifier ce fait, mais on sait pour sûr, par une lettre datée du 14 août 1796 (24 Messidor, an IV), de Charles Frérot d'Abancourt, »sous-directeur du dépôt Général de Guerre,« qui intervenait pour La Harpe auprès du ministre de la police générale, Charles Cochon de Lapparent, que Chénier sollicitait la levée de ce mandat d'arrêt.[60] L'accusé lui-même réclamait aussi la levée du mandat par une lettre au ministre de la justice, Merlin de Douai, affirmant son innocence et disant qu'on n'aurait pas tardé trois mois pour délivrer le mandat d'arrêt, »si l'on avait crû réellement [qu'il fût] *un des provocateurs de la journée* du 13 Vendémiaire.«[61] Comme autre preuve de son innocence, il y cite l'arrestation et la mise en liberté de la citoyenne Minute, ou Minut ou bien Minat, qui est en effet Mme Danieska, chez qui La Harpe logeait à ce moment-là, et à qui il a légué six mille francs[62] dans son testament pour les services rendus pendant la Révolution. D'ailleurs, il déclare que son opposition aux décrets de Fructidor était tout à fait dans les limites de la loi et insiste sur le fait qu'être suspect de conspirer n'est pas la preuve d'être conspirateur, et l'on exigerait des preuves au tribunal, continue-t-il, si on l'y traduisait.[63] Confirmant cette sollicitation de La Harpe, un rapport du 20 mai 1796 (1er Prairial, an IV)), au ministre de la police générale, dit qu'il se trompe, ou qu'on le trompe, car on retrouve seulement un mandat d'amener qui n'a pas eu de suite.

> ...ce qui peut avoir donné lieu au Cⁿ Laharpe de croire qu'il avait été décerné contre lui un mandat d'arrêt, continue ce rapport, c'est vraisemblablement parce que le 17 Nivôse dr le Directoire Exécutif a ordonné l'arrestation de la Cⁿᵉ Minute et du Cⁿ Méat ... soupçonnés de tenir des assemblées de conspirateurs, et d'être en relation avec le Cⁿ Laharpe, mais cet arrêté ne fait point mention de ce dernier.[64]

Pourtant le citoyen Méat était élargi par un autre arrêté du Directoire du 20 Nivôse et »l'instruction n'a produit aucun effet défavorable« contre Mme Danieska. On suggère, au nom de l'humanité, que La Harpe, »si avantageusement connu dans la carrière Littéraire, ne soit pas plus longtemps sous l'oppression dont il se plaint.«[64] Toutefois, ce mandat d'arrêt fut bien délivré, car un certain juge Landry, »l'un des Directeurs du Jury d'Accusation du Canton de Paris,« maintient dans un rapport du 6 novembre 1796 (16 Brumaire, an V), en avoir reçu une copie en même temps que celle du mandat d'amener, avec

[57] A. Debidour, *Recueil des Actes du Directoire*, I, 133.
[58] Pierre Duviquet, *Notice sur la vie et les ouvrages de Mr A. M. H. Boulard*, I, p. xi.
[59] *Vie de La Harpe*, dans *Lycée*, I, xli.
[60] Archives nationales, F₇ 7151.
[61] A. Jovicevich, »Thirteen Additional Letters of La Harpe,« dans *Studies on Voltaire*..., LXVII, 221.
[62] Archives nationales, Minutier central des notaires, Etude LXXIII, 1176.
[63] Archives nationales, F₇ 7151.
[64] *Ibid.*

l'ordre d'apposer les scellés sur les papiers de La Harpe et de chercher son domicile pour saisir »les armes et les papiers de la section de la Butte des Moulins qui y seront déposés.«[65] Le juge demande au ministre de la police générale de chercher dans les bureaux de police des pièces relatives à La Harpe ou des indications des témoins, s'il y a lieu, et de lui expédier tout document concernant cet accusé. Le *Courrier républicain* du 22 novembre 1796 (2 Frimaire, an V), signale à ses lecteurs qu'après treize mois »dans les liens d'un mandat d'arrêt,... [La Harpe] vient d'être acquitté par le jury d'accusation. Les amis des lettres apprendront avec plaisir, continue cette note, qu'il va reprendre au Lycée son cours de littérature...«[66]

Pendant tout ce temps, La Harpe a vécu en proie à des difficultés bien considérables, tant économiques que légales. Deux journaux de l'époque ont parlé de son indigence au mois d'avril 1796,[67] et l'un publia une lettre, d'un ton vraiment pathétique, de l'auteur menacé, dans laquelle il offre de vendre quelques livres de sa propre bibliothèque.

> Dépouillé de tout depuis long-temps, dit-il, et la situation où je suis depuis six mois, m'ôtant même les dernières ressources qui me restaient, celles du travail et du talent, je ne possède plus que mon lit et mes livres, et cette dernière possession m'étant bien précieuse; mais il est encore plus nécessaire de manger que de lire.[68]

Il est réconfortant de voir la générosité avec laquelle les gens s'empressèrent de secourir l'écrivain besogneux, d'autant plus qu'on offrait de l'argent sans vouloir priver le pauvre La Harpe de la compagnie précieuse de ses livres.[69]

Voilà donc que, dans l'espace d'un an et demi environ, il est poursuivi de nouveau par un régime qui se montrera même plus persécuteur que celui de Robespierre,[70] et cette désagréable expérience, renouvelée si vite, a dû faire revivre en lui le traumatisme de la Terreur, et aiguillonner ses sentiments, maintenant favorables au catholicisme, en sorte qu'il embrassa sans réserve cette religion aussi bien que presque tout ce qui faisait partie de l'Ancièn Régime.[71] On peut seulement faire des conjectures sur ce que seraient devenues les convictions de La Harpe, s'il n'eût pas été atteint de nouveau par les proscriptions de Vendémiaire, an IV, mais on ne peut pas ne pas se demander jusqu'à quel point il aurait reculé dans l'acceptation de la monarchie absolue et du catholicisme romain sans ses déboires répétés aussi vite après la chute

---

[65] Archives nationales, F₇ 7151.

[66] A. Aulard, *Paris pendant la réaction thermidorienne...*, III, 586.

[67] *Journal de Paris*, 11 avril 1796, *et Courrier de l'Egalité* du 12 avril, dans A. Aulard, *Paris pendant la réaction thermidorienne...*, III, 114.

[68] *Journal de Paris*, p. 807.

[69] Pour la suite de cette affaire, voir le *Journal de Paris* des 14, 18 et 19 avril 1796, pp. 818, 835—36, 839.

[70] Joseph Calmette, *Les Révolutions*: »Le recul de 1795 par rapport à 1793 est flagrant,« p. 223.
La *Décade philosophique* du 18 août 1796 (30 Messidor, an IV) annonçait que »Le premier des disciples... de Voltaire... *La Harpe...* est tout à fait dévot; il va donner, dit-on, un ouvrage en faveur de la religion, non pas de celle... dégagée d'une partie de ses préjugés... mais de celle qui commande la croyance de la trinité, de la transsubstantiation, de la vierge immaculée, du diable et des miracles.« (X, 174—175.)

de Robespierre. Nous croyons même trouver la réponse dans une déclaration au *Mémorial* où il avoue que ses espérances en faveur de l'ordre et du bien-être du pays étaient grandes après le 9 Thermidor, mais que les événements de Vendémiaire l'ont désabusé, car »depuis *vindémiaire* (sic), il n'y a rien à espérer de *la faction* dominatrice; elle n'a rien abjuré... Les actions et les paroles n'ont pas cessé d'avoir le même caractère...«[72] Pour se consoler dans l'infortune, il a dû méditer beaucoup et écrire. L'un des ouvrages qui semblent dater de cette période, quoique publié plusieurs années plus tard, c'est le *Triomphe de la religion* qui, à en croire des documents inédits, devait s'intituler la *Louisiade*.[73] Ces mêmes documents affirment que le Directoire voulait s'en emparer aussi bien que de son auteur »offrant la somme de 2 millions, mais toutes ses recherches furent vaines — déjoués(sic)...«[73] comme le furent celles de Bonaparte en 1806.

Cependant, le résultat de ses méditations et de ses travaux eut une application beaucoup plus immédiate, dans ses leçons au Lycée. Il y parut un mois après son acquittement et prononça le »Discours sur l'état des lettres en Europe depuis la fin du siècle qui a suivi celui d'Auguste, jusqu'au règne de Louis XIV.« D'une façon devenue déjà habituelle dans ce forum, il déclame contre les excès de la Terreur, car »ces jours d'une dégradation entière et inouïe de la nature humaine sont sous mes yeux, pèsent sur mon âme, et retombent sans cesse sous ma plume, destinée à les retracer jusqu'à mon dernier moment.«[74] Oublier ces abus signifierait, croit-il, n'être »ni assez instruit ni assez corrigé.«[75]

Par opposition au grand »siècle de Louis XIV, le dix-huitième siècle s'ouvre ensuite devant nous, spectacle d'autant plus intéressant qu'il forme presque en tout un contraste avec l'autre, particulièrement par la nouvelle philosophie qu'il vit naître en ses premières années, et que les dernières ont dû nous mettre à portée d'apprécier.«[76] Ce choc se manifeste dans le système d'éducation aussi bien que partout ailleurs, et quand »[je regarde] d'un côté ce qu'on a détruit, et de l'autre ce qui en a pris la place, je me prosterne en idée, dit-il, et je paie à ces tristes et vénérables souvenirs le tribut que leur doit tout ce qui n'a pas renoncé à la raison humaine, tout ce qui a conservé des sentiments d'homme.«[77] Dans le même discours, La Harpe vante les services que quelques saints ont rendus à la religion et à l'éducation en répandant des lumières parmi les peuples.[78] *Les Nouvelles politiques* voyaient dans la critique contenue dans ce discours »le fruit de ce fameux mandat d'arrêt, & d'une oppression de treize mois!«[79]

Il continue de parler dans cette veine pendant les mois à venir non seulement de la Terreur mais aussi du Directoire. Il n'est nullement surprenant donc qu'il se trouvât parmi les journaux du temps, d'une part ceux qui saluèrent en La Harpe le »chef d'opinion... [que] la force des circon-

---

[72] *Le Mémorial*, 2 août 1797, p. 3.
[73] Archives nationales, F₇ 6311.
[74] *Lycée*, V, 39.
[75] *Ibid.*, 38.
[76] *Ibid.*, 37.
[77] *Ibid.*, 10.
[78] *Ibid.*, 5—7.
[79] *Nouvelles politiques, nationales et étrangères*, 3 décembre 1796.

stances ... destine à [en] être [un],«[80] et de l'autre ceux qui, comme la *Sentinelle* du 4 décembre 1796 (16 Frimaire, an V), dans une lettre anonyme, s'étonnent »qu'une société qui se dit républicaine, et qui devrait l'être, attire, recherche et paie La Harpe pour débiter des absurdités contre-révolutionnaires ... [et pour prêcher] la religion chrétienne comme un apôtre ou un missionnaire de la Chine.«[81] Cependant, il continua de prêcher la religion et d'exprimer la condamnation de la Révolution dans ses leçons sur le dix-huitième siècle. Les journaux eux aussi continuèrent à s'occuper de sa dévotion et de ses ouvrages. Parmi ces derniers, il faut noter d'abord *Du Fanatisme dans la langue révolutionnaire ou la persécution suscitée par les barbares du dix-huitième siècle.*[82] L'ouvrage fut d'abord publié par Migneret, au mois de mars 1797, car la *Décade philosophique* en parle dans le numéro du 30 mars;[83] on y fait allusion au passé de La Harpe philosophe pour mieux railler sa nouvelle attitude du chrétien dévot.

Cet écrit devait faire partie d'un travail considérable, que l'auteur ne termina pas, et qui avait »pour objet de faire bien connaître la révolution, non-seulement à l'Europe et à la postérité, mais sur-tout aux Français qui généralement sont loin de la connaître.«[84]

Afin de parvenir à bien comprendre l'histoire de la Révolution, il se propose d'étudier la signification d'un certain vocabulaire, que les révolutionnaires ont corrompu et perverti en le mettant en pratique, et qui a fortement influé sur le cours des événements. Il veut y »montrer l'établissement, la consécration légale de cette langue, comme un événement unique, un scandale inouï dans l'univers et absolument inexplicable autrement que par la vengeance divine.«[85] Il donne également les raisons qui justifient la publication de ce fragment détaché, »d'abord parce qu'il a pris assez d'étendue pour être publié séparément; ensuite, parce que cette publication m'a paru un devoir au moment où la persécution contre les prêtres paraît se rallumer avec plus de fureur, et repousser obstinément la justice, vainement attendue depuis si long-temps.«[86] Pourquoi cette persécution ordonnée contre les prêtres, se demande-t-il? Parce que les »tyrans, [qui] ont imaginé de fonder leur pouvoir sur le renversement absolu de toute morale quelconque,« doivent craindre, nous dit La Harpe, »les ministres d'une religion indissolublement liée à la morale.«[87] Proscrire les prêtres, c'était aussi obtenir la possibilité de »dépouiller les autels ... [et de] ravir l'or.«[88] L'auteur explique le titre de son ouvrage en définissant le mot fanatisme, qui est »un zèle de religion aveugle et outré [qui, borné] à des opinions illusoires et exagérées, ... s'appelle plus spécialement enthousiasme, [et renfermé] dans des pratiques minutieuses et frivoles ... se nomme superstition.«[89] Mais dans la langue révolutionnaire, ce même mot se définit comme

---

[80] *Paris pendant l'année...*, (1796), X, 585; voir aussi *Ibid.*, 474—75 et 586—90.
[81] A. Aulard, *Paris pendant la réaction thermidorienne...*, III, 608.
[82] La Harpe, *Œuvres diverses*, V, 476—646.
[83] XIII, 47—48.
[84] *Œuvres diverses*, V, 489.
[85] *Ibid.*, 489—490.
[86] *Ibid.*, 489.
[87] *Ibid.*, 507.
[88] *Ibid.*, 514.
[89] *Ibid.*, 477.

> la croyance à une religion quelconque, l'attachement à la foi de
> ses pères, la conviction de la nécessité d'un culte public, l'obser-
> vation de ses cérémonies, le respect pour ses symboles; enfin
> cette déférence réciproque qui est de tous les peuples policés,
> et qui les oblige respectivement à ne violer nulle part les signes
> extérieurs de la religion.[90]

Bref, on confond le mot fanatisme et celui de religion, qui deviennent syno-
nymes. Pourtant on a dû reconnaître le catholicisme, à ce que pense La Harpe,
comme »un culte public, [car] il est d'une impossibilité absolue qu'un ordre
social quelconque subsiste sans une religion, sans un culte public;«[91] le
bien-être de l'état et la stabilité du gouvernement en dépendent. L'auteur
censure les atrocités contre les Vendéens, le calendrier républicain, et regarde
d'un œil défavorable le fanatisme en général. Mais il considère comme le plus
dangereux fanatisme pour la France, même avant 1789, celui de l'irréligion.
Il est vrai que La Harpe n'a jamais eu de goût pour les athées et, selon le mot
de Boissy d'Anglas, qui le connaissait d'une façon intime depuis bien avant
la Révolution:

> Il n'attaqua jamais la religion dans ses dogmes ni dans ses prati-
> ques; s'il en combattit les abus ... ce fut en respectant les opi-
> nions de ceux qui lui [à la religion] étaient les plus fidèles. ... Je
> l'ai entendu bien long-temps avant la Révolution, repousser avec
> assez de chaleur des plaisanteries sur la religion, qu'un de ses
> amis se permettait chez lui.[92]

Les philosophes sont à blâmer »d'avoir donné le mot de ralliement aux
brigands et aux assassins,«[93] mais ils sont à critiquer surtout pour avoir
trompé »la multitude peu instruite, en changeant totalement le sens de deux
mots aussi essentiels, aussi importants que ceux de *religion* et de *fanatisme*,
dont l'un est sacré pour tous les hommes et l'autre justement odieux
à tous ...«[93]

C'est le premier écrit de La Harpe dans le ton du chrétien vraiment dévot,
à l'exclusion de l'histoire de sa conversion dans la prison. Il est composé, il ne
faut pas l'oublier car on le voit par le texte, au moment où l'auteur se cachait,
soustrait aux autorités, après le 13 Vendémiaire, qu'il y mentionne comme
un événement qui s'est passé »il y a un an.«[94] Une autre preuve que l'écrit
était depuis quelque temps dans son portefeuille est le nombre des digressions
insérées en notes, et qui rendent l'ouvrage saccadé et plus difficile à lire
qu'aucune autre de ses œuvres. Il s'avoue franchement chrétien. Nous le
soulignons, il s'avoue pour le première fois dans un écrit destiné à la publication et justifie son rôle de défenseur des prêtres persécutés d'abord par
sa volonté d'humanisme, il s'agit »de justice universelle, de droit naturel, de
liberté civile.«[95] Ensuite, dit-il à ses ennemis révolutionnaires, »je suis chrétien,
parce que vous ne l'êtes pas. Une religion qui a pour ennemis mortels, les plus
mortels ennemis de toute morale, de toute vertu, de toute humanité, est
nécessairement amie de la morale, de la vertu, de l'humanité: elle est donc

---

[90] *Ibid.*, 485.
[91] *Ibid.*, 528.
[92] *Les études littéraires...*, III, 206.
[93] *Le Fanatisme dans la langue révolutionnaire, Œuvres diverses*, V, 573.
[94] *Ibid.*, 638.
[95] *Ibid.*, 642.

bonne.«[96] On y apprend également que La Harpe avait entrepris »dans le même dessein ... un poëme déjà fort avancé [*Le Triomphe de la religion*]; car si l'histoire seule peut détailler les faits, la poésie peut seule, graces à la mémoire et à l'imagination, imprimer en traits profonds et durables toute l'horreur et tout le mépris que méritent les crimes *révolutionnaires*.«[97]

Cette diatribe suscita un vif intérêt de la part des journalistes et de celle du public surtout, probablement à cause de sa violence; aussi l'ouvrage eut-il, selon l'auteur lui-même,[98] trois éditions en trois mois et au moins une contre-façon à Paris.[99] Les journaux catholiques y voyaient »un feu sacré de talent qui, après avoir coloré et embelli le théâtre enchanté des arts, s'est élancé dans une région supérieure, pour répandre de cette hauteur des flots de lumière ...«[100] La *Décade philosophique*, nous l'avons déjà dit,[101] avait raillé La Harpe pour sa conduite instable, dans le numéro du 30 mars, et, dans celui du 19 mai, on appelle cet écrit »un pamphlet de cent cinquante mortelles pages, écrites d'un style inspiré, et où les raisonnemens sont remplacés par des assertions ... dans lequel [écrit] on fait l'apologie des brigands Catholiques et Royaux de la Vendée ...«[102] L'attaque est reprise dans la feuille du 29 mai: »... nous nous bornerons à affirmer que [cette] diatribe ne renferme pas une seule inculpation qui ne soit un mensonge ... nous gémissons sincèrement d'une démence qui ressemble quelquefois à de la fureur.«[103] »Feu« et »fureur« semblent bien caractériser l'état d'esprit de notre homme en ce moment-là, car, lui qui prisait tellement la logique et le beau style, était tombé par mégarde dans une faute grave d'étymologie en avançant qu' »aucun adjectif en *ique* ne peut produire un verbe en *iser*. Notre langue le prouve par le fait ...«[104] On s'en moqua beaucoup, et Chénier le premier qui composa, à l'adresse de La Harpe, une épître rimée en *ique* et en *isé*, où l' on note ces vers:

> Vous avez trop dogmatisé
> Renoncez au ton dogmatique,
> Mais restez toujours canonique
> Et vous serez canonisé.[105]

---

[96] *Le Fanatisme dans la langue révolutionnaire*, Œuvres diverses, V, 643.
[97] *Ibid.*, 490.
[98] *Le Mémorial*, 23 mai 1797, p. 3.
[99] Procès verbal, 17 Floréal, an V (6 mai 1797), contre citoyen Barba, libraire rue Saint-André des Arts, Archives de la Seine, carton D 12 U¹ 20; voir aussi A. Douarche, *Les Tribunaux civils de Paris pendant la Révolution*, II, 435—36. Le tribunal condamne Barba à payer à La Harpe une amende de onze cent vingt-cinq livres et l'on a fait la confiscation de cinq cents exemplaires de l'édition contrefaite. La Harpe a parlé de deux contre-façons à Paris, »et des contre-façons sans nombre dans les provinces« (*Le Mémorial*, 23 mai 1797, p. 3).
[100] *Le Véridique ou Courrier universel*, 18 Floréal, an V (7 mai 1797), p. 3; *Paris pendant l'année* ... [1797], citant le *Grondeur* en dit: »M. Delaharpe s'y montre ... sublime, énergique et touchant ... c'est un prophète animé de l'esprit divin, qui foudroie l'abominable impiété et la perversité des enfans de Satan. C'est le successeur des anciens prophètes ...« (XII, 299.)
[101] *Supra*, p. 174.
[102] *Décade philosophique*, XIII, 367—68.
[103] *Ibid.*, 430.
[104] *Du fanatisme dans la langue révolutionnaire*, Œuvres diverses, V, 623.
[105] Marie-Joseph Chénier, *Œuvres complètes*, III, 440.

A partir du mois d'avril 1797, il était courant de lire dans les journaux des attaques contre la piété de La Harpe,[106] mais certains aussi doutaient de son christianisme.[107] En tout cas, la publicité ne lui manquait plus, et un bruit courait qu'on voulait le présenter comme candidat à un poste électoral,[108] ce qui incita un lecteur de la *Décade philosophique* à écrire aux auteurs du journal pour exprimer son étonnement:

> J'ai beau chercher, dit cette lettre, les motifs qui peuvent établir la bonne opinion que l'on a de lui [La Harpe], et je ne puis les trouver... si nous avons encore le despotisme à combattre, et des extravagances révolutionnaires à prévenir, ce ne sera point sur la foi d'un tel représentant que je jouirai d'un sommeil bien paisible. Quelle confiance en effet voulez-vous que m'inspire un homme qui s'est toujours prêté de la meilleure grâce aux folies de son siècle?... Cherchons dans nos représentans de la sagesse, du courage, de la fermeté, et jetons sur-tout un regard sur leur conduite passée...[109]

L'auteur de la lettre, signée F*** (certains ont vu sous cette initiale son futur collaborateur au *Mémorial*, Fontanes)[110], a pris cette rumeur au sérieux, mais l'affaire n'eut pas de suite, à cause de la critique de »sa conduite passée.«[110]

En mars et avril 1797, La Harpe fit au Lycée quatre conférences où il réfuta le livre *De l'Esprit* d'Helvétius, sujet qu'il avait déjà traité, au Lycée, en 1788. Il fit imprimer ces conférences immédiatement après, avec des retouches qui se rapportent à la Révolution, pour s'acquitter »de l'engagement qu'[il avait] pris de [les] publier séparément... afin de mettre le public à portée d'apprécier les éloges qu'on lui [à Halvétius] a récemment prodigués...«[111] Le but de la philosophie est de rechercher la vérité, nous dit La Harpe, mais Helvétius n'est qu'un sophiste. Car »si Condillac est un philosophe, il est impossible qu'Helvétius en soit un.«[112] Celui-ci a tenté de donner

> des définitions nouvelles de choses depuis long-temps définies, sans jamais prendre la peine de prouver qu'elles l'aient été mal; [il établit]... pour première théorie, une suite d'assertions gratuites qui toutes contredisent des vérités démontrées, sans s'occuper le moins du monde ni de réfuter ce qu'il rejette, ni de prouver ce qu'il met à la place; [il faut donc y reconnaître]... le sophiste qui [glisse]... légèrement sur les principes, de peur d'être gêné dans les conséquences, et qui à coup sûr a dans sa tête un système de mensonge ou d'erreur.[113]

Il matérialise l'esprit dans quelques pages de mauvaise métaphysique et »part de là pour faire un gros livre, dont le seul résultat possible est d'anéantir toute moralité dans les actions humaines. ...c'est le premier [livre] où l'on ait attaqué systématiquement tous les fondements de la morale.«[114] Par

---

[106] A. Aulard, *Paris pendant la réaction thermidorienne...*, IV, 292.
[107] *Ibid.*, 110.
[108] *Ibid.*, 13.
[109] *Décade philosophique*, XIII, 115.
[110] *Paris pendant l'année...* (1797), XII, 666.
[111] *Réfutation du Livre de l'esprit, prononcée au Lycée républicain dans les séances de 26 et 29 mars, et des 3 et 5 avril, par Jean-François Laharpe*, Paris, Migneret, An V (1797), p. V.
[112] *Lycée*, XV, 297.
[113] *Ibid.*, 298.
[114] *Ibid.*, 298.

opposition au livre, La Harpe trouve en Helvétius, l'homme, »un caractère bienfaisant ... un homme d'esprit et de talent ... honnête ... de mœurs douces ...«[115] Qu'est-ce que donc qu'une *philosophie*, qui fait d'un honnête homme dès qu'il la professe, ... un menteur ... ce qu'il ne serait jamais dans une autre occasion? ... une doctrine que des honnêtes hommes ne peuvent défendre que par des moyens qui ne le sont pas?«[116] C'est la vanité des paradoxes qui pousse au système de mensonges, dont les sophismes sapent la liberté de l'homme, ôtent toute moralité à ses actions, privent la vertu de ses honneurs, tirent le vice de son ignominie et, à travers une foule de contre-sens »où le faux des raisonnements est aussi marqué que l'odieux des conséquences,[117] ... [réduisent] l'œuvre entière de la création, [par des combinaisons inévitables et incompréhensibles] ... à un assemblage d'automates.«[118] Si l'on voulait aborder le problème de bonne foi, la question qu'il fallait se poser, dans un livre sur l'esprit, serait, pense La Harpe: »Y a-t-il ou n'y a-t-il pas en nous une substance spirituelle, nécessairement distincte de la matière, et douée de la faculté de penser, comme l'ont reconnu Locke, Clarke, Leibnitz, Fénelon, et tous les plus grands philosophes, à compter de Socrate jusqu'à Cicéron, et de Cicéron jusqu'à Condillac?«[119] Chose curieuse, La Harpe, qui a maintenant embrassé le christianisme dans sa totalité, ne voit aucun inconvénient à accepter le sensualisme de Locke et de Condillac, qu'il considère comme »les plus grands philosophes,« et il cite ce dernier au sujet du mouvement et des sensations par rapport à nos organes: »Il ne peut y avoir que du mouvement dans les organes; et une sensation produite à l'occasion de ce mouvement n'est pas ce mouvement même.«[120] Il conclut de là que »la sensation n'est pas dans les organes.«[120] Quant à la relation des sens aux idées, La Harpe l'explique par un rapport d'antériorité, d'origine divine: »En dernier résultat, les objets extérieurs sont l'occasion de nos perceptions, nos sens en sont les organes, l'âme en est le siège, et c'est Dieu qui a mis en elle le pouvoir inexplicable pour nous de communiquer par les sens avec les objets extérieurs, et de former de ses sensations des idées et des jugements.«[121]

En même temps on apprend, par une note de la *Réfutation du Livre de l'esprit*, que La Harpe est en train de rédiger son *Cours de Littérature*, et que »la première partie de ce Cours, celle qui concerne la littérature ancienne, et qui forme trois volumes, est actuellement sous presse, et paraîtra dans peu.«[122] Mais le coup d'état du 4 septembre 1797 (18 Fructidor, an V) a bousculé ce plan en imposant une censure stricte. C'est ce que nous indique une lettre à l'imprimeur-libraire Agasse, datée du 26 janvier 1798. La Harpe lui promet avec »cette lettre deux gros cartons contenant la copie des trois volumes du *Lycée*, c'est-à-dire les trois premiers du *18ème siècle*, formant les tomes 8, 9 et 10 de l'ouvrage entier.«[123] Il conseille à Agasse d'imprimer

---

[115] *Lycée*, XV, 300.
[116] *Ibid.*, 349.
[117] *Ibid.*, 300.
[118] *Ibid.*, 376—77.
[119] *Ibid.*, 312—13.
[120] *Ibid.*, 316.
[121] *Ibid.*, 317.
[122] *Réfutation du Livre de l'esprit* ..., édit. Migneret, p. V.
[123] A. Jovicevich, »Thirteen Additional Letters of La Harpe,« *Studies on Voltaire* ..., LXVII, 224.

d'avance, »si les moyens ne [lui] manquent,« en attendant d'annoncer officiellement la publication en un moment plus propice, car »il vaut mille fois mieux attendre des temps meilleurs que de songer même à entrer dans aucune espèce de composition avec les tyrans de la pensée . . .«[123bis] L'œuvre ne paraîtra qu'en 1799. Les difficultés pécuniaires le gênent toujours, comme l'atteste cette même lettre et une autre, écrite également à Agasse en août 1797, où l'auteur du *Lycée* rappelle à son éditeur les arriérés dûs, selon les arrangements convenus entre eux, et lui dit: »Dans cet instant même j'ai le plus pressent besoin d'argent et je vous prie instamment de m'envoyer cent écus, si vous ne pouvez pas faire davantage.«[124] Les raisons économiques ont dû le forcer aussi à faire des cours, cette même année, dans un autre établissement scolaire appelé Lycée Marbeuf.[125] C'est dans ce Lycée-ci qu'on avait fait l'inauguration de son buste le 5 juin 1797 (17 Prairial). Ce qui offrit à la *Décade philosophique* l'occasion de se moquer de celui qu'on honorait en l'appelant »un nouveau Saint,« et en disant que »le Saint lui-même avait honoré ce spectacle de sa présence, et que son humilité chrétienne avait daigné en paraître satisfaite.«[126] Cette raillerie de la *Décade* incita La Harpe à répondre dans le *Mémorial* en invoquant le témoignage du fondateur du Lycée Marbeuf, Lebrun, qui l'avait invité à la cérémonie: le professeur avait dû refuser, car »il ne me convenoit en aucune manière, dit-il, de prendre part en rien à ce que l'on vouloit faire pour moi, et dont je me reconnaissois très-indigne. Il [Lebrun] avoit eu la complaisance et le bon esprit de se rendre à mes raisons et de ne pas trouver mauvais que je ne donasse point de séance *le 17 prairial.*«[127]

Raisons financières, penchant pour le journalisme et possibilité d'influer sur les événements et sur l'opinion publique le décidèrent à rédiger de nouveau un journal. C'est ainsi que, avec l'abbé Bourelet de Vauxcelles et le marquis de Fontanes, il commence à publier *le Mémorial*[128] le 20 mai 1797. Un journal à cette époque était

> un objet d'intérêt prochain, affirme-t-il dans le prospectus. Un message ou un discours peuvent à tout moment effrayer ou rassurer des millions de citoyens. Il importe à chacun de connoître sur qui et sur quoi la chose publique peut se reposer, de quoi et par qui elle est menacée. Ceux qui sont aujourd'hui lecteurs porteront aux élections annuelles le résultat de leurs lectures . . .

Les rédacteurs se proposent comme but un reportage honnête et éclairé afin d'affirmer l'ordre social, politique et moral. Ce journal sera donc »une force pour la liberté et une autorité pour l'histoire,« somme toute un modèle à imiter.

[123 bis] *Ibid.*, 225.
[124] *Ibid.*, 223—24.
[125] C. Dejob, »De l'établissement connu sous le nom de Lycée et d'Athénée et de quelques autres établissements analogues,« dans la *Revue internationale de l'enseignement*, juillet 1889, pp. 25—26.
[126] XIII, 562.
[127] *Le Mémorial*, 20 juin 1797, p. 2.
[128] *Le Mémorial, ou Recueil historique, politique et littéraire* (Feuille de tous les jours). Par MM. de La Harpe, de Vauxcelles et Fontanes.

De quoi et par qui la chose publique est menacée, notre journaliste ne tarda pas à le préciser pour ses lecteurs. Dans le premier article, La Harpe discute la politique intérieure du gouvernement directorial et deux aspects, diamétralement opposés, le frappent. Il trouve que, d'un côté, »par-tout les patriotes étoient ouvertement au-dessus des lois, dont l'action n'alloit tout au plus qu'à réprimer les agressions de tous les momens, des violences atroces, sans jamais en punir une seule,«[129] et que de l'autre on persécute les prêtres [insermentés] innocents. »Ce même gouvernement, qui ne craignoit pas des légions de brigands en mouvement dans toute la France, paraissoît avoir un mortel effroi des ministres désarmés d'une religion paisible, à peine tolérée et renfermée dans les ruines de ses temples.«[129] C'est dans ce ton qu'il écrira ses articles, dont la plupart attaquent, d'une part, les mesures de répression contre l'Eglise catholique, et surtout contre le clergé réfractaire, et de l'autre ce qu'il appelle le retour du gouvernement à la politique de la Terreur, ou plutôt la continuation de cette politique.

Il condamne la suppression des cloches comme

> une voilence *révolutionnaire* et non pas une loi. C'est à l'époque du règne des monstres, poursuit-il, ... qu'on légalisa l'enlèvement des cloches ... En rétablissant le culte [par la loi du 3 Ventôse, an III (21 février 1795)], il eût été conséquent de rétablir les cloches, qui tiennent à ce culte par plusieurs rapports religieux, et particulièrement comme organe d'indication pour les solemnités et les offices ... [130]

Cette lutte pour les cloches contre le gouvernement, et contre Pierre-Louis Roederer, rédacteur du *Journal de Paris* qu'il comprend tous les deux sous le nom de »l'infame canaille *révolutionnaire*,« engendra deux autres articles.[131] Le 24 juin, il recommanda l'enseignement religieux pour les catholiques, pour les protestants et pour les juifs, parce que »nulle part la religion n'est contraire à la morale, et que par conséquent l'enseignement de l'une ne peut préjudicier en rien celui de l'autre; à moins qu'on ne dise que la religion chrétienne fait exception, comme la seule qui ait une mauvaise morale.«[132] Il faut donc continuer cette pratique traditionnelle, conclut La Harpe.

Non content de censurer le gouvernement dans son ensemble, il adresse une longue lettre, qui s'étale dans deux numéros du journal, à Louis-Marie Larevellière-Lépeaux, membre du Directoire, qui avait personnellement un parti pris philosophique et politique contre l'Eglise catholique romaine.[133] Le journaliste cherche querelle ici au directeur en tant qu'auteur des *Réflexions*

[129] *Le Mémorial*, 20 mai 1797, p. 2.
[130] *Ibid.*, 23 mai, p. 2.
[131] *Ibid.*, 17 et 25 juin, pp. 2—3.
[132] *Ibid.*, p. 2.
[133] Aulard cité une lettre, signée de Larevellière-Lépeaux, de Barras et Rewbell, écrite à Bonaparte en Italie, où ils lui disaient que »la religion romaine sera toujours l'ennemie irréconciliable de la République.« Pour anéantir son influence à l'intérieur, il fallait la frapper à Rome: »il est un point, non moins essentiel peut-être pour parvenir à ce but désiré, c'est de détruire, s'il est possible, le centre d'unité de l'Eglise romaine, et c'est à vous, qui avez su réunir les qualités les plus distinguées du général à celles d'un politique éclairé, à réaliser ce vœu, si vous le jugez particable.« *(Le christianisme et la Révolution française*, pp. 143—144.)

sur le culte,[134] où celui-ci semble avoir dit qu'il avait »humilié« la religion et le clergé, quoique le mot ne se trouve pas dans une édition que nous avons consulté. Sur vos qualités d'écrivain, lui dit La Harpe, »je puis vous dire que votre plume ne sauroit jamais me paroître fort à craindre, si ce n'est quand elle signe des mandats d'arrêt.«[135] Et quant à l'humiliation des prêtres et de la religion, »vous êtes loin d'avoir *humilié,* je ne dis pas la religion, qui est hors de vos atteintes, mais même ses ministres qui sont livrés entre vos mains. . . . graces au ciel, il n'a pas été donné à l'oppresseur *d'humilier* l'innocence: là s'arrête le pouvoir des tyrans.«[136]

Toute une série d'articles (six en tout) conteste au mois d'août »le droit d'exiger« des prêtres un serment de fidélité, »qu'on ne demande pas aux autres citoyens.«[137] Quels en sont les motifs, quels en sont les avantages, se demande La Harpe? Et lui de répondre qu' »il est contre tout principe d'imposer à une classe de citoyens une obligation particulière, sur un objet essentiellement général . . . sur la soumission à l'Etat.«[137] Dans le débat avec le *Journal de Paris,* qui maintenait, en cinant le représentant Boulay de la Meurthe, que la religion catholique ne s'opposait pas au gouvernement républicain comme tel, mais seulement à ses ministres, La Harpe se déclare d'accord sur le problème de cette position religieuse en face d'une vraie constitution républicaine, et il se hâte d'émettre ses vues sur »la forme actuelle« de gouvernement. Il la considère comme

> un mélange informe et inouï de polycratie législative, de despotisme militaire, d'anarchie populacière et d'état sauvage, ce n'est pas non plus, ajoute-t-il, la religion catholique, la plus patiente de toutes, qui *s'oppose au maintien* de ce chaos . . . [c'est la nature humaine qui y résiste] avec toutes ses facultés toutes ses habitudes et toutes ses forces . . .[138]

Déjà en juin il avait déclaré sa préférence pour l'ancien ordre de choses quand il disait: »Certes, j'aurois mieux aimé avoir quelque affaire à démêler avec le plus fier seigneur de l'ancien régime, qu'avec le moindre des agens du directoire.«[139] »La monarchie n'a été renversée que par une *faction . . .,*«[140] insiste-t-il, tandis que »la république ne peut être maintenue que par ceux qui ont fait la révolution . . . [car celle-ci] n'est aimée que de ceux qui l'ont faite.«[140] Il s'est avéré que, si l'on voulait établir une vraie république »on auroit fait tout le contraire de ce qu'on a fait . . . On n'auroit pas eu l'extravagance de séparer la république de toute religion; au contraire, on auroit

---

[134] Le titre complet est: *Réflexions sur le culte, sur les cérémonies civiles et sur les fêtes nationales* . . . lues à l'Institut, le 12 Floréal, an V, Paris, H.-J. Jansen, an V. Larevellière-Lépeaux y recommande comme doctrine: »L'existence d'un Dieu rémunérateur de la vertu et vengeur du crime, l'immortalité de l'âme, conséquence, pour ainsi dire, naturelle de cette première proposition; voilà les fondements d'un culte utile à un peuple; sans eux tout l'édifice de votre morale s'écroulera . . . ces deux dogmes suffisent.« (*Mémoires de Larevellière-Lépeaux,* III, 10).
[135] *Le Mémorial,* 19 juillet 1797, p. 3.
[136] *Ibid.,* 20 juillet, pp. 2—3.
[137] *Ibid.,* 8 août, pp. 2—3.
[138] *Ibid.,* 7 août, p. 2.
[139] *Ibid.,* 7 juin, p. 2.
[140] *Ibid.,* 18 août, p. 3.

cherché à faire voir à la nation que toutes les institutions sociales pouvoient s'accorder avec un gouvernement républicain comme avec un gouvernement monarchique.«[141] Par conséquent, il en résulte, et il le répète, qu'il n'existe presque aucune différence entre une monarchie constitutionnelle et une république démocratique.

Il dénonça la secte théophilanthrope comme une organisation dont la »destination est de détruire... Je ne crois pas même, dit-il, que l'idée d'une *religion* quelconque soit chez eux une prétention de bonne foi, du moins chez les principaux meneurs.«[142] Or, l'un de ces »principaux meneurs« n'était autre que Larevellière-Lépeaux, membre du Directoire, qui s'est montré un critique très sévère des cérémonies religieuses et des prêtres dans sa brochure sur le culte. Quelque temps auparavant, La Harpe avait condamné la Constitution civile du clergé,[143] par laquelle on tentait de lier intimement l'Eglise gallicane et l'Etat. Il la nomme une »production monstrueuse,« ce qui lui a valu, avec ses autres propos en faveur des prêtres réfractaires et du catholicisme romain, l'inimitié des *Annales de la religion*, porte-parole du clergé assermenté.[144]

Dans la lutte entre le Directoire et les Conseils, il se range du côté de ces derniers, et dans un article qui n'est pas signé »L. H.«, mais où l'on trouve le style de La Harpe, il exhorte le peuple à se rallier »auprès de la puissance légi-slative(sic); c'est là que résident l'espoir de la nation, sa volonté, sa confiance.«[145] Il faut s'unir, continue cet article, derrière ces »hommes généreux« pour défendre la nation et empêcher ainsi de retourner de nouveau »aux horreurs des révolutions, de la terreur et de l'anarchie. Votre fermeté vous sauvera.«[145] Il proteste constamment contre un recul vers le règne de la Terreur, et contre les actes arbitraires du Directoire menaçant de la force armée son opposition:

> Les pouvoirs constitués sont en guerre ouverte: celui qui a la force en main menace celui qui fait les lois, et à qui, le premier, il doit obéir; l'un a pour lui l'autorité de ses décrets, l'intérêt, le vœu, les droits de la nation; l'autre oppose à la loi le silence du mépris et l'appareil des armes... appelle les armées contre le peuple... contre les représentans de la volonté nationale.[146]

Dans ce même article, il recommande la réorganisation de la Garde nationale. Le 27 août, il se prononce contre le droit des citoyens d'afficher les placards.

Nous avons déjà mentionné, dans le chapitre précédent, les deux articles sur le bonnet rouge, des 10 et 13 juillet — supplément, où l'auteur fait une espèce de compte rendu de ses activités entre 1789 et 1794, en réponse aux attaques de quelques journaux, qui lui reprochaient son inconstance politique et religieuse. Il y admet »ses *aberrations*... en matière de religion... en 1793 et 94... Les chrétiens m'ont pardonné ces crimes, ajoute-t-il, parce qu'à l'exemple de J. C. leur maître ils pardonnent au repentir.«[147] La Harpe

---

[141] *Le Mémorial*, 18 août, p. 3.
[142] *Ibid.*, 31 août, p. 2.
[143] *Ibid.*, 8 août, p. 2.
[144] Voir par exemple les *Annales*... du 24 juin 1797.
[145] *Le Mémorial*, 17 août, p. 2.
[146] *Ibid.*, 2 août, p. 3.
[147] *Ibid.*, 13 juillet, supplément, pp. 2—3.

considère ses rétractions sur la matière de sa critique religieuse, discutée au chapitre précédent, comme un acte de repentir. Or, ces critiques consistaient essentiellement, nous l'avons vu, en censures du clergé et de sa conduite en tant que représentants de Dieu sur la terre.

Une autre complication survient: il venait de se marier, le 28 juillet 1797, avec Louise-Catherine-Victoire Hatte de Longuerue, qu'on disait de trente-trois ans plus jeune que lui.[148] En effet, ce mariage fut arrangé par Jacques Récamier, banquier et père de Juliette, et il fut le premier témoin à la cérémonie. La Harpe s'était lié d'amitié avec les Récamier depuis quelque temps. Trois semaines plus tard, la nouvelle mariée demanda le divorce et l'obtint, car le mari n'y mettait pas d'obstacle, quoiqu'il ne pût approuver le divorce interdit par la loi religieuse. Cependant, la jeune femme n'était pas satisfaite du divorce civil et voulait faire annuler son mariage devant les autorités religieuses. A propos de cette démarche La Harpe commenta l'affaire dans une lettre à Madame Récamier, déclarant: »[mes] intentions étaient pures, quoique ma conduite n'ait pas été prudente.«[149] Il se dit trompé »par celle à qui [il] ne voulai[t] faire que du bien,«[149] et il voit dans cette aventure la main de Dieu qui le punit »du mal qu[il avait] fait à d'autres.«[149] Il blâme surtout la mère de son épouse et déclare, à propos de l'annulation, que »[il] ne mettrai[t] pas plus d'opposition aux démarches qu'elle peut faire pour annuler le mariage devant l'Eglise, qu'[il] n'en [avait] mis au divorce devant les juges civils; ... il me suffit de rester étranger à l'un et à l'autre, parce que l'un et l'autre sont contraires à la loi de Dieu.«[150] La jeune femme épousa ensuite Joseph Martinez d'Hervas, marquis d'Almenara.[151] La Harpe avait annoncé comme revenus dans le certificat de mariage »cinq mille livres de rente viagère sur particuliers.«[152]

Cette mésaventure précéda de quelques jours seulement une autre calamité beaucoup plus grande, qui frappa le journaliste, avec beaucoup d'autres gens de lettres honorables, le coup d'état du 18 Fructidor (4 septembre 1797). Par cette manœuvre, le Directoire exerçant sa suprématie avec l'aide de l'armée, priva de leurs sièges au corps législatif un certain nombre de membres conservateurs pour s'y assurer la majorité.[153] Il imposa la censure à la presse en la mettant sous le contrôle de la police. Le Conseil des Cinq Cents déclara d'urgence que, »pour étouffer la conspiration existante, prévenir la guerre civile et l'effusion du sang qui allait en être la suite inévitable, rien n'est plus instant que de purger le sol français des ennemis déclarés de la liberté de la constitution.«[154] On ordonna l'arrestation, la séquestration de leurs biens et la déportation »sans retard ... dans le lieu qui sera déterminé par le directoire exécutif, [des] propriétaires-entrepreneurs, [des] directeurs, auteurs, rédacteurs des journaux ci-après désignés,«[154] le *Mémorial*, avec les noms de La Harpe, Fontanes et l'abbé de Vauxcelles, se trouvait en tête de la liste qui contenait une quarantaine d'autres journaux et leurs dirigeants.

---

[148] *Souvenirs et correspondance de Madame Récamier*, I, 57.
[149] *Ibid.*, 60.
[150] *Ibid.*, 62.
[151] Archives nationales, Minutier central des notaires, Etude LXVIII, 905.
[152] *Ibid.*, Etude LXXIII, 1149.
[153] Peignot, *Recherches historiques...*, pp. 127—128.
[154] *Le Moniteur*, 13 septembre 1797, p. 1439.

Devant ce mandat d'arrêt, La Harpe fut forcé une fois de plus de se soustraire aux autorités. On ne sait pas précisément où il est allé se cacher, mais Peignot et Daunou croient que c'était dans le Jura, à Dôle.[155] En tout cas, il n'y resta pas longtemps; selon Daunou, il »en revint avant la fin du mois, et ... trouva près de Paris, à Corbeil, un asile où sa tranquilité ne fut pas un seul instant troublée.«[155] Il demeura chez les demoiselles Bessart, qui, écrit J. Delort,« parlent encore avec vénération de ce critique illustre.«[156] Cependant, il y fut vite presque dépisté, comme l'indique une longue lettre anonyme adressée à un des Directeurs. Elle accuse le fugitif d'être l'un des

> propagateurs des odieux principes de la monarchie; parmi ces individus dangereux qu'un vil intérêt conduit dans le sentier criminel du royalisme un des plus pervers foliculaires, un des plus orgueilleux partisans du fanatisme et du tyran, s'est soustrait par une fuite pusillanime au juste sort qui l'attendait; non content d'avoir ainsi sauvé sa liberté et sa vie du glaive vengeur des lois, il conspire encore dans l'obscurité et médite des projets sanguinaires ... il continue d'écrire dans les départements et cherche à les soulever contre le gouvernement.[157]

Cette lettre rappelle le devoir du gouvernement vis-à-vis des criminels et pousse le Directeur à exécuter la loi en prenant des mesures contre »Laharpe rédacteur du mémorial, auteur du livre du fanatisme dévoilé ... caché dans une maison d'émigrés, un vrai rassemblement de royalistes, à la tête desquels *il préside à St. Try* près Champlatreux, chez la veuve du cidevant comte Clermont tonnerre, route de Corbeil.«[157] Il y a erreur dans l'adresse de l'asile de La Harpe, mais il est tout à fait probable qu'il rendait visite parfois à Mme de Clermont-Tonnerre, et c'est vraisemblablement elle, comme le pense Peignot,[158] qui lui a trouvé cet asile auprès des demoiselles Bessart. Cette lettre fut transmise »au Ministre de la police générale et recommandé[e] à sa surveillance.«[159] Le »13 Brumaire, an 6« (3 novembre 1797), le ministère lui donna suite et ordonna au »citoyen Lethrone agent de la police générale de se transporter [à l'adresse indiquée] pour y arrêter le nommé Laharpe rédacteur du mémorial, et les émigrés ou autres conspirateurs qui pourraient s'y trouver.«[159] La perquisition eut lieu quatre jours plus tard, le 7 novembre, selon le »rapport au Ministre de la police générale« écrit par Lethrone. Il était arrivé à Corbeil au moment où la maîtresse de la maison était absente, à Paris:

> ... nous avons trouvé, dit-il [dans la maison de Clermont-Tonnerre] le citoyen Chavenat ... avec un autre qui s'est dit le nommé Despinas l'homme de lettres ... Il [Despinas] nous a exhibé sa carte, ce qui s'est trouvé vrai (ce citoyen a 5 pieds six pouce, et Laharpe n'en a pas cinq). Nous avons fait la plus exacte perquisition et n'avons vu personne mentionné au Mandat d'Arrêt dont j'étois porteur.[159]

Il est sûr que La Harpe recevait des lettres et en envoyait,[160] non pas probablement par la poste régulière, d'après ce qu'il a dit plus tard dans

---

[155] Peignot, *Recherches historiques ...*, p. 128; Daunou, *Vie de La Harpe*, I, p. XLII.
[156] *Mes voyages aux environs de Paris*, I, 166.
[157] Archives nationales, F7 6311.
[158] *Recherches historiques ...*, p. 128.
[159] Archives nationales, F7 6311.
[160] A. Jovicevich, *Correspondance inédite ...*, pp. 70—76 et 79—84.

une lettre à Mme de Genlis,[161] mais vraisemblablement par quelque intermédiaire. Il est également certain qu'il recevait des visites. Dès le 28 septembre 1797, il est question, dans une lettre à Madame Récamier, de la visite
de celle-ci. Il conseille à la charmante Juliette de consulter »Mme de
Clermont qui vous amènerait un jour dans son petit castel champêtre, et de
là il vous serait très aisé de venir avec elle.«[162] Cette lettre confirme les
allégations de Peignot et de Daunou selon lesquelles La Harpe s'établit
à Corbeil avant la fin de septembre. Cela prouve aussi, il nous semble, vu la
lettre anonyme citée plus haut, que le gouvernement tolérait son séjour non
loin de la capitale. L'éloignement de Paris lui fut utile, lui donnant du temps
pour méditer et écrire. Aussi en profita-t-il pour continuer à travailler son
épopée, *Le Triomphe de la religion*, et son *Apologie de la religion chrétienne*,
toutes deux inachevées. Elles furent pourtant publiées après sa mort. Quelques fragments du dernier ouvrage parurent dans le *Mercure* en 1803.[163] Le
texte le plus complet se trouve dans les *Œuvres diverses*, Dupont 1826,
vol. XVI, 368 pages. Dans cet écrit, l'auteur s'oppose à l'idée de ses contemporains que le progrès des lumières mène à l'incroyance. Au contraire,
dit-il, »j'espère que cet ouvrage donnera la preuve, que le déisme conséquent
et de bonne-foi doit conduire à l'aveu d'une religion révélée, ...[164] [et que]
beaucoup de philosophie ne veut dire qu'une raison saine fortifiée par l'étude,
et dirigée par la foi.«[165] Les trois premiers chapitres s'efforcent de démontrer
ces affirmations. La Harpe n'a pas la prétention »de rien enseigner à ceux
qui savent quelque chose; ...mon livre, dit-il, s'adresse particulièrement
à ceux qui, comme moi, n'ont voulu jusqu'ici rien savoir.«[166] Tenant compte
de cette inspiration accidentelle où la main de Dieu l'éclaira en mettant entre
ses mains non pas des ouvrages érudits d'apologistes, mais l'Evangile, les
Psaumes, l'Ecriture, ces livres saints qui lui »disaient tout, parce que Dieu
m'a fait la grace de les ouvrir dans la bonne-foi, et de les lire avec amour.
C'est là proprement que mon ouvrage a été enfanté, et ce qui me fait espérer
que Dieu daignera le bénir, à cause de la source dont il est sorti.«[167] Il pense
que tout le monde pourra faire comme lui, parce que »tout est dans ces
livres divins, et le malheur le plus commun et le plus grand est de ne pas
les lire.«[168] Il invoque à nouveau son manque de préparation et d'érudition
pour approcher dans son ouvrage des apologistes illustres, qui ont expliqué
et répandu l'esprit de religion et de piété, »je ne sens que trop bien combien
je suis loin de cette profondeur de connaissances, de cette élévation de vues
spirituelles, qui n'appartient qu'à des esprit nourris de la science de Dieu.«[169]
Cependant, il voit un avantage dans sa conduite passée, car en tant qu'ancien
membre du groupe philosophe, il est plus à portée pour démasquer leur

---

[161] *Mémoires ... de Genlis*, V, 117.
[162] *Souvenirs et correspondance de Madame Récamier*, I, 59; Agasse aussi lui a rendu
   visite pour préciser des détails sur la publication du *Lycée*; voir son édition du
   Cours de littérature, Notice historique, XVI, 838.
[163] *Mercure*, 5 mars 1803, pp. 487—93 et 2 avril 1803, pp. 57—64.
[164] *Œuvres diverses*, XVI, 23.
[165] *Ibid.*, 13.
[166] *Ibid.*, 38.
[167] *Ibid.*, 38—39.
[168] *Ibid.*, 39.
[169] *Ibid.*, 42.

tactique et leurs armes; ainsi, il mettra »à nu [leur conscience]; et si je ne fais pas rougir les maîtres, je pourrai du moins en dégoûter les disciples . . .«[170]

Pour La Harpe, la seule vraie religion c'est celle des catholiques:

> Il n'y a donc qu'une religion proprement dite, celle qui remonte à l'origine des choses, comme à son époque temporelle, et à Dieu comme à son éternel fondateur. C'est pour cela que je me sers toujours du terme absolu de religion, sans aucune qualification particulière, pour me conformer à la régularité philosophique. Tout ce qui est hors de là n'est point la religion.[171]

La religion chrétienne »a été divinement établie,« car les faits concernant la vie et la résurrection de Jésus-Christ sont attestés par les témoins oculaires, les apôtres, et la seule explication possible de ces faits est dans une action divine. Il est inadmissible que les douze apôtres puissent être trompés ou trompeurs, et qu'ils aient pu voir exactement la même chose, si elle ne s'était pas passée. Le fait qui prouve leur sincérité c'est leur acceptation de la persécution pour cette vérité.

> Nous pouvons déjà conclure... qu'en rassemblant toutes les circonstances de la mort et de la résurrection de l'Homme-Dieu, il est absolument hors de nature qu'un seul homme ayant l'usage de sa raison, ait pu se persuader de bonne foi qu'il avait vu Jésus-Christ ressuscité, si en effet il ne l'avait vu, et se le persuader au point de vouloir le prêcher au monde entier, aux dépens de tout ce que les hommes ont de plus cher, le repos, la liberté, la vie, et aux risques de tout ce qu'il y a de plus formidable, les tournments, les supplices, les outrages, et la mort.[172]

Le principe fondamental du christianisme c'est le respect et la soumission à l'ordre établi, »s'il y a au monde une religion, où la subordination sociale et la soumission aux autorités établies soient solennellement consacrées comme des devoirs de conscience dictés par Dieu même, c'est sans contredit l'Evangile, c'est toute l'Ecriture, toute notre religion.«[173] Refuser »le prodige de la bonté divine« seulement parce qu'il ne peut pas l'entendre est une folie de l'homme restreinte »dans les bornes étroites de [ses] connaissances.«[174]

Depuis quelque temps déjà La Harpe travaillait aussi à son épopée, *Le Triomphe de la religion*, mais il ne l'acheva pas. Elle fut publiée après la mort de l'auteur et après la restauration des Bourbons, en 1814, par Antoine-Marie-Henri Boulard chez la veuve Migneret.[175] L'auteur y invoque la religion pour guider son travail:

> Sainte religion, ame de l'univers,
> Viens, sois ma seule muse, et préside à mes vers![176]

---

[170] *Œuvres diverses*, XVI, 44.
[171] *Ibid.*, 69.
[172] *Ibid.*, 100.
[173] *Ibid.*, 142.
[174] *Ibid.*, 315.
[175] *Le Triomphe de la religion ou le Roi martyr, poëme épique par feu Jean-François de La Harpe*, Paris, Mme Vve Migneret, réimprimé dans les *Œuvres diverses*, III, 7—170.
[176] *Œuvres diverses*, III, 8.

Il s'agit d'expliquer les événements depuis le commencement de la Révolution, conçue comme une punition divine de la France pour ses impiétés, et de prouver que le retour à l'ancien régime est indispensable:

> Qu'un vieux peuple nombreux a besoin d'un seul maître,
> Et ne connaît son Dieu qu'à la voix de son prêtre.[177]

L'épopée aurait dû avoir douze chants, mais il n'en fut écrit que six. La force lui manquait pour achever ce poème; il s'en est plaint à Fontanes au cours de la composition: »Mon ami, c'est une terrible machine à monter qu'une épopée, et quand elle est bâtie c'est encore une terrible chose que de la décorer. Je sens tout cela quand je traduis le Tasse.«[178] En même temps qu'il composait son poème, il écrivait, en effet, une traduction de la *Jérusalem délivrée* du Tasse, qu'il avait commencée comme une espèce de délassement du travail sur son propre poème épique; bientôt, dit-il, elle »devint un travail suivi ... [et] un moyen de soutenir mon imagination au ton de l'épopée ... où [le Tasse et moi] nous nous rapprochions pourtant par un même objet, la religion ...«[179] Du Tasse, il traduisit huit chants.

Nous avons dit plus haut que, selon le témoignage d'un comte Otockie, le travail sur cette épopée avait commencé avant le 13 Vendémiaire, an IV, et que le Directoire a cherché à s'en emparer. Les quelques personnes qui étaient au courant de cette composition voulaient »que l'Auteur aille en Angleterre ou en Russie pour s'y fixer et faire imprimée(sic) ce Poeme et d'autres écrits sur la Révolution.«[180] On disait également que Bonaparte y figurait »déjà depuis le 13 Vendémiaire.«[180] C'est pour cela qu'un nommé Dubord, agent du gouvernement de Bonaparte, tenta de s'assurer par adresse la possession de l'ouvrage au mois d'août 1806, mais ses contact et conversation avec l'imprimeur et propriétaire des manuscrits de La Harpe, Migneret, n'aboutirent à rien.[181] Tout en continuant ces ouvrages La Harpe traduisit les Psaumes pendant son exil à Corbeil.[182] Dans le *Discours préliminaire*, 1ère partie, l'auteur justifie son travail par le désir de faciliter »l'intelligence du texte, lorsqu'on désire de se la procurer aussi complète qu'il est possible,«[183] car les versions populaires, quoique »bonnes en elles-mêmes, puisqu'elles ont eu l'approbation de l'église,«[184] ne sont pas assez intelligibles, ce qui est vrai aussi pour »la Vulgate [et pour les] ... Septante.«[185] La Harpe discute les problèmes qu'imposaient les traductions, en langues anciennes ou »en langue vulgaire.« Distinguant les traductions littérales et les traductions »paraphra-

---

[177] *Ibid.*, 44.
[178] A. Jovicevich, *Correspondance inédite* ..., p. 82.
[179] *Œuvres diverses*, V, 673—74.
[180] Archives nationales, F7 6311.
[181] *Ibid.*
[182] *Le Psautier en français, traduction nouvelle avec des notes ... précédée d'un discours sur l'esprit des livres saints et le style des prophètes, par Jean François Laharpe*, Paris, Migneret, an VI; réimprimé dans les *Œuvres diverses*, IX, 512 pages.
[183] *Œuvres diverses*, IX, 5.
[184] *Ibid.*
[185] *Ibid.*, 5—6.

sé[es]«, il les trouve toutes insuffisantes pour bien comprendre le contenu des psaumes. Pour suppléer à ces défauts, La Harpe aura recours aux travaux savants,

> et le travail le plus parfait en ce genre ... celui sans lequel je n'aurais pas même entrepris le mien, celui qui m'a fourni des secours dont je n'aurais pu me passer, est le psautier en huit volumes du P. Berthier, [contenant outre] ... une version exacte à côté du texte latin ... des notes explicatives sur chaque verset, des avant-propos fort étendus sur le sujet de chaque psaume, et des réflexions morales relatives à l'espèce d'instruction qu'on en peut tirer.[186]

Se référant à l'œuvre érudite de Berthier, La Harpe ne veut faire autre chose »qu'une traduction usuelle, et qui eût l'espèce d'agrément que doit avoir ce qui doit être souvent relu,«[187] »un livre d'*Heures*,«[188] où il souhaite qu'on apprenne »ce qu'il importe à tout chrétien de savoir.«[189] La seconde partie du *Discours* traite »Des psaumes et des Prophéties, considérés d'abord comme ouvrages de poésie,«[190] et la troisième »De l'Esprit des Livres saints.«[191] L'ouvrage eut six éditions entre 1798 et 1827.

D'après Aulard, La Harpe est condamné de nouveau à être déporté à l'Ile d'Oléron,[192] en septembre 1799, mais le coup d'état du 18 Brumaire (le 9 novembre), n'a pas laissé le temps d'exécuter cette condamnation. Il n'y a pas de doute que La Harpe préfère le Consulat au Directoire, mais quoiqu'il espère la liberté après le coup d'état de Napoléon, il n'en est nullement certain. Tout au début, il voit dans le Consulat plutôt un second retour à la philosophie. Il en parle dans une lettre à Fontanes, le 22 novembre 1799: »... je lis dans les journaux que *l'usage de l'air vous a été rendu par le 18 brumaire.* ... Quant à moi j'attends qu'il y ait *sûreté*, et cela ne me paraît pas encore bien clair ou du moins fort prochain. Voilà pour la seconde fois la *philosophie* qui se vante de régner ...«[193] Pour La Harpe le salut de la France était, comme il le disait en écrivant le *Triomphe de la religion*, dans le retour à l'Ancien Régime. A ce moment-là le *Lycée, ou Cours de littérature* avait déjà paru, en dix-neuf volumes, chez Henri Agasse. C'est le meilleur ouvrage de La Harpe et celui qu'on connaît le mieux.[194] Il admire la littérature du XVIIe siècle, qu'il considère comme une

> éclatante lumière qui a rempli le monde [toute seule], qui offusque aujourd'hui plus que jamais la médiocrité jalouse et l'ignorance présomptueuse, mais qui appelle encore les regards des hommes de sens, comme dans une nuit obscure des voyageurs égarés tournent les yeux vers le point de l'horizon d'où l'on verra renaître le jour.[195]

---

[186] *Œuvres diverses*, IX, 13.
[187] *Ibid.*, 14.
[188] *Ibid.*, 15.
[189] *Ibid.*, 16.
[190] *Ibid.*, 25—67.
[191] *Ibid.*, 68—117.
[192] *Paris pendant la réaction thermidorienne ...*, V, 713.
[193] A. Jovicevich, *Correspondance inédite ...*, p. 82.
[194] Pour une étude récente de cet ouvrage, voir Douglas Alan Bonneville, *La Harpe as Judge of his Contemporaries*, Dissertation Abstracts, XXII, January 1962, on University Microfilms, Ann Arbor, Michigan.
[195] *Lycée*, V, 3—4.

A travers toute son œuvre, il exprime l'admiration pour Racine; il montre beaucoup de respect pour Molière, en tant que maître de »la peinture du cœur humain... la carrière qu'il a ouverte et qu'il a fermée.«[196] Il prise également Boileau et admire en Fénelon et en La Fontaine leur sensibilité séduisante, tandis qu'il attaque Perrault et son groupe comme »la secte des détracteurs de l'antiquité.«[197]

Cependant, il a dû attendre jusqu'au 4 janvier 1800 pour être autorisé, par un arrêté du 13 Nivôse, an VIII, à revenir à Paris.[198] En février, selon l'*Ami des lois* du 7 Ventôse, il reparut au Lycée, qui se réunissait à ce moment-là rue de la Chaussée d'Antin »dans la maison du citoyen Despréaux.«[199] On attend également la publication de son *Commentaire sur Racine*, »que les gens de goût attendent depuis longtemps.«[199] Le 9 Ventôse (28 février 1800), selon la *Gazette de France*, »il a fait l'analyse et le commentaire de *Brutus*... de Voltaire [dans] un local brillant et commode, [où] une société réunie par l'amour des beaux-arts, des femmes mises sans prétention, [l'écoutaient] dans le plus grand silence...«[200] De plus, il se mêle à la société et participe à ses divertissements car le *Journal des Débats* du 27 février dit qu'il était à la fête du »ministre des relations étrangères... [et qu'il y] a récité de très beaux[vers] de sa nouvelle traduction de la *Jérusalem délivrée*.«[201] Bien entendu, il montre de l'intérêt pour les événements politiques. La police le soupçonne même de prendre une part active à la rédaction d'un journal clandestin, la *Politique chrétienne*.[202]

Entre temps, le *Mercure*, dont la publication avait été interrompue, annonce fièrement dans le prospectus que La Harpe lui fournira des articles,[203] mais sa contribution fut négligeable car, en guise de principes énoncés dans le premier numéro du journal, il déclara: »Je persiste à ne vouloir *prendre aucune part à la rédaction d'aucun journal*... je ne me mêlerai d'aucune critique, d'aucun extrait, d'aucune notice, en un mot, de rien qui puisse faire peur ou ombrage à personne.«[204] Ainsi n'y inséra-t-il que des fragments de sa traduction de la *Jérusalem délivrée* et des morceaux du *Lycée*. Le gouvernement consulaire lui offrit pourtant une pension pour sa collaboration au *Mercure*, non pas de 4.000 livres comme le pense Daunou,[205] mais seulement de 2.000: »L'on me parle, dit-il, d'*une pension* de 2.000 pour mes envois à votre Mercure... cela ne me convient point du tout. Toute peine vaut salaire, mais un travail éventuel et volontaire ne doit pas être payé par une *pension*.«[206] Au lieu de la pension, il demande à Fontanes qu'on lui paye ses »envois pour 2 numéros à 50 écus par mois. ...C'est tout ce que je demande,« conclut-il.[207]

---

[196] *Œuvres diverses*, V, 232.
[197] *Lycée*, XIII, 75.
[198] *Le Moniteur*, 14 Nivôse, an VIII, p. 412.
[199] A. Aulard, *Paris sous le Consulat*, I, 178.
[200] *Ibid.*, 183.
[201] *Ibid.*, 180.
[202] *Ibid.*, 375—76.
[203] *Paris pendant l'année*... (1800), XXVI, 512—13.
[204] *Mercure*, 1er Messidor (20 juin 1800), p. 3.
[205] *La Vie de La Harpe, Lycée*, I, p. XLVI.
[206] A. Jovicevich, *Correspondance inédite*..., pp. 91—92.
[207] *Ibid.*, p. 92.

Pour accroître ses revenus, il va enseigner au Lycée, malgré qu'il en ait, car il manque toujours d'argent, et il a dû en dépenser pour déménager: »Mon emménagement m'a ruiné, et c'est ce qui me force de parler encore cet hiver au Lycée, car il faut gagner sa vie à *la sueur de son front*. Nous y avons été condamnés...«[208] En effet, le 24 novembre 1800, il prononça, comme de coutume, son *Discours... à l'ouverture du Lycée*,[209] pour marquer la rentrée scolaire. Il y parla de son travail sur la traduction du Tasse, ce qui le mena, comme d'habitude depuis 1794, à faire des observations sur la Révolution. Deux fois, la Providence tira la France, dit-il, de la ruine complète: la première fois par la chute de Robespierre, et la seconde, grâce à Bonaparte, par les événements du 18 brumaire: »C'est dans ce moment que la providence appelle du fond de l'Egypte, presque seul, sur un petit bâtiment, à travers une mer couverte de vaisseaux ennemis, un homme qui, en abordant sur nos côtes, n'apportait d'autre force que celle de son nom, et dès qu'il eut touché le sol de la France, elle fut sauvée.«[210] Il finit ce *Discours* par une comparaison de Bonaparte avec le Grand Cyrus, qui ont tous les deux agi en instruments de la Providence.[211]

Au mois d'avril 1801 sortit de la presse l'édition incomplète de sa *Correspondance littéraire*,[212] en quatre volumes; deux autres volumes furent publiés en 1807. C'était une imprudence à laquelle il se décida, très vraisemblablement, pour des raisons financières. Mais quelle qu'en soit la raison, livrer au public un ouvrage où l'on parle d'une manière peu flatteuse de beaucoup de gens de lettres encore vivants, et qui n'attendaient qu'un prétexte pour se déchaîner contre La Harpe, fut extrêmement malavisé. La plupart des écrivains y étaient raillés, et la seule personne constamment louée était l'auteur lui-même. Quoique La Harpe ne manquât jamais d'ennemis, la publication de cette correspondance non seulement réveilla les animosités endormies, mais accrut le nombre de ses adversaires. Tout le monde lui reprochait l'extrême liberté qui se dégageait de ses lettres, ce qui engendra un déluge de récriminations, d'injures et d'épigrammes, qui, renforcées par d'autres prétextes, se prolongèrent même en 1802. Ainsi, la *Gazette de France* du 29 mai 1801 (9 Prairial): »Aux querelles politiques ont succédé les querelles littéraires, et M. de La Harpe est la puissance contre laquelle toutes les autres paraissent se coaliser.«[213]

Parmi les écrits qui se distinguèrent par leur haine contre l'auteur de la *Correspondance littéraire*, on remarque surtout la *Correspodance turque*[214] de Colnet du Ravel, qui qualifie l'œuvre de La Harpe de:

---

[208] A. Jovicevich, *Correspondance inédite...*, p. 104.
[209] *Discours prononcé à l'ouverture du Lycée*, le 3 Frimaire an IX (1800), dans les *Œuvres diverses*, V, 673—681.
[210] *Ibid.*, V, 679.
[211] *Ibid.*, V, 680—81.
[212] *Correspondance littéraire, adressée à S. A. I. Mgr. le grand duc, aujourd'nui empereur de Russie, et à M. le comte André Schowalow... depuis 1774 jusqu'à 1789 par Jean François Laharpe...*, Paris, Migneret, 1801; voir le *Journal de Paris*, par exemple, du 26 Floréal, an IX, p. 1424, qui annonce aussi la maladie de La Harpe.
[213] A. Aulard, *Paris sous le Consulat*, II, 325.
[214] *Correspondance turque, pour servir de supplément à la correspondance russe de J. F. Laharpe*, Paris, Colnet, 1801.

> recueil de jugemens hasardés, d'anecdotes surannées, d'épigrammes licencieuses, de contes obscenes,[215] ... Par quelle fatalité, se demande Colnet, un vieillard averti par ses cheveux blancs ... a-t-il pu, oubliant sa propre gloire, réveiller tant de haines assoupies, déchirer de sa propre main tant de plaies qui commençaient à se cicatriser, ajouter un nouveau crime à ceux qu'il devait expier, se préparer des remords qui empoisonneront les derniers instans que la providence lui réserve, et rendre ainsi sa mémoire odieuse ... [216]

En outre, cet ouvrage reproduit nombre d'épigrammes contre La Harpe et bien des jugements sévères imprimés d'abord dans l'*Année littéraire*. Même M.-J. Chénier, qui protégea notre auteur pendant la Révolution, lui adressa à cette occasion l'épigramme *Les Nouveaux Saints*,[217] où La Harpe est nommé le juge fanatique, »Grand Perrin Dandin de la littérature.«

A la même époque où sortit sa *Correspondance littéraire*, il renoua ses contacts avec Chateaubriand, qu'il avait connu en 1789 quand il faisait la cour à la soeur de l'auteur du *Génie du christianisme*, la comtesse de Farcy.[218] Cette fois-ci, La Harpe se passionnait pour la défense d'*Atala* et de son auteur[219] contre les attaques de l'abbé Morellet qui écrivait, et publia ensuite, ses *Observations critiques sur le roman d'Atala*.[220] Après l'intervention de Chateaubriand, La Harpe ne publia pas sa défense.[221]

Quoique La Harpe ait loué Napoléon, nous l'avons vu plus haut, personne ne doutait plus de son royalisme. Mme de Genlis, par exemple, le soupçonnait de tramer contre le gouvernement consulaire. Elle parle d'une invitation que La Harpe lui fit en disant que,

> il donnoit *à ses amis* un jour par semaine ... ils se rassembloient tous chez lui pour y passer toute la soirée, seulement pour *causer*. Il me pressa vivement d'y aller ... je le promis vaguement. Mais ... j'appris que ces assemblées ... de vingt ou vingt-cinq personnes, formoient à la fois un *bureau d'esprit* et un *conciliabule mystique et politique* ... n'ayant nul goût pour les associations secrètes ... je me décidai à n'y point aller ... Par la suite, ces assemblées furent regardées comme séditieuses, et M. de La Harpe fut exilé aux environs de Paris.[222]

D'autres ont vu dans la *Correspondance littéraire* la cause de sa nouvelle disgrâce.[223] Quoi qu'il en soit, le gouvernement de Bonaparte ordonna à La Harpe, le 24 février 1802, de s'éloigner à vingt-cinq lieues de Paris et de quitter la capitale dans les vingt-quatre heures. On apprend par le rapport du préfet de police, Dubois, qu'il avait choisi comme lieu de son exil »Chatillon sur loing ... Il a promis de partir demain matin à six heures.«[224] Une note

---

[215] *Ibid.*, p. 83.
[216] *Ibid.*, p. 84; voir aussi A. Jovicevich, *Correspondance inédite* ..., p. 121.
[217] *Œuvres*, III, 160—69.
[218] *Mémoires d'outre-tombe*, éd. Pierre Moreau, II, 326—27.
[219] A. Jovicevich, *Correspondance inédite* ..., pp. 115—117 et 121—22.
[220] Paris, Denné jeune, 1801.
[221] A. Jovicevich, *Correspondance inédite* ..., pp. 116—117, 133.
[222] *Mémoires* ... *de Genlis*, V, 120—21.
[223] Gilibert de Merlhiac, *Vie de La Harpe*, p. 236.
[224] Archives nationales, F₇ 6311.

dans le *Moniteur* du premier mars précise que »tombé dans l'enfance, [il] est en proie à une espèce de délire réacteur, que nourrit et entretient chez lui le caquetage de quelques côteries.«[225] On prétend dans la même note qu'il était âgé de soixante-dix-huit ans, mais il n'en avait que soixante-deux.

Un mois plus tard, »le Premier Consul ayant autorisé le C^n Laharpe à se rendre à Corbeil, [le préfet de la police] lui [a délivré] un passeport pour cette Commune ... et il est parti pour se rendre à la destination prescrite.«[226] Il y demeura de nouveau chez les demoiselles Bessart.

L'exil de La Harpe semble avoir causé beaucoup de bruit parmi les royalistes et les dévots. Aulard cite un rapport de police du 12 Ventôse (3 mars 1802), qui dit: »Les partisans de La Harpe et les dévots qui croient à sa conversion et le regardaient comme un homme qui pouvait leur être très utile contre les philosophes, jettent les hauts cris à l'occasion de son renvoi de Paris.«[227] Cette fois-ci, comme pendant son premier exil à Corbeil, La Harpe recevait du courrier et en expédiait. Des visiteurs aussi. Nous savons que Beuchot est allé le voir pour lui proposer d'éditer les *Œuvres choisies de Voltaire*.[228] Joannidès parle de la reprise de *Mélanie*, qui fut jouée trois fois pendant que La Harpe était à Corbeil.[229] Cela incita Palissot, qui gardait rancune à La Harpe, surtout depuis la publication de sa *Correspondance littéraire*, à lui adresser une satire intitulée *Etrennes à M. de La Harpe...*,[230] où, en reproduisant quelques écrits de La Harpe au ton nettement philosophique, Palissot l'accuse d'hypocrisie et dit:

> en rendant au théâtre votre Mélanie, par un consentement signé de votre main, vous venez de prouver à toute la France que le travestissement auquel vous vous étiez soumis, et qui n'était fondé que sur des espérances dont vous reconnaissez enfin l'illusion, n'était de votre part qu'un travestissement de circonstance, et je vous avoue que je vous connaissais trop bien pour en douter.[231]

De tels reproches décidèrent La Harpe, à retirer cette pièce, par une lettre adressée »Aux Comédiens français«. Il invoque deux raisons pour justifier sa décision: dans les rôles de Mélanie et de curé, les habits religieux blessent »les bienséances publiques qui mettent partout au premier rang ce que la religion a consacré, et ce qui ne peut par conséquent être exposé sur la scène sans une espèce de profanation.«[232] D'autre part, la nature du sujet de *Mélanie* conduit à présenter »l'abus qui est de l'homme beaucoup plus que [de] l'institution elle-même...«[232] Mais la raison principale fut sans doute la publication du Concordat, qui eut lieu le 8 avril 1802.

Les lettres qu'il écrivait à Fontanes de Corbeil parlent de sa mauvaise santé: »Ma santé est toujours bien misérable,«[233] dit une missive du 2 mai 1802,

---

[225] *Le Moniteur*, 10 Ventôse, an X, p. 639.
[226] Archives nationales, F₇ 6311.
[227] A. Aulard, *Paris sous le Consulat*, II, 764; voir aussi *Ibid.*, 760.
[228] *Œuvres complètes de Voltaire*, éd. Louis Moland, I, p. ix.
[229] Joannidès, *La Comédie-Française...*
[230] *Etrennes à M. de La Harpe à l'occasion de sa brillante rentrée dans le sein de la philosophie*, Paris, Dabin, an X, 1802.
[231] *Ibid.*, p. 5.
[232] A. Jovicevich, *Correspondance inédite...*, p. 136.
[233] *Ibid.*, p. 128.

et une autre du 30 mai accentue: »...l'état déplorable de ma santé qui va toujours *empirando*, et me fait craindre des accidents qui me rendraient nécessaires des services que je ne saurais trouver ici.«[234] Cependant, il semble qu'il ait été malade dès l'année 1801, puisque le *Journal de Paris* du 16 mai[235] annonçait sa maladie. Sa mauvaise santé l'empêcha également d'achever son discours pour l'ouverture du Lycée à la fin de novembre 1801.[236] Il paraît donc certain que sa santé s'affaiblissait à Corbeil, et il entreprit des démarches à Paris pour qu'on lui permît le retour à la capitale. Une lettre adressée à Dubois, préfet de police, le 25 juillet 1802, précisait: »...il est instant que je sois le plus tôt possible à portée des secours de l'art qui me manque ici... si le ministre de la police [Fouché] veut bien comme il l'a promis, en dire un mot mardi [le 27 juillet] au consul, l'expédition qu'il peut vous remettre, monsieur, m'arrivera le lendemain...«[237] Fouché sollicita l'autorisation du Premier Consul: il avertit, le 28 juillet, le préfet du département de la Seine-et-Oise, à Versailles, qu'il avait donné l'autorisation pour »le retour à Paris du Citoyen Laharpe placé en surveillance à Corbeil,«[238] et par une autre note, le même jour, il apprit au préfet Dubois qu'il venait »d'autoriser le retour à Paris du Citoyen Laharpe: vous prendrez les mesures nécessaires, ajoute-t-il, pour surveiller la conduite de cet individu, et vous m'en rendrez compte.«[239] Mais La Harpe n'attendit pas l'autorisation, comme l'atteste une lettre, datée de Paris le 29 juillet, adressée à Fouché, ministre de la police générale, où La Harpe lui faisait savoir que »...sans attendre une permission par écrit, je suis venu hier au soir me remettre entre les mains de mon médecin...«[240] Le lendemain, Dubois informa Fouché que »la surveillance sous laquelle vous placez [La Harpe] est établie.«[241] La *Gazette de France* se trompait évidemment lorsqu'elle attribuait ce retour à la représentation du *Philoctète*,[242] car le préfet Dubois disait dans un rapport du 15 septembre qu'il faisait surveiller La Harpe. Son »état de santé [écrivait-il] ne lui permet pas de jouir de la société chez lui, ni chez les autres. Les renseignements pris sur sa conduite ne lui sont point défavorables.[243] En dépit de sa mauvaise santé, il écrivit pour le *Mercure* entre le 24 Vendémiaire et le 29 Brumaire (octobre-novembre 1802), cinq articles sur Fontenelle, La Motte et Trublet,[244] et, en janvier 1803, il fut nommé membre de l'Institut national, réorganisé, pour la classe de littérature française.[245]

---

[234] *Ibid.*, p. 140.
[235] *Journal de Paris*, 26 Floréal, an IX, p. 1424.
[236] *Registre des délibérations et arrêtés du Comité d'administration*, Ms 920, fol. 55, Bibliothèque historique de la ville de Paris; voir aussi Christopher Todd, »La Harpe quarrels with the actors...« dans *Studies on Voltaire...*, LIII, 316—17.
[237] A. Jovicevich, »Thirteen Additional Letters of La Harpe,« dans *Studies on Voltaire...*, LXVII, 227.
[238] Archives nationales, F₇ 6311.
[239] *Ibid.*
[240] A. Jovicevich, »Thirteen Additional Letters of La Harpe,« dans *Studies on Voltaire...*, LXVII, 228.
[241] Archives nationales, F₇ 6311.
[242] A. Aulard, *Paris sous le Consulat*, III, 200.
[243] Archives nationales, F₇ 6311.
[244] *Mercure* du 24 Vendémiaire, pp. 149—157; du 1er Brumaire, pp. 200—224; du 8 Brumaire, pp. 245—261; du 22 Brumaire, pp. 340—355 et du 29 Brumaire, pp. 404—418.
[245] Daunou, *Vie de La Harpe*, p. XLVII.

Selon un rapport de la police, cité par Aulard,

> les royalistes paraissent avoir beaucoup de confiance dans M. de
> La Harpe; ils lui savent bon gré de tout ce qu'il a écrit et de
> tout ce qu'il a dit ... contre la philosophie. Ils disent qu'on attend
> de lui, sous peu de temps, un ouvrage [*Le Triomphe de la reli-*
> *gion* et même peut-être l'*Apologie de la religion ...*] qui doit
> produire une grande sensation.[246]

Vers la fin de janvier 1803, il traversa, selon le *Journal des Débats*, »une
crise très violente,« et le 25 au matin »il a reçu ... les derniers sacrements,«
mais on le disait mieux dans le même article.[247] Le 10 janvier 1803, Madame
Récamier, accompagnée d'une princesse russe, Mme Dalgourski, et de
l'Anglaise Maria Edgeworth, lui avait rendu visite.[248] Au début de février, sa
santé s'affaiblit davantage, et le *Journal des Débats* du 6 février dit que
»son état ne laisse presque plus aucune lueur d'espérance.«[249]

Bien malade et débile, il régla, le 2 février (13 Pluviôse), par un testament,
le problème de sa succession, »à une heure après midi ... le dit citoyen La
Harpe [a] déclaré ne pouvoir signer attendu son extrême faiblesse.« Il y fit
provision: pour les pauvres de sa paroisse — deux cents francs, pour sa
cuisinière, Jeannette, une année de gages, à compter depuis le jour de sa
mort à lui; pour Dupuis, son ancien domestique, mille francs; pour Madame
Minat ou Minut, ou Minute, née Danieska, qui le cacha et nourrit quand il
était recherché comme proscrit par les autorités sous le Directoire, six mille
francs. Tout le reste était légué à sa nièce Magdaleine Cretin, veuve de
François Bertrand et fille de Thérèse de La Harpe, sa sœur.[250] Il priait »la
Divine Providence« pour le bonheur de son pays, auquel il souhaitait la
paix et la tranquillité. Il recommandait surtout »les Saintes maximes de
l'Evangile [comme code de conduite] pour le bonheur de la société.«[251]

Cela ne lui paraissant pas suffisant, il ajouta le lendemain un codicile
par lequel il confirma que, le même jour où il fit son testament, il avait
reçu

> pour la seconde fois le Saint Viatique ... [de plus il désavoue]
> tout ce qu'[il a] fait et imprimé ou qui a été imprimé sous
> [son] nom de contraire à la foi catholique ou aux bonnes
> mœurs ... en condamnant et deffandant la promulgation, la
> reimpression et la représentation sur les théâtres.[252]

Il déclara ensuite sa soumission totale à la religion catholique:

> Chrétien par la grace de Dieu et professant la religion catholique,
> apostolique et romaine dans laquelle j'ai eu le bonheur de naître
> et d'être élevé et dans laquelle seule je veux finir de vivre et
> mourir, je déclare que je crois fermement tout ce que croit et

---

[246] A. Aulard, *Paris sous le Consulat*, III, 596.
[247] *Ibid.*, III, 602.
[248] *Life and Letters of Maria Edgeworth*, I, 125; pour l'assiduité de Madame Récamier, voir également Aulard, *Paris sous le Consulat*, III, 606—607.
[249] A. Aulard, *Paris sous le Consulat*, III, 634.
[250] Archives nationales, Minutier central des notaires, Etude LXXIII, 1176.
[251] *Ibid.*
[252] *Ibid.*

> enseigne l'Eglise Romaine, seule Eglise fondée par Jésus Christ,
> que je condamne d'esprit et de corps tout ce qu'elle condamne,
> que j'approuve de même tout ce qu'elle approuve.[253]

Par un acte daté du 1er décembre 1802, »le dit sieur de La Harpe a cédé et transporté audit Migneret ses droits de propriété dans les ouvrages suivants: 1⁰ son Psautier, 2⁰ ses divers poëmes, tragédies et autres ouvrages, tant imprimés que manuscrits, n'en ayant excepté que ce qui avait été imprimé jusqu'alors chez le citoyen Agasse de son cours de littérature.«[254] Saint-Surin affirme qu'il y avait une provision dans le contrat avec Migneret pour que le profit de ces ouvrages soit partagé entre Migneret et Mlle Bessard,[255] mais n'ayant pu voir cet acte lui-même, nous n'en avons trouvé aucune indication dans les autres documents.

Tous ses biographes mettent l'accent sur le fait que La Harpe resta lucide jusqu'à la fin, et le *Journal des Débats* publie une note où l'on parle d'une visite de Fontanes au moment où La Harpe moribond »faisait réciter les prières des agonisants.« Il tendit, dit-on, une main »desséchée« à Fontanes en lui disant: »... je remercie le ciel de m'avoir laissé l'esprit assez libre pour sentir combien cela est consolant et beau ...«[256]

Il expira vers sept heures du matin, le 11 février 1803, âge de soixante-quatre ans deux mois et vingt et un jours. En même temps que sa lucidité on souligne son catholicisme et son monarchisme. Selon un rapport de la Préfecture de police du 13 février, »les prêtres proclament partout que M. de La Harpe a fait ce qu'ils appellent une très belle fin ... [tandis que] les royalistes ... prétendent que, peu de jours avant sa mort, M. de La Harpe a écrit au premier consul pour lui dire que le vœu des Français était de rappeler les Bourbons sur le trône.«[257]

Les journaux pro-philosophes marquèrent l'événement en rappelant le revirement de La Harpe, afin de diminuer l'importance de l'homme. »Ce littérateur distingué a passé, dit le *Citoyen français*, les dernières années de sa vie à désavouer celles pendant lesquelles il s'est le plus illustré ... peu d'hommes ont offert mieux que lui la preuve de la versatilité du pauvre esprit humain.«[258] Cependant, ce même article loue ses qualités de professeur: »La France vient de perdre en lui un des plus habiles professeurs de littérature et peut-être le premier de tous. Il avait éminemment la logique et la dialectique, si difficiles à posséder, d'un art dont les principes sont si fugitifs.«[259]

Un office des morts fut célébré le 13 février dans la cathédrale Notre-Dame. Des personnages distingués et une députation de l'Institut national se réunirent pour lui rendre un dernier hommage. Au cimetière de Vaugirard, où La Harpe fut d'abord enterré, Fontanes fit son éloge funèbre qui résume bien ses titres, précise ses mérites et ses défauts et formule des vœux pour les jugements à venir:

---

[253] *Ibid.*
[254] *Ibid.*, 1177 — Inventaire de La Harpe.
[255] *Œuvres diverses, Notice sur la vie et les ouvrages de La Harpe*, I, p. cxi.
[256] A. Aulard, *Paris sous le Consulat*, III, 684.
[257] *Ibid.*, 655.
[258] *Ibid.*, 656—57.
[259] *Ibid.*, 657.

> Les lettres et la France regrettent aujourd'hui un poète, un
> orateur, un critique illustre... la franchise de son caractère et
> la rigueur impartiale de ses censures éloignèrent trop souvent
> de son nom et de ses travaux la bienveillance et même l'équité;
> il n'arrachait que l'estime où tant d'autres auraient obtenu
> l'enthousiasme... à l'aspect de ce tombeau, tous les ennemis
> sont désarmés. Ici, les haines finissent, et la vérité seule demeure.
> Les talens de La Harpe ne seront plus enfin contestés... Les amis
> qui l'ont vu dans ce dernier moment où l'homme ne déguise plus
> rien, savent quelle était la vérité de ses sentimens; ils ont pu
> juger aussi combien son cœur, malgré la calomnie, renfermait de
> droiture et de bonté.[260]

Ces mêmes qualités furent immortalisées par l'épitaphe que Boulard composa
et fit placer sur la tombe du professeur académicien: »Poète, orateur et
critique célèbre, ses écrits dureront autant que la langue française. Généreux
et désintéressé, il fut bon parent et bon ami. Ni l'ambition, ni la crainte,
ni aucun désir de fortune n'ont pu le faire dévier de ses principes.«[261] Ses
restes furent transférés le 29 décembre au cimetière parisien de l'est, dit
Père-Lachaise, où ils reposent actuellement dans le Bosquet Delille, près de
ceux de ses amis et confrères de l'Académie, Saint-Lambert et l'abbé Delille.

On peut mesurer l'importance de l'homme pour ses contemporains au
fait que, dès 1816, l'Académie des sciences, belles-lettres et arts de Besançon
proposa un prix »consistant en une médaille d'or de la valeur de 200 frs.
à l'auteur du meilleur éloge de La Harpe.«[262] Deux concurrents se présentèrent,
mais on ne décerna pas de prix. On renouvela pourtant le concours en 1817,
mais un seul éloge fut envoyé. Il ne fut pas jugé digne de prix, ce qui
détermina l'Académie à retirer le sujet des concours. Déjà en 1814, on publia
une anthologie de ses pensées intitulée *Esprit de J.-F. De La Harpe, de l'Académie Française*, de 168 pages.

Ainsi se termina une vie pleine de controverses, et qui fut marquée, au cours
de ses dernières années, par un revirement des idées sur la forme de la religion
et celle du gouvernement. Mais, à s'en tenir au principe d'après lequel un
homme adopte un certain code de conduite publique et personnelle, il s'agit,
dans le cas de La Harpe, d'un changement moins radical qu'on ne croit
à première vue, puisqu'il cherchait un système qui fût de la plus grande
utilité publique et qui gênât le moins la liberté individuelle. En se fondant
sur les expériences vécues sous le régime monarchique et sous les régimes
républicains, il arriva à la conclusion que, en France, les gouvernements
républicains étaient moins tolérants et même moins libéraux que les régimes
royalistes. Si on a l'impression que, depuis la Révolution, l'homme de lettres
s'efface derrière le citoyen prenant aux agitations politiques contemporaines
une part active, quoique non pas toujours assez prudente, c'est que la pensée
de La Harpe, même dans ses activités purement littéraires s'oriente presque
uniquement vers les problèmes politiques. Il laisse de côté les thèmes
littéraires pour ne s'occuper que des questions politiques.

---

[260] *Mercure*, 13 février 1803, pp. 392—93.
[261] Henri Agasse, *Lycée ou Cours de littérature, Notice historique sur la vie et les
œuvres de M. de Laharpe*, Paris, 1805, XVI, 815.
[262] Compte rendu des *Séances publiques* — 1816, 11.

Conclusion

Conclusion

La Harpe témoigna de bonne heure d'un caractère tranchant et querelleur, dominé par la morgue et l'arrogance, jugeant avec hardiesse, ce qui lui attira beaucoup d'ennemis. Des accusations de déloyauté envers ses bienfaiteurs au collège, lancées contre lui au sortir de l'école et répétées sa vie durant, quoique sans fondement certain, ont beaucoup nui à sa personne. Cependant, il ne fut, à notre avis, qu'un comparse dans cette affaire. Celles qui lui imputaient le vol des manuscrits de Voltaire sont également fausses, mais il est coupable sans doute dans la mesure où il savait que le second chant de la *Guerre civile de Genève* se répandait, et où il le répandait lui-même, sans en rien dire au patriarche, alors que la solide amitié de ce dernier lui imposait une conduite tout à fait contraire. De là des attaques, plus justifiées, contre sa loyauté vis-à-vis de son ami et protecteur. Celui-ci garda, malgré cette aventure, une amitié ferme et résolue pour La Harpe, et lui prodigua ses encouragements aux temps de crises et son aide financière aux moments où son protégé se heurtait à de graves difficultés matérielles.

En amour il a mal réussi, ayant mal choisi ses partenaires, et sa vie de famille fut assez lamentable par sa propre faute, semble-t-il. Quant à ses prétentions nobiliaires, elles paraissent authentiques, en tenant compte surtout de sa déclaration de 1790, car il n'y avait aucun avantage à noble à ce moment-là.

Orphelin à seize ans, nourri depuis sa neuvième année par la charité, élevé au collège d'Harcourt comme boursier, il s'y distingua par des succès brillants. Plus tard, il triomphera d'une manière assez analogue dans la lice académique. Au théâtre, il parvint également plusieurs fois à la réussite. Tout cela atteste son mérite d'auteur et détruit les soupçons visant son honnêteté d'écrivain. On reconnaissait à La Harpe une franchise extrême dans ses jugements de critique littéraire, énoncés dans un style pur et simple et d'un goût sûr et sévère. En général on l'estimait comme excellent dans ce domaine et sa renommée d'auteur était considérable. Les querelles personnelles, trop nombreuses, faisaient éclater son excessif amour-propre et sa vanité, aussi bien que son aigreur. Le métier de critique littéraire l'entraîna dans une guerre de musique, matière qu'il entendait mal mais qui échauffa sa bile: son équité de critique en fut, malgré lui, compromise. Mais son professorat fut un succès éclatant et le produit de ce travail reste l'un des plus importants monuments littéraires du XVIIIᵉ siècle.

Embrassant la philosophie de son siècle, il prêchait le déisme et les principes d'une monarchie constitutionnelle et éclairée, surtout dans ses discours académiques. En 1789 il fut partisan de la Révolution, parce qu'elle promettait de rectifier les torts de l'Ancien Régime et d'instituer des réformes utiles et nécessaires, tant politiques qu'économiques, en imposant des lois équitables strictement appliquées dans le cadre d'une monarchie constitutionnelle. Pour La Harpe, la monarchie constitutionnelle était la meilleure forme de gouvernement parce qu'elle entrave le moins les libertés individuelles, et le déisme lui paraissait, jusqu'à la Terreur, la seule religion acceptable parce que seule elle est conforme à la raison, qui nie toute religion révélée comme contraire au bon sens.

On lui a reproché un certain manque de courage physique, pour défendre de certaines attaques sa personne aussi bien que sa réputation d'écrivain. Cependant, il fit preuve de beaucoup de courage civique et moral dans son attitute vis-à-vis des problèmes du jour, surtout pendant la Révolution. Il avait critiqué publiquement, autant que les circonstances le permettaient, les excès du gouvernement robespierriste, fut arrêté comme son ennemi au début du printemps 1794, et ne sortit de prison qu'après la chute de Robespierre. De nouvelles poursuites de la part du Directoire ne tardèrent pas, ce qui ne diminua nullement le courage de sa critique ouverte du gouvernement en place dans ses nombreux commentaires politiques. En somme, il a fait »sa part à l'époque«, qu'elle réclamait si fort, pour nous servir d'un mot de Camus[1].

En avançant en âge, affaibli par la maladie mais ne craignant pas la mort, déçu par les divers changements du gouvernement, aigri surtout par des persécutions, la plupart du temps injustes, il embrassa finalement sans réserve le catholicisme et souhaita le retour à l'Ancien Régime. On ne peut lui attribuer de profondes pensées, mais son bon sens ne l'abandonnait guère et une certaine perspicacité lui permettait presque toujours de voir clair dans les excès de ses contemporains et d'éviter la plupart du temps d'y tomber luimême. Ces qualités se manifestèrent par une modération louable au temps de la Révolution, alors que la majorité de ses compatriotes s'abandonnaient à toute sorte d'excès. C'était, comme l'a très bien dit Chateaubriand, »un homme qui appartenait à ces noms supérieurs au second rang dans le dixhuitième siècle, et qui, formant une arrière-ligne solide dans la société, donnaient à cette société de l'ampleur et de la consistance.«[2]

---

[1] »L'artiste et son temps«, dans les *Quaderni ACI*, XVI, p. 8 (Torino 1955).
[2] *Mémoires d'outre-tombe*, éd. Pierre Moreau, II, 236.

Bibliographie

Bibliographie

I. *Sources manuscrites*

Paris

Archives nationales, Ms 0¹ 679, Certificat de baptême de J.-F. de La Harpe.

Archives nationales, F⁷ 6311

Archives nationales, F⁷ 7130

Archives nationales, F⁷ 7151

Archives nationales, F⁷ 4759. En tout environ 25 documents pour la plupart inédits.

Archives nationales, Minutier Central des notaires:

Etude IX, liasse 852, 6 floréal an VI *Testament Panckoucke.* 7 floréal an VII, *Inventaire Panckoucke.*
Etude XV, 1191, 26 déc. 1806, *Obligation Hatte Longuerue.*
Etude XVI, 1160, 30 floréal an XIII, *Procuration Hatte Longuerue.*
Etude XVI, 979, 19 mars 1810, *Mainlevée, Hatte Longuerue.*
Etude XXI, R. 481, 29 janvier, *Bail Lemoin-La Harpe.*
Etude XXXVI, 620, 16 mai 1793, *Déclaration de propriété de La Harpe.*
Etude XLVIII, 313, 9 mars 1787, *Constitution de Laborde à de La Harpe.*
Etude XLVIII, 344, 19 janvier 1791, *Idem.*
Etude L, 756, 14 décembre 1790. *Procuration des fondateurs du Lycée.*
Etude L, 756, 19 décembre 1790, *Association des fondateurs du Lycée.*
Etude LXXI, 109, 20 avril 1792, *Procuration des auteurs dramatiques.*
Etude LXXIII, 1149, 10 thermidor an V, *Mariage La Harpe — Hatte Longuerue.*
Etude LXXIII, 1176, 24 nivôse an XI, *Donation Agasse à La Harpe.*
Etude LXXIII, 1176, 13 pluviôse an XI, *Testament J.-F. La Harpe.*
Etude LXXIII, 1176, 14 pluviôse an XI, *Codicille à ce testament.*
Etude LXXIII, 1177, 17 ventôse an XI, *Inventaire J.-F. La Harpe.*
Etude LXXVI, 515, 30 novembre 1789, *Conventions littéraires.*
Etude LXXXIII, 661, 12 mars 1792, *Constitution Panckoucke à La Harpe.*
Etude XCI, 1018, 21 novembre 1764, *Mariage de La Harpe — Monmayeux.*
Etude XCI, 1147, 11 janvier 1777, *Testament de M.-L. Monmayeux.*
Etude XCI, 1148, *Inventaire de la même.*
Etude XCI, 1180, 18 septembre 1779, *Partage des successions Monmayeux.*
Etude XCI, 1301, 2 juillet 1793, *Procuration Mme de La Harpe à Hamot.*
Etude XCI, 1301, 6 juillet 1793, *Partage de communauté M. et Mme de La Harpe,* 26 documents en tout, pour la plupart inexplorés, dans les études précédentes sur La Harpe.

Archives de la Seine, *Procès verbal de visite et de saisie chez le citoyen Barba libraire rue St. André des arts,* 17 floréal an V. Confiscation d'une contrefaçon *Du fanatisme dans la langue révolutionnaire ou de la persécution suscitée par les barbares du dixhuitième siècle contre la religion chrétienne et ses ministres,* 6 folios.

Archives de la Seine, *Registres des mariages.*

Archives de la préfecture de police, A Q/16 pièce 579, mandat d'arrêt de La Harpe et sur son transfert de la prison à la maison de santé Montprin.

Bibliothèque historique de la ville de Paris, quittance au nom du citoyen Bertier, secrétaire du Lycée, 3 avril 1794.

Bibliothèque historique de la ville de Paris, *Chansons politiques XVIIᵉ et XVIIIᵉ siècles,* f. 272.

Registre des délibérations et arrêtés du Comité d'administration, Ms. 920, f. 77.

Besançon:

Les trois éloges de La Harpe.

Nancy:

Bibliothèque publique, Ms. L. 368 — Quittance »pour le compte de S. A. I. Monseigneur le Grand Duc de Russie... Paris ce 21 février 1785.«

Bibliothèque publique de la ville de Nancy, une autre quittance au même, datée »Paris ce 21 février 1789.«
Ms L 613—10.

Hanover, New Hampshire — Etats-Unis d'Amérique:

Bibliothèque de Darmouth College, un discours prononcé vraisemblablement à la section Butte des Moulins, probablement le 12 vendémiaire an IV, dans Ticknor Collections. Publié depuis dans les *Annales Historiques de la Révolution Française,* juillet-septembre 1971, pp. 441—458.

Weimar, Allemagne de l'Est:

Nationale Forschungs und Gedenkstätten, Goethe une Schiller Archiv, une lettre de La Harpe à un correspondant inconnu, datée 15 novembre 1789.

II. *Sources imprimées*

Textes de La Harpe; exclus sont ses articles
ou lettres publiés dans divers journaux.

L'Alétophile ou l'Ami de la vérité, Amsterdam, 1758.

Héroïdes nouvelles, précédées d'un essai sur l'héroïde en général, Amsterdam et Paris, Cailleau, 1789.

Caton à César et Annibal à Flaminius, héroïdes, Paris, 1760.

Coriolan, Paris, Bureau de la petite bibliothèque des théâtres, 1784.

Lycée ou Cours de Littérature ancienne et moderne, Depelafol, Paris, 1826, 16 volumes.

Mélanges littéraires ou Epître et pièces philosophiques, Paris, Duchesne, 1765.

Œuvres de La Harpe revues et corrigées par l'auteur, Yverdon, 1777, 3 volumes.

Œuvres de La Harpe, nouvellement recueillies..., Paris, Pissot, 1778, 6 volumes.

Œuvres choisies et posthumes de M. de La Harpe, Paris, Migneret 1806, 4 volumes.

Œuvres diverses de La Harpe..., accompagnées d'une notice sur sa vie et ses Œuvres (par Saint-Surin), Paris, Dupont, 1826, 16 volumes. Y incluse se trouve sa *Correspondance littéraire, adressée à S. A. I. Mgr le grand duc, aujourd'hui empereur de Russie, et à M. le comte André Schowalow... depuis 1774 jusqu'à 1789,* volumes X à XIII inclusivement.

Prédiction de Cazotte ... Paris, 1817.

Sections de Paris prenez-y garde, discours prononcé dans la section de la Butte des Moulins, Paris, Chevet (1795).

Autres sources

Abrantès, Laure (duchesse d'), *Histoire des salons de Paris*, Paris, Ladvocat, 1836-38, 6 volumes.

Alembert, Jean d', *Œuvres philosophiques, historiques et littéraires...*, Paris, Bastien, 1805. En particulier *Correspondance de d'Alembert avec Voltaire*, vol. 16.

Allain, Ernest (chanoine), *L'œuvre scolaire de la Révolution, l'Ecole normale de l'an III*, Paris, Firmin-Didot, 1891.

Arnault, Antoine, *Souvenirs d'un sexagénaire*, Paris, Dufey, 1833, 4 vols.

Agasse, Henri, »Notice historique sur la vie et les œuvres de M. de La Harpe,« dans le *Lycée, ou Cours de littérature ancienne et moderne*, vol. XVI, Paris, Agasse, 1799—1805.
Annales de la religion, 1797.

Anonyme, »Apologie de la Sorbonne ou lettre d'un fidèle à M. de La Harpe,« février 1791.

Anonyme, *Esprit de J.-F. De la Harpe*, Paris, Hubert, 1814.

Anonyme, »Laharpe, admirateur et ennemi de Robespierre,« dans les *Annales révolutionnaires*, 1911, vol. IV, p. 112.

Anonyme, »La Harpe Robespierriste,« dans *La Révolution française*, 1912, vol. LXII, pp. 546—549.

Anonyme, »Robespierre et La Harpe,« dans les *Annales révolutionnaires*, 1909, vol. II, pp. 258—59.

Anonyme, »La Harpe,« dans l'*Iconographie instructive*, Paris, Everat (s. d.)

Anonyme, *L'Année littéraire*, voir Fréron.

Anonyme, *Arrest du Conseil d'Etat*, Imprimerie royale, 1771.

Asse, Eugène. *Lettres de Mlle de Lespinasse*, Paris, Fasquelle, 1876.

Auger, Louis-Simon. »Vie de La Harpe,« dans le *Lycée ou Cours de littérature...*, Paris, Agasse, 1813.

Aulard, Alphonse. *Le Christianisme et la Révolution française*, Paris, Rieder, 1925.

Aulard, Alphonse. *Paris pendant la réaction thermidorienne et sous le directoire, recueil de documents pour l'histoire de l'esprit public à Paris*, Paris, Cerf, 1898—1902, 5 vols.

Aulard Alphonse. *Paris sous le consulat*, Paris, Cerf, 1903—1909, 4 vols.

Bachaumont, Louis Petit de. *Mémoires secrets pour servir à l'histoire de la République des lettres en France*, Londres, John Adamson, 1784—89, 36 vols.

Besterman, Theodore. »Le vrai Voltaire par ses lettres,« dans les *Studies on Voltaire and the Eighteenth Century*, vol. X.
Besterman, Theodore. *Voltaire*, New York, Harcourt, Brace & World, 1969.

Boissier, Gaston. *L'Académie française sous l'ancien régime*, Paris, Hachette, 1909.

Boissy d'Anglas, François-Antoine. *Les études littéraires et politiques d'un vieillard*, Paris, Kleffer, 1825, 6 vols.

Boiteux, L.-A. *Au temps des cœurs sensibles*, Paris, Plon, 1948.

Bonhomme, Honoré. *Madame la comtesse de Genlis, sa vie, son œuvre, sa mort*, Paris, Librairie des bibliophiles, 1885.

Bonnefon, Paul. »Une aventure de la jeunesse de La Harpe, l'affaire des couplets,« dans la *Revue d'histoire littéraire de la France*, 1911.

Bonneville, Douglas Alan. *La Harpe as Judge of his Contemporaries*, Ann Arbor, University Microfilms, Inc., 1961.

Bonno, Gabriel. *Lettres inédites de Suard à John Wilkes*, Berkeley, University of California Press, 1932.

Bouquet, Henri-Louis. *L'ancien collège d'Harcourt*, Paris, Delalain, 1891.

Brunel, Lucien. *Les philosophes et l'académie française au XVIIIe siècle*, Paris, Hachette, 1884.

Cailhava d'Estendaux, Jean-François. *Les journalistes anglais*, comédie en trois actes et en prose, [1782].

Cailhava d'Estendaux, Jean-François. *Théâtre* Paris, Duchesne, 1781, 2 vols.

Calmette, Joseph. *Les Révolutions*, Paris, Fayard, 1952.

Calmettes, Ferdinand. *Mémoires du général baron Thiebault*, Paris, Plon, 1896.

Chabanon, Michel-Paul-Guy de. *Tableau de quelques circonstances de ma vie*, Paris, Forget, 1795.

Chateaubriand, François-René de. *Mémoires d'outre-tombe*, édit. Edmond Biré, Paris, Garnier, 1898—1901, 6 vols.

Chateaubriand, François-René de. *Mémoires d'outre-tombe avec des notes et des appendices par Edmond Biré*, nouvelle édition revue et annotée par Pierre Moreau, Paris, Gernier frères, 1947, 6 volumes.

Chateaubriand, François-René de. *Mémoires d'outre-tombe*, édit. Maurice Levaillant, Paris, Flammarion, 1949.

Chateaubriand, François-René de. *Œuvres complètes de Chateaubriand*, édit. Sainte-Beuve, Garnier, 1859—61, 12 vols.

Chazet, René-André-Polydore Alissan de. »Eloge de La Harpe,« dans *Mémoires, souvenirs, œuvres et portraits*, Paris, Postel, 1837, 3 vols.

Chénier, Marie-Joseph. *Les Nouveaux Saints*, Paris, Dabin, an IX (1801).

Chénier, Marie-Joseph. *Œuvres de M.-J. Chénier*, Paris, Guillaume, 1826, 8 vols.
Chronique de Paris, 1790—92.
La Clef du cabinet des Souverains, ou *Le Publiciste*, 1800.

Collé, Charles. *Journal et mémoires sur les hommes de lettres, les ouvrages dramatiques et les événements les plus mémorables du règne de Louis XV, 1748—1772*, édit. Honoré Bonhomme, Paris, Firmin-Didot, 1868, 3 vols.

Colnet du Ravel, Charles-Jean-Auguste-Maximilien de. *Correspondance turque, pour servir de supplèment à la correspondance russe de J.-F. Laharpe, Ouvrage curieux, enrichi d'anecdotes et d'épigrammes piquantes*, Paris, Colnet, 1801.
Courrier, le 1785—86
Courrier républicain, le 1797

Cubières de Palmezeaux, Michel. *Epître à Monsieur H. . . .*, Paris Mathiot, 1812.

Daunou, Pierre-Claude-François. »Discours préliminaire sur la vie de La Harpe, sur ses ouvrages, et spécialement sur son cours de littérature,« dans le *Lycée ou Cours de littérature ancienne et moderne*, Paris, Dupont, 1825—26, 18 vols.

Debidour, Antonin. *Recueil des actes du directoire exécutif*, Paris, Imprimerie royale, 1910, 4 vols.
Décade philosophique, littéraire et politique, 1794—1807.

Dejob, Charles. »De l'établissement connu sous le nom de Lycée,« dans la *Revue internationale d'enseignement*, vol. XVIII, 1889.

Delisle de Sales, Jean-Baptiste-Claude-Isoard. *Essai sur le journalisme depuis 1735 jusqu'à l'an 1800*, Paris, Collas, 1811.

Delort, Joseph. *Mes voyages aux environs de Paris*, Paris, Picard-Dubois, 1821, 2 vols.

Descostes, François. *La Révolution française vue de l'étranger, 1789—1799*, Tours, Alfred Mame et fils, 1897.

Deslandres, Maurice. *Histoire constitutionnelle de France*, Paris, Colin, 1932, 2 vols.

Desnoiresterres, Gustave. *La musique française au XVIIIe siècle — Gluck et Piccini 1774—1800*, Paris, Didier, 1872.

Desnoiresterres, Gustave. *Voltaire et la société au XVIIIe siècle*, Paris, Didier, 1869—76, 8 vols.

Diderot, Denis. *Correspondance*, édit. Georges Roth, Paris, Les Editions de Minuit, 1955 —, 13 vols. (incomplet).

Dorat, Claude-Joseph. *Le Malheureux imaginaire*, Paris, Delalain, 1777.

Douarche, Aristide. *Les tribunaux civils de Paris pendant la révolution*, 1791—1800, Paris, Cerf, Noblet 1905, 2 vols.

Ducis, Jean-François. *Lettres de Jean-François Ducis*, édit. Paul Albert, Paris, Jousset, 1879.

Du Deffand, Marie de Vichy-Chamrod, Marquise du. *Lettres de la Marquise Du Deffand à Horace Walpole*, 1766—1780, Londres, Methuen et Cie, 1912, 3 vols.

Dussault, Jean-Joseph-François. *Annales littéraires*, Paris, Maradan, 1818, 5 vols.

Duviquet, Pierre. *Catalogue des livres de la bibliothèque du feu Mr A.-M.-H. Boulard*, Paris, Gaudefroy, 1828, 5 vols.
Eclair, l'. 1796—97.

Edgeworth, Maria. *Life and Letters of Maria Edgeworth*, édit. A. J. C. Hare, Boston, Houghton Mifflin and Company, 1895, 2 vols.
Feuille du jour, 1791.

Florian, Jean-Pierre Claris de. *Lettres au marquis de Florian*, édit. Alfred Dupont, Paris, Gallimard, 1957.
Florian, Jean-Pierre Claris de. »Lettres inédites de Florian,« dans la *Revue d'histoire littéraire de la France*, 1911.

Fréron, Elie. *L'Année littéraire*, 1758—1790.

Garat, Dominique-Pierre-Jean. *Mémoires historiques sur la vie de M. Suard*, Paris, Berlin, 1820, 2 vols.
Gazette de France, 1800.
Gazette d'Utrecht, mars-avril 1768.
Gazette nationale, voir le *Moniteur universel*.

Genlis, Stéphanie-Félicité de. *Mémoires inédits de madame la comtesse de Genlis, sur le dix-huitième siècle et la Révolution Française*, Paris, Ladvocat, 1825, 10 vols.

Gilbert, Nicolas-Joseph-Laurent. *Œuvres complètes*, Paris, Dalibon, 1823.
Le XVIIIe siècle, Amsterdam, 1776.
Mon Apologie, La Haye, 1778.

Gilibert de Merlhiac, Martin-Guillaume. *Vie de La Harpe*, Paris, Hachette, 1829.

Golowkin, Fédor, comte. *Lettres diverses recueillies en Suisse*, Genève, Paschoud, 1821.

Grimm, Friedrich Melchior. *Correspondance littéraire, philosophique et critique par Grimm, Diderot, Raynal, Meister*, Paris, Garnier, 1878, 16 vols.

Hatin, Eugène. *Bibliographie historique et critique de la presse périodique française*, Paris, Firmin-Didot, 1866.

Hawkins, Richmond Laurin. *Newly Discovered French Letters of the Seventeenth, Eighteenth and Nineteenth Century*, Cambridge, Harvard University Press, 1933.

Hawkins, Richmond Laurin. »Unpublished Franch Letters of the Eighteenth Century,« dans la *Romanic Review*, janvier 1930.

Henry, Charles. *Correspondance inédite de Condorcet et de Turgot*, 1770—1779, Paris, Charavay, 1883.

Hertault de Beaufort, J. d'. »Jean-François de La Harpe, Littérateur français,« dans *Les Contemporains*, 1904.

Hugo, Victor. *Les Misérables*, Paris, Fasquelle, 8 vols.

Imbert de Boudeaux, Giullaume. *La Chronique scandaleuse ou Mémoires pour servir à l'histoire des mœurs de la génération présente*, Paris, Dans un coin d'où l'on voit tout, 1783.

Joannidès, A. *La Comédie-Française de 1600 à 1900*, Paris, Plon, 1901.
  Journal des Débats, 1803.
  Journal de la Cour et de la Ville, janvier 1791.
  Journal de Paris, 1777—1803.
  Journal de Perlet, 1792—1797.
  Journal de politique et de littérature, 1774—1778.
  Journal de Trévoux, 1763—1775.
  Mémoires pour l'histoire des sciences et des beaux-arts, 1701—1767.
  Journal du Diable, 1790.
  Journal encyclopédique, 1756—1793, année 1758—1765.
  Journal helvétique, mars-mai 1768.

Johnston, Stuart Lynde. *Jean-François de La Harpe: The Man — the Critic*, thèse dactylographiée présentée à Harvard University, mai 1939.

Jovicevich, Alexander. »An Unpublished Letter of La Harpe,« dans le *Modern Language Notes*, mai 1963.

Jovicevich, Alexander. *Correspondance inédite de Jean-François de La Harpe*, Paris, Editions Universitaires, 1965.

Jovicevich, Alexander. »Le Royaliste La Harpe en vendémiaire An IV«, *Annales Historiques de la Revolution Française*, juillet-septembre 1971, pp. 441—458.

Jovicevich, Alexander. »Thirteen Additional Letters of La Harpe,« dans les *Studies on Voltaire and the Eighteenth Century*, LXVII, (1969).

Jullien, B. »Du Lycée de La Harpe, étude critique,« dans *L'Investigateur*, 1846, 2e série, vol. VI.

Lacroix, Sigismond, *Actes de la Commune de Paris pendant la Révolution*, Paris, Cerf, 1894—1898, 7 volumes.

Larevellière-Lépeaux, Louis-Marie. *Mémoires de Larevellière — Lépeaux*, Paris, Plon (s. d.) 3 vols.

Lekain, Henri-Louis. *Mémoires de Henri-Louis Lekain*, Paris, Colnet, 1801.

Linguet, Simon-Nicolas-Henri. *Mémoire au roi*, Londres, Thomas Spilsbury, 1787.

Longchamps, G.-S. et Wagnière. *Mémoires sur Voltaire et sur ses ouvrages*, Paris, A. André, 1826, 2 vols.

Marmontel, Jean-François. *Réponse de M. Marmontel . . . au Discours de M. de La Harpe*, Paris, Demonville, 1776.

Marmontel, Jean-François. *Œuvres complètes de Marmontel*, Paris, Verdière, 1818—1820, 19 vols.

Mathiez, Albert, *Un procès de corruption sous la Terreur — L'Affaire de la Compagnie des Indes*, Paris, Félix Alcan, 1920.

Mély-Janin, J. »Vie de La Harpe,« dans *Lycée ou Cours de Littérature*, Paris, Costes, 1815.
  Le Mémorial ou Recueil historique, politique et littéraire, 1797.
  Mercure de France, 1758—1805.
  Messager du soir, 1797.
  Le Moniteur universel, voir *Gazette nationale*, 1789—1810.

Mesnard, Paul. *Histoire de l'Académie Française, depuis sa formation jusqu'en 1830*, Paris, Charpentier, 1857.

Métra, François. *Correspondance secrète, politique & littéraire ou Mémoires pour servir à l'histoire des cours des sociétés & de la littéraiture en France, depuis la mort de Louis XV*, Londres, John Adamson, 1787—1790, 18 vols.

Meyer, Paul, »The French Revolution and the Legacy of the Philosophes,« dans la *French Review*, mai 1957.

Monselet, Charles. *Les oubliès et les dédaignés, figures littéraires de la fin du 18e siècle*, Alençon, Poulet-Malassis, 1857, vol. I.

Montesquieu, Charles-Louis de Secondat, baron de la Brède, *De l'Esprit des Loix*, édit. Brethe de la Gressaye, Paris, Société Les Belles Lettres, 1950—61, 4 vols.

Morellet, André (abbé). *Mémoires inédits sur le dix-huitième siècle et sur la Révolution*, Paris, Ladvocat, 1821, 2 vols.

Mornet, Daniel. *Les origines intellectuelles de la Révolution française*, 6ème édition, Paris, A. Colin, 1967.

Nesselrod, A. de. *Lettres et papiers du chancelier comte de Nesselrod, 1760—1850*, Paris, Lahure, 1904, vol. II.

Nisard, Charles. *Mémoires et correspondances historiques et littéraires*, Paris, Michel Lévy, 1858.

Palissot de Montenoy, Charles. *Etrennes à M. de La Harpe à l'occasion de sa brillante rentrée dans le sein de la philosophie*, Paris, Dabin, An X (1802).

Palissot de Montenoy, Charles. *Mémoires pour servir à l'histoire de notre littérature*, Paris, Cropelet, 1803, 2 vols.
Paris pendant l'année 1795—1802, Londres, T. Baylis.

Peignot, Gabriel, *Recherches historiques, biographiques et littéraires sur la vie et les ouvrages de M. de La Harpe*, Dijon, Frantin, 1820.

Perey, L. et Maugras, G. *La vie intime de Voltaire aux Délices et à Ferney*, Paris, Calman Lévy, 1885.

Petitot, C. B. »Mémoires sur la vie de La Harpe,« dans les *Œuvres choisies et posthumes de La Harpe*, Paris, Migneret, 1806.

Piron, Alexis. *Œuvres complètes d'Alexis Piron*, édit. Rigoley de Juvigny, Paris, Lambert, 1776, 7 vols.

Pitou, Alexis. »Les trois textes de la Mélanie de la Harpe,« dans la *Revue d'Histoire Littéraire de la France*, 1909.

Pitou, Spire, »Cahusac's *Warvic* (1742) and La Harpe's *Warwick* (1763)« *Romance Notes*, 1972.

Pomeau, René. *La Religion de Voltaire*, Paris, Nizet, 1956.

Pougens, Charles. *Mémoires et souvenirs de Charles Pougens*, Paris, Fournier jeune, 1854.

Préaudeau, Louis de. »La Harpe et son bonnet rouge,« dans la *Revue hebdomadaire*, 1911.

Ravaisson, F. *Les Archives de la Bastille*, Paris, Durand 1881, 19 vols.

Récamier, Jeanne-Françoise-Julie. *Souvenirs et Correspondance*, Paris, Michel Lévy, 1860, 2 vols.
Rédacteur, le. 1797.
Révolutions de Paris dédiées à la Nation, 1791.
Les Registres de l'Académie Françoise (1763—1792), Paris, Firmin-Didot, 1895, 3 vols.
Revue des documents historiques, 1880.

Rousseau, Jean-Jacques, *Œuvres complètes*, 4 vols, Paris, Pléiade, 1959—1969. Voir aussi Vuaghan.

Sainte-Beuve, Charles Augustin. *Causeries du lundi*, vol. 5, Paris, Garnier, 3e édition.

Sélis, Nicolas-Joseph. *Lettres au citoyen La Harpe sur le Collège de France*, Paris, Gelé, 1792.
Sentinelle, la. décembre 1796.

Sérieys, Antoine. *La Harpe peint par lui-même*, Paris, Plancher, 1817.

Sproull, Grace Mildred. *Jean-François de La Harpe, Controversialist and critic*, thèse dactylographiée, Université de Chicago, 1937.

Saint-Surin, Pierre-Tiffon. »Notice sur la vie et les ouvrages de La Harpe,« dans *Œuvres de La Harpe*, Paris, Verdière, 1821, 16 vols. Réimprimée dans les *Œuvres diverses de La Harpe*, Paris, Dupont, 1826, 16 vols.

Stern, Jean. *Voltaire et sa nièce Madame Denis*, Paris, La Palatine, 1957.

Tissot. Discours prononcé à l'occasion de la translation des restes de La Harpe, le 29 novembre 1838, Paris, Firmin-Didot. (s. d.)

Todd Christopher. »La Harpe quarrels with the actors, unpublished correspondence,« dans les *Studies on Voltaire and the Eighteenth Century*, Genève, Institut et Musée Voltaire, 1967, vol. LIII.

Todd, Christopher. »Two lost plays by La Harpe: *Gustave Wasa* and *Les Brames*,« dans les *Studies on Voltaire and the Eighteenth Century*, Genève, Institut et Musée Voltaire, 1968, vol. LXII.

Turquant, Joseph. *Le Monde et le Demi-Monde sous le Consulat et l'Empire*, Paris, Librairie illustrée.

Vaughan, C. E. *The Political Writings of Jean-Jacques Rousseau*, Cambridge, The University Press, 1915, 2 vols.

Vercruysse, J. »*La Harpe et la* Gazette d'Utrecht: *une lettre inédite à Choiseul*«, dans *Studies on Voltaire*..., vol. LXXIX, pp. 193—198, 1971.
Le Véridique ou Courrier universel, 1797.

Voltaire. *Voltaire's Correspondance*, édit. Theodore Besterman, Genève, Institut et Musée Voltaire, 1953—1965, 107 vols.

Wilson, Arthur M. Diderot: *The Testing Years*, 1713—1759, New York, Oxford University Press, 1957.

Wilson, Arthur M. *Diderot*, Oxford University Press, 1972.

Index

Index

des noms de personnes et des titres
des œuvres de La Harpe

TABLE DES MATIÈRES

Cette première édition de *Jean-François de La Harpe, adepte et renégat des lumières* a été achevée d'imprimer en juin 1973 sur les presses de Gorenjski Tisk à Kranj, Yougoslavie.

CORRECTIONS :

p. 5.   -Rectifier: "A. Miki." en "A Miki."

p. 19, note 46. -Rectifier: "Dideront" en "Diderot".

p. 36, ligne 2. -Rectifier: "goût lassique" en "goût classique".

p. 61, ligne 24. -Rectifier: "ne se put-il que" en "ne se peut-il que".

p. 74, ligne 20 doit être ligne 19 et vice-versa.

p. 107, ligne 5. -Rectifier: "s'enavoueroit-il" en "s'en avoueroit-il".

p. 108, ligne 28. -Rectifier: "ne passera par ce chemin-là ...145"
en "ne passera par ce chemin-là ..."145".

p. 138, ligne 20. -Rectifier: "si bien qu ce ne sont pas" en
"si bien que ce ne sont pas".

p. 142, ligne 5. -Rectifier: "universal" en "universel".

p. 144, ligne 41. -Rectifier: "pas seulemente" en "pas seulement".

p. 172, notes, ligne 10. -Rectifier: "La Décade" en "71 La Décade".

p. 181, ligne 16. -Rectifier: "cinant le représentant" en
"citant le représentant".

p. 199, ligne 19. -Rectifier: "avantage à noble" en "avantage à
se dire noble".

p. 204, ligne 17. -Rectifier: "Bibliothèque publique" en "Bibliothèque publique de la ville de Nancy".

p. 209, ligne 40. -Rectifier: "Vuaghan" en "Vaughan".

p. 210, ligne 18. -Rectifier: "Diderot" en "Diderot".